D1327150

liber

LA MAISON

UN ESPACE À VIVRE

Aubanel

Traduction de l'anglais (américain) par Gisèle Pierson.

Version originale publiée par Weldon Owen
sous le titre *Pottery Barn Home*

Direction artistique : Emma Boys

Mise en page : Shadin Saah, Briar Levit

Pottery Barn Home a été conçu et produit par Weldon Owen Inc.

814 Montgomery Street, San Francisco, CA 94133

en collaboration avec Pottery Barn

3250 Van Ness Avenue, San Francisco, CA 94109

Polices de caractère : Bembo™ et Agenda™

Achevé d'imprimer à Singapour en avril 2007

sur les presses de Tien Wah Press

Dépôt légal : mai 2007

ISBN : 2-7006-0432-6

Life Style Bruce Ma
PRIVATE MANSIONS

Une demeure accueillante

Une habitation, dit-on, en révèle davantage sur la personnalité de son propriétaire que tous les commentaires à son sujet. Sans doute parce qu'elle nous offre l'occasion d'utiliser nos couleurs, textures, objets et souvenirs favoris. Au cours des dernières décennies, notre mode de vie est devenu plus simple, moins formel. Les pièces autrefois réservées à une activité bien précise ont fait place à des espaces polyvalents qui se fondent aisément l'un dans l'autre. De nouveaux matériaux résistants aux intempéries ont ouvert la maison sur l'extérieur, avec des terrasses, des vérandas et des patios dont le mobilier est aussi élégant et confortable que celui du salon. Les salles de bains se font plus vastes et deviennent même parfois des centres de balnéothérapie. Grâce à Internet, le travail à la maison se développe et, la nouvelle technologie des loisirs étant plus abordable, des pièces entières lui sont consacrées. Au milieu de tous ces changements, cependant, une vérité demeure : les gens aiment leur maison avec passion.

Nous avons conçu ce livre pour répondre aux multiples défis que pose l'aménagement d'un intérieur. Les pages suivantes comprennent des plans, des nuanciers, un guide des matériaux et des centaines d'idées simples qui rendront agréable et facile le travail de décoration. Pour davantage de clarté, le livre a été divisé en chapitres, par pièces et activités. Nous espérons que vous y découvrirez combien une maison peut être belle et représenter bien plus qu'une succession de pièces. Elle est le reflet même de votre personnalité et de celle de votre famille.

Sommaire

10 VOTRE MAISON

24 LA PIÈCE À VIVRE

80 LA SALLE À MANGER

128 LA CUISINE

164 LA CHAMBRE

198 LA SALLE DE BAINS

238 LE BUREAU

268 L'ESPACE LOISIRS

302 LA COULEUR

334 L'ÉCLAIRAGE

354 LES MATÉRIAUX

364 INDEX

VOTRE MAISON

« MA MAISON EST LE REFLET

DE MA PERSONNALITÉ.

J'Y SUIS ENTOURÉ

DES OBJETS QUE J'AIME,

ET ELLE FORME LE CADRE

QUI ME PERMET DE FORGER

DE NOUVEAUX SOUVENIRS. »

HERB RITTS
IN TUSCANY
Professional FASHION Photography
Paul CÉZANNE
Unknown Horizons
MASTER DRAWINGS FROM THE HERMITAGE & PUSHKIN MUSEUMS
FLOWERS
MAPPLETHORPE
BULFINCH
PRIVATE PARIS
ANNIE LEIBOVITZ
BEACH DAVID MORGAN
modern chairs
Construction
THE FUTURE
COTTAGES
DOMINICK DUNNE THE WAY WE LIVED THEN
TIEPOLO
ITALY THE BEAUTIFUL COOKBOOK
VENICE
ART & ARCHITECTURE
WEBSTER'S NEW WORLD DICTIONARY
FLOWERS A GUIDE FOR YOUR GARDEN

FAITES DE VOTRE MAISON UN FOYER

CRÉER UN FOYER CONFORTABLE ET ACCUEILLANT, QUI REFLÈTE VOTRE PERSONNALITÉ, EST L'UN DES GRANDS PLAISIRS DE LA VIE.

Pour la plupart d'entre nous, « bien vivre », c'est se créer un univers chaleureux à partager avec la famille et les amis. La maison que nous habitons aujourd'hui diffère de bien des façons de celle de notre enfance. Au fil du temps, le côté protocolaire a disparu pour faire place à l'expression personnelle et à un style plus naturel. Rien ne vous empêche cependant d'aimer les dorures et l'apparat, et il est toujours possible de trouver une place pour une belle antiquité, mais le plus grand luxe de la vie contemporaine est sans aucun doute le confort, sous toutes ses formes et en tous lieux. Pour qu'une demeure prenne le nom de foyer, elle doit être aussi accueillante et harmonieuse que belle. Votre but est, avant tout, non pas d'avoir un somptueux canapé flambant neuf dans votre salon et des murs aux couleurs du moment, mais de faire en sorte que chacun s'y sente chez soi. Les éléments de base d'une pièce accueillante sont faciles à identifier – sièges confortables et bien conçus qui encouragent la conversation, harmonie des couleurs, éclairage qui répond à vos besoins et à votre humeur, jolis objets qui flattent l'œil et le toucher – et chacun d'eux participe à l'atmosphère générale de bien-être. Ces essentiels du confort se déclinent dans toutes les pièces, de la baignoire au bureau ou à la véranda. L'association des divers éléments, le mélange des meubles et accessoires, les contrastes de texture, l'utilisation de la couleur, les objets originaux qui donnent son caractère à la maison, tout cela c'est vous qui le choisissez. Le style ne repose ni sur un seul choix ni sur un ensemble de règles préétablies, mais il est fait du mariage réussi de la beauté et du confort. Il est conditionné par votre mode de vie et résulte des fonctions et possibilités d'une pièce, arrangées de façon à créer une histoire personnelle et cohérente. Vous trouverez dans ces pages des idées de décoration créatives pour vous aider à tisser votre propre décor dans les différents espaces de la maison. Pour créer un foyer confortable, il faut avant tout déterminer ce que vous aimez en vous laissant guider

DÉCORER N'EST PAS IMITER UN STYLE, C'EST EXPRIMER LE VÔTRE.

par vos préférences. Le plus simple pour trouver votre style est de feuilleter les magazines de décoration, les livres et les catalogues. Notez tout ce qui vous frappe : l'agencement d'une pièce entière ou simplement le traitement d'une fenêtre. Découpez les photos dont les couleurs et les motifs vous plaisent, à moins que vous ne soyez séduit par les dimensions d'une pièce ou la qualité de la lumière. Vous pouvez aussi être sensible aux souvenirs évoqués par une image. Rassemblez également des nuanciers de peinture et des échantillons de tissus que vous aimez particulièrement. Créez un dossier avec les références correspondantes (jusqu'à disposer de trois ou quatre douzaines de documents) : vous pourrez alors étaler le tout sur le sol et faire le point. Est-ce l'acier inoxydable qui domine ou le bois chaleureux ? Les pièces sont-elles très colorées ou peintes dans une douce harmonie de blanc cassé ? Sobrement meublées ou emplies de bibelots ?

LE VRAI LUXE, C'EST DONNER À VOS INVITÉS L'IMPRESSION D'ÊTRE CHEZ EUX.

Vos choix commenceront alors à s'affiner et vous finirez par trouver votre style de décoration. Il ne vous reste plus qu'à le matérialiser, dans les limites de votre budget et de l'espace disponible. Que vous décoriez un petit appartement ou une maison de dix pièces, il vaut mieux commencer avec une palette de couleurs qui se retrouvera dans la peinture et les tissus, donnant ainsi une unité à toute la maison. Décorer est un processus de longue haleine et il est conseillé de suivre un plan général, de façon à ce que les pièces adjacentes se fondent sans heurts l'une dans l'autre. Penser en termes de globalité ne vous empêchera pas pour autant de créer différentes ambiances, plus conventionnelles pour certains espaces ou décontractées pour d'autres. Même si vous la modifiez plus tard, une gamme de couleur

générale est particulièrement utile pour établir les premiers plans. Elle orientera votre travail et délimitera vos choix. Dans le chapitre sur la couleur (page 302), vous verrez comment choisir une palette qui se prolonge harmonieusement dans tous les espaces de la maison. Lorsque vous serez sûr de votre style et de vos couleurs préférées, abordez chaque pièce une par une.

En vous concentrant sur un seul espace, le résultat sera plus rapide et beaucoup plus satisfaisant que si vous travaillez sur plusieurs pièces à la fois. Ce principe progressif vous permet aussi de raffiner vos choix à mesure que chaque pièce prend forme. Quand vous aurez déterminé la pièce sur laquelle vous allez travailler, tracez-en le plan afin de pouvoir marquer vos idées

DISPOSER LES OBJETS ET LES SOUVENIRS QUI VOUS SONT CHERS EST L'EXPRESSION LA PLUS NATURELLE DE VOTRE STYLE.

sur le papier. Pour vous aider à réaliser ce schéma et à rassembler les divers éléments qui forment un espace réussi, suivez les conseils pratiques qui vous sont proposés tout au long de ce livre. Commencez par placer des sièges et des canapés consacrés à la détente, puis des lieux réservés aux activités telles que travail de bureau ou loisirs. Notez les schémas de circulation et disposez le mobilier de façon à faciliter le passage. Faites une liste des luminaires nécessaires et indiquez les possibilités d'éclairages d'ambiance, ponctuels et de travail. Considérez aussi le traitement des fenêtres, naturel ou plus apprêté, simples stores ou drapés savants. Une fois le plan au sol tracé, occupez-vous des détails en choisissant les tissus d'ameublement et les accessoires, sans jamais perdre de vue votre style de départ et

VOTRE MAISON EST UNE ENTITÉ VIVANTE, RÉELLE, QUI ÉVOLUE AVEC VOUS.

votre palette de couleurs. Trouvez un juste équilibre entre les investissements à long terme et les folies abordables. Jouer avec les nouveaux coloris de la saison et les motifs à la mode fait partie du plaisir de la décoration, mais vous pouvez les réserver à un coussin ou autre accessoire plutôt qu'à un grand meuble. Vous satisferez ainsi votre envie de nouveauté tout en préservant une toile de fond qui vous accompagnera longtemps. Si vous investissez dans un meuble important, mettez l'accent sur la qualité, le confort et la robustesse. Les modes se font et se défont en décoration et la maison évolue au cours des années. Seuls restent constants le besoin de confort et le désir naturel de mettre les gens à leur aise. Rappelez-vous que vous ne créez pas une vitrine mais un foyer qui correspond à votre mode de vie. Pour que vos invités se sentent chez eux, la chaleur de votre accueil est plus importante que le style de vos fauteuils.

LA PIÈCE À VIVRE

« JE VEUX UN LIEU DE VIE,
UN ESPACE QUI REFLÈTE
MES EXPÉRIENCES ET
MON STYLE, OÙ CHACUN
SE SENTE BIEN,
OÙ L'ON A ENVIE
DE RESTER. »

COMMENT RÉUSSIR

LA PIÈCE À VIVRE

La pièce à vivre, c'est tout simplement l'endroit où nous passons la plus grande partie de notre temps. Les idées de décoration mises en œuvre dans la salle de séjour s'appliquent à toutes les pièces. Votre pièce à vivre principale donne le ton et vous devez donc réfléchir à la façon dont elle influence et inspire le décor des pièces adjacentes, y compris les espaces extérieurs. Dans ce chapitre, vous trouverez des idées qui vous aideront à rendre plus agréable la maison tout entière.

33 Réunions familiales et entre amis

45 Création d'un espace commun

57 Le vrai confort

63 Ouverture sur l'extérieur

71 Vitrines et bibelots

Comment organiser une pièce à vivre

Pour réussir un décor, vous devez avant tout définir clairement vos objectifs : vous trouverez la disposition idéale du mobilier et des accessoires en mettant l'accent, dès le début, sur l'aspect fonctionnel autant que sur le style.

Qu'il s'agisse de décorer complètement une pièce ou simplement de la rajeunir, prenez le temps, avant de choisir les couleurs ou d'acheter de nouveaux rideaux, de tracer un plan de la pièce dans sa globalité. Dessinez le plan au sol à une échelle raisonnable et ajoutez le mobilier, à la même échelle. Commencez par les gros meubles tels que canapés, fauteuils et armoires, qui vont déterminer le choix des petits meubles et la façon d'utiliser ceux que vous possédez déjà. Tracez ensuite les schémas de circulation (90 à 120 centimètres sont généralement nécessaires pour circuler aisément autour des meubles). Laissez au moins 50 centimètres entre une table d'appoint et un canapé et 60 centimètres entre les autres meubles. Réfléchissez aux fonctions de la pièce et demandez-vous si des meubles supplémentaires sont nécessaires – tables d'appoint, lampes, meubles de rangement, fauteuils légers… Préférez-vous une pièce cérémonieuse ou décontractée ? Votre famille l'utilisera-t-elle comme espace multimédia ou comme lieu de rencontre ? Peut-être faudra-t-il ajouter des meubles fonctionnels, tels qu'étagères ou rangements, ou bien une table d'appoint faisant office de bar pour les fêtes entre amis. Ne programmez les tapis que lorsque tous les meubles seront en place. Pour ancrer une zone de détente, un tapis doit être assez vaste afin d'y placer tous les sièges. Si cela est impossible, choisissez un tapis un peu plus grand que la table basse.

ESPACE À VIVRE DÉCLOISONNÉ

La pièce décloisonnée (ci-dessus et page précédente) offre des zones d'activité subtilement différenciées, avec de larges espaces de circulation.

- UN GROUPE DE SIÈGES DISPOSÉS EN U permet à un grand nombre de personnes de s'asseoir ensemble.
- LA SÉPARATION entre le groupe de sièges et la table destinée aux repas est marquée par le dos du canapé.
- LA ZONE DE DÉTENTE est délimitée par un grand tapis, le parquet étant laissé nu dans le coin repas.
- DES PASSAGES LIBRES vers les autres pièces et la terrasse sont délimités par les meubles éloignés des murs, au centre des deux espaces.
- DES SIÈGES D'APPOINT plus petits donnent de la flexibilité au décor.

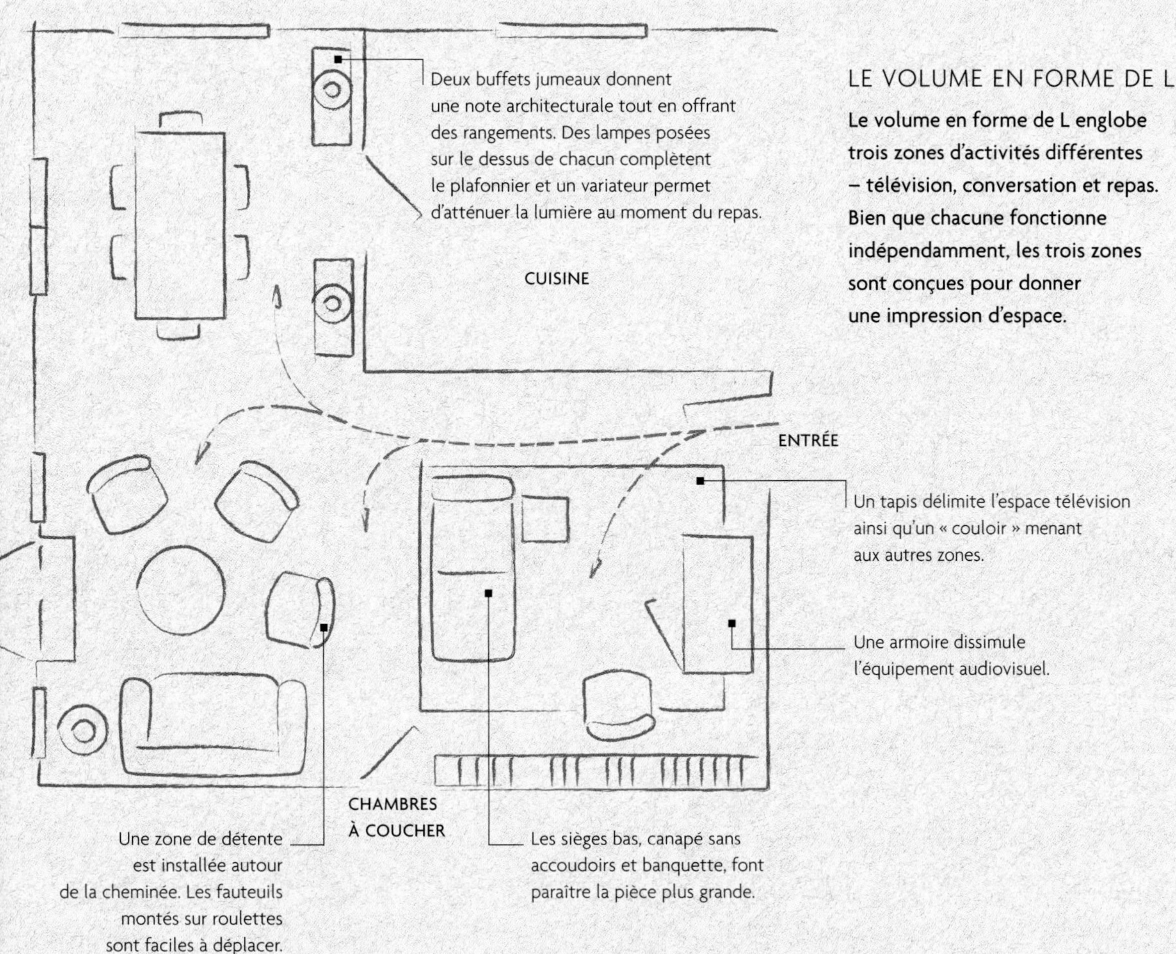

LE VOLUME EN FORME DE L

Le volume en forme de L englobe trois zones d'activités différentes – télévision, conversation et repas. Bien que chacune fonctionne indépendamment, les trois zones sont conçues pour donner une impression d'espace.

ENTRÉE

Les sièges légers sont faciles à déplacer quand vous recevez.

En partant de l'entrée, la circulation se fait de chaque côté du petit canapé central.

Une table derrière le canapé permet de présenter de beaux livres et peut être utilisée pour des repas impromptus devant la cheminée.

Une petite table basse peut faire office de bar.

CUISINE

Des lampes décoratives (indiquées par des cercles sur les tables et le sol) forment un triangle de lumière douce.

Deux petits canapés assortis sont disposés à angle droit pour créer deux zones de conversation.

Le grand tapis s'arrête à 45-60 centimètres des murs. Les meubles placés près des murs se trouvent en partie en dehors du tapis.

UN PLAN POUR RECEVOIR

Si vous recevez souvent, ajoutez aux canapés des sièges légers, faciles à déplacer, et des petites tables où vos invités pourront poser leur verre et leur assiette.

FORMES DE CANAPÉS STANDARDS

Quelle qu'en soit la forme, un bon canapé change aussitôt l'aspect d'une pièce. Optez pour une palette de couleurs neutres et donnez la priorité au confort.

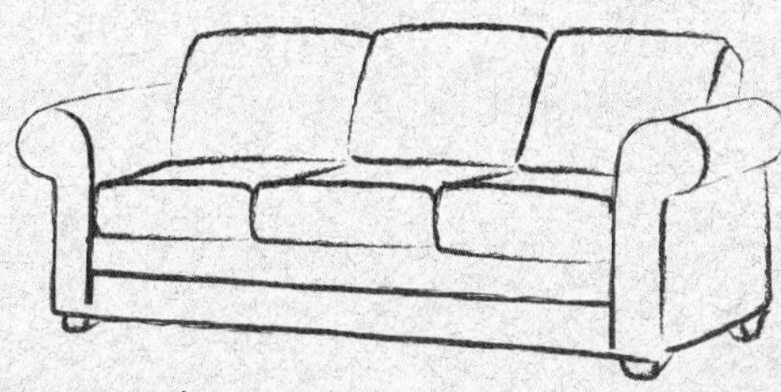

Canapés classiques
Les styles classiques ne suivent pas les modes et durent des décennies.

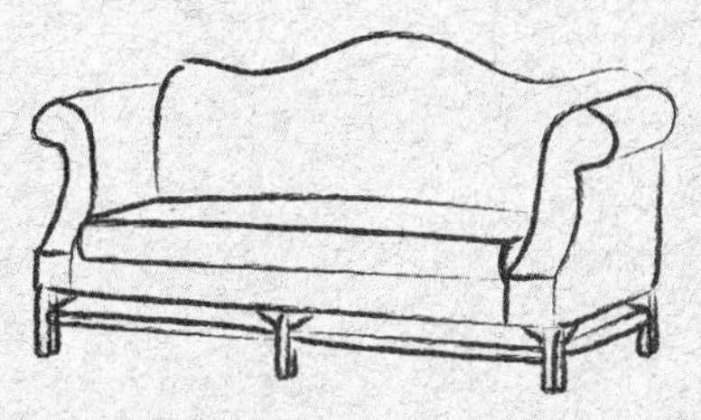

Canapés de style ancien
Ils ont le charme d'antan, mais les dossiers sans coussins sont généralement moins confortables que nos canapés rembourrés contemporains.

Canapés modulaires
Les canapés modulaires sont plus flexibles. Vous pouvez ajouter ou soustraire des éléments selon vos besoins.

Petits canapés ou banquettes
Les petits canapés sont préférables quand l'espace est réduit. Vous pouvez aussi les placer dans l'entrée, un grand couloir ou une chambre.

Les réunions en famille et entre amis sont l'un des grands plaisirs de la vie. Parents, habitués ou nouvelles connaissances, chaque hôte doit se sentir bien chez vous. L'agencement de la pièce conditionnant le comportement des invités, planifiez la disposition à l'avance de façon à ce que les invités puissent facilement se mêler. Le contact visuel entre eux est un principe qui devrait être facile à suivre, grâce à des fauteuils voisins ou un cercle de sièges.

RÉUNIONS
FAMILIALES ET ENTRE AMIS

UNE PIÈCE À VIVRE RÉUSSIE MET TOUT LE MONDE À L'AISE, À CONDITION D'Y DISPOSER UN GROUPE DE SIÈGES PROPICES À LA CONVERSATION ET AUX ÉCHANGES SPONTANÉS.

Commencez par la disposition de ces derniers. Cela requiert une certaine logique et se fait autour d'un pôle d'attraction – une cheminée en hiver, des banquettes en été devant des fenêtres ouvrant sur le jardin ou une jolie vue. Assurez-vous que la place est suffisante pour des sièges d'appoint supplémentaires et que les invités sauront où poser leur verre ou leur assiette. Ajoutez de nombreux coussins pour davantage de confort.

Une pièce pour recevoir

Lorsque vous invitez des amis, facilitez les rencontres avec de multiples groupes de sièges dans des zones différentes.

Les réunions entre amis seront d'autant plus réussies que le plan au sol facilite la circulation. Quand la place le permet, répartissez les sièges en petits groupes. Les invités auront ainsi le choix entre plusieurs sujets de conversation et la famille pourra utiliser l'espace simultanément pour différentes activités. Quand vous recevez, enlevez tout ce qui n'est pas essentiel, pour agrandir l'espace. Puis ajoutez des chaises d'appoint légères qui permettront aux hôtes de s'asseoir tout en laissant les passages libres. Dans une petite pièce, des tabourets empilables ou des coussins de sol formeront des sièges supplémentaires.

UNE PIÈCE RÉUSSIE

Par la création de trois zones de réunion distinctes, ce vaste séjour s'adapte aussi bien à l'usage quotidien qu'aux fêtes entre amis.

- UN ESPACE DÉCLOISONNÉ est parfait pour de grands groupes et encourage les échanges entre invités.
- LES SIÈGES MULTIPLES facilitent la conversation. Deux canapés se faisant face encadrent la cheminée, quatre fauteuils entourent une table basse et un lit de repos protégé permet de se parler au calme.
- LE TISSU BLANC DES SIÈGES donne une unité à l'ensemble tout en créant une atmosphère de sérénité.
- DES CHAISES EN BOIS LÉGÈRES, de forme originale et faciles à déplacer, ajoutent une note exotique.
- DES TAPIS INDIVIDUELS de teinte neutre ancrent les principaux groupes de sièges, sans bousculer l'unité donnée par le parquet de pin au ton miel.

UNE PIÈCE RÉUSSIE

La disposition traditionnelle des meubles est rajeunie par des tissus décontractés et des accents bien choisis.

- **LES OBJETS ANCIENS** se marient avec la toile blanche des sièges.
- **LA PEINTURE BLANCHE** de la cheminée et des portes-fenêtres accentue les détails de l'architecture de la pièce. La collection de vases sur la cheminée s'accorde avec la simplicité de la palette.
- **LE BLEU FEUTRÉ** des murs accentue l'aspect classique. La teinte est reprise en diverses nuances dans toute la pièce.
- **LES PORTES-FENÊTRES** laissent passer le soleil et la lumière, qui se reflètent dans les miroirs et les surfaces argentées.

RÉUNIONS FAMILIALES ET ENTRE AMIS

Confort classique

Animez une pièce traditionnelle avec des accents de styles classique et contemporain, en donnant la priorité au confort.

La disposition classique du canapé, de la table basse et de deux fauteuils autour de la cheminée a de bonnes raisons d'être largement utilisée. Organisant au mieux l'espace, elle est confortable et peut se décliner dans de multiples styles. Si vous laissez s'exprimer votre créativité dans le choix des couleurs, des meubles et des accessoires, vous obtiendrez un décor classique remis au goût du jour, en réveillant la pièce la plus traditionnelle par un mélange d'ancien et de moderne.

Afin de doter une pièce traditionnelle d'une ambiance décontractée, optez pour des sièges à l'aspect confortable, faciles à entretenir, complétés par des coussins. Ajoutez des meubles patinés par les ans et des objets anciens. Choisissez un décor de fenêtre sans prétention, des panneaux de coton ou de toile à voile plutôt que de lourdes draperies, ou bien laissez-les nues ou simplement habillées d'un voilage léger pour laisser passer le soleil.

LE CORBUSIER
WILLIAM J R CURTIS

RÉUNIONS FAMILIALES ET ENTRE AMIS

Flexibilité des sièges

Pour votre séjour, choisissez des meubles qui peuvent être facilement déplacés, selon la saison ou en vue d'événements particuliers. Les sièges modulaires sont parfaits pour cela, et le même principe peut s'appliquer à d'autres meubles. Deux canapés à deux places offrent plus de flexibilité pour redistribuer l'espace qu'un grand canapé à quatre places. Il est plus facile de grouper autour d'une table ou de mettre côte à côte deux fauteuils semblables. Les bancs et les banquettes se prêtent particulièrement à un double rôle : élégantes tables basses pour une occasion ou sièges supplémentaires pour une autre.

La disposition pour les beaux jours, *ci-dessus*, permet d'admirer le jardin, le groupe de sièges étant éloigné de la cheminée. À l'automne et en hiver, *page opposée*, les sièges sont facilement déplacés et l'attention se porte d'abord sur le feu brûlant dans l'âtre.

Un quatuor de fauteuils, *à gauche*, facilite la conversation et les jeux de société, en formant un cercle plus intime que deux canapés se faisant face.

LEÇON DE DÉCORATION **DISPOSER DES SIÈGES MODULAIRES**

Les sièges modulaires sont polyvalents et prennent moins de place qu'une combinaison de fauteuils et de canapés. Les éléments sont vendus à l'unité (éléments d'angle, fauteuils avec ou sans accoudoirs, poufs et canapés), ce qui permet de les adapter à chaque situation. Les modules sans accoudoirs autorisent davantage de flexibilité dans les arrangements.

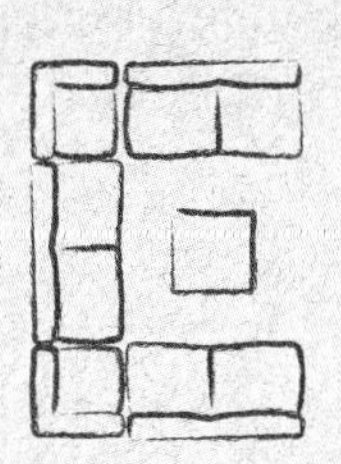

Disposition en U
Elle offre un grand nombre de sièges. Un large tabouret forme une table basse ; laissez 50 centimètres pour le passage.

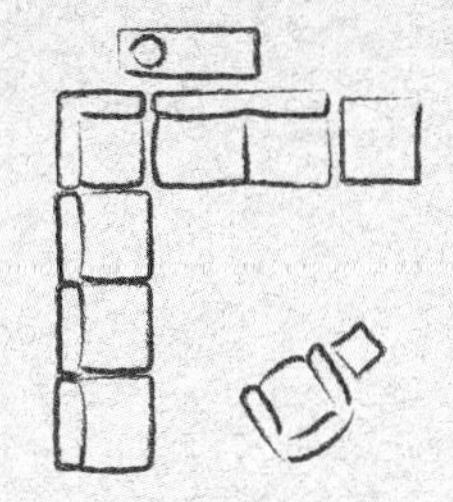

Disposition en angle
Les côtés d'égale longueur sont équilibrés par un grand fauteuil. Vous pouvez remplacer la table basse par une console s'appuyant sur un côté.

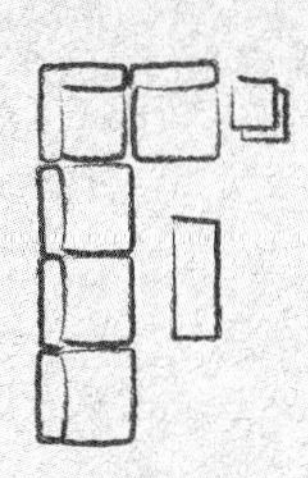

Disposition en L
Une table rectangulaire complète ce groupe en L. Dans un espace restreint, des tables gigognes en bout de siège remplacent la table basse.

La cheminée

Le feu attire toujours l'attention et la cheminée est l'un des pôles d'attraction les plus accueillants. Son importance visuelle en fait un élément essentiel d'une pièce. Du fait de cette position dominante, les petits changements apportés à son manteau, son entourage ou son âtre peuvent avoir un grand impact.

Si votre cheminée est loin d'être parfaite, tout n'est pas perdu. La surface et les proportions peuvent souvent être améliorées (voir ci-dessous) sans toucher au gros œuvre, ce qui serait plus compliqué. Le style et les proportions de la cheminée devraient idéalement être assortis à l'architecture de la pièce. Réfléchissez à vos choix : haut manteau, entourage en carreaux de faïence colorés, en pierre ou dans un matériau plus discret ? Des matériaux plus luxueux, comme le marbre ou le granit, ajoutent un certain lustre au pourtour de la cheminée, au manteau et à l'âtre ; la surface à couvrir étant restreinte, leur coût demeure limité.

La cheminée, *à droite*, possède une grande ouverture et un âtre peu profond qui laisse rayonner la chaleur. Un haut foyer vertical fait écho aux proportions des pièces à hauts plafonds.

LEÇON DE DÉCORATION RAJEUNISSEZ VOTRE CHEMINÉE

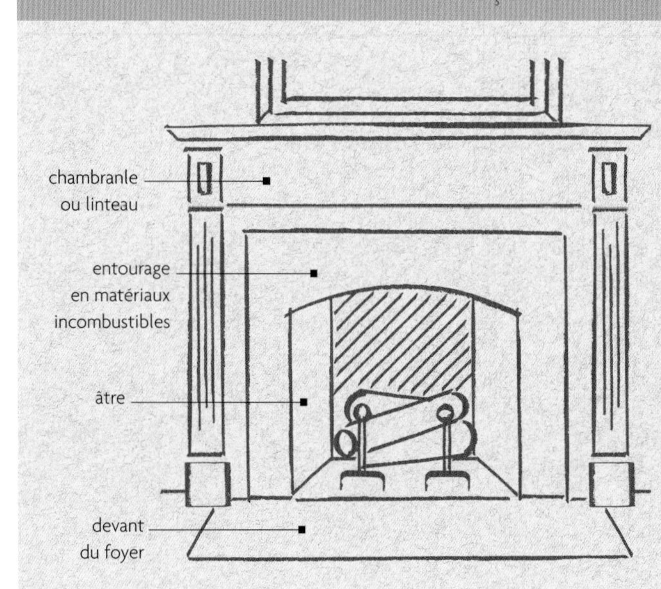

Si les proportions de votre cheminée sont inesthétiques ou si elle est abîmée, essayez tout d'abord de transformer son aspect. Plusieurs mesures intermédiaires, telles qu'une couche de peinture, un peu d'enduit ou l'installation d'un nouveau foyer, peuvent améliorer l'allure d'une vieille cheminée pour un coût beaucoup moins élevé qu'une réfection complète. Vous trouverez les matériaux indiqués à droite dans la plupart des magasins spécialisés.

Il peut être judicieux de faire appel à un menuisier ou à un carreleur. Les réparations des structures internes et du foyer doivent toujours être effectuées par un professionnel.

- **LES PRODUITS DE NETTOYAGE** pour les foyers et la pierre éliminent la suie et les taches.
- **UNE COUCHE DE PEINTURE NEUVE** est l'une des façons les plus rapides et les moins onéreuses de rénover une vieille cheminée en briques inesthétique.
- **LES NOUVEAUX ENTOURAGES** offrent des styles variés, en marbre ou en pierre, en bois, en ciment et même en fer. Les magasins de matériaux et de bricolage offrent toute une gamme de modèles, dont des reproductions de cheminées anciennes.
- **LES ENTOURAGES DE REMPLACEMENT**, en dalles de pierre taillées sur mesure ou en carreaux de faïence ou de céramique, seront appliqués directement sur les surfaces existantes, celles-ci pouvant être recouvertes d'une couche de stuc.

Cheminée d'angle
Lorsque les surfaces murales sont réduites, la cheminée d'angle est une solution et crée une atmosphère chaleureuse. Les groupes de sièges orientés vers un angle donnent une nouvelle dimension à la pièce, et en prolongeant la cheminée par une banquette sur un ou deux côtés, vous la rendrez encore plus accueillante.

Bois traditionnel
Les linteaux en bois étaient conçus autrefois dans le style architectural de la maison, et vous devez essayer de suivre ce principe. Vous trouverez sûrement le linteau qui reflétera le caractère de votre maison parmi les cheminées de récupération ou des reproductions de divers styles anciens.

Linteau affleurant
Le linteau affleurant ou peu épais est parfait pour les petites pièces. Cette sobre moulure en fausse pierre ajoute un accent architectural sans dominer la pièce ni prendre trop de place. Elle se projette juste assez pour encadrer l'ouverture de la cheminée et accepter un tableau sur son rebord.

Foyer surélevé
Un foyer situé à environ 50 centimètres au-dessus du sol permet de mieux profiter du feu. Il simplifie également l'allumage et l'entretien de la cheminée. Le foyer peut se prolonger de chaque côté en formant une banquette basse qui permet de s'asseoir au coin du feu.

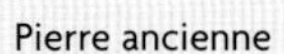

Pierre ancienne
Cette petite cheminée en fer au linteau de marbre était conçue à l'origine pour brûler du charbon, puis elle a été convertie pour le bois. Son bel entourage gravé, son foyer arrondi et sa tablette simple ne demandent aucun embellissement. On trouve facilement des reproductions d'entourages et de linteaux anciens.

Trou dans le mur
Autre exemple d'un style de cheminée qui évolue selon l'architecture, la cheminee creusee dans le mur offre généralement un foyer horizontal placé bas, sans linteau ni entourage. Cette approche minimaliste suit une tendance contemporaine, présente dans certaines maisons modernes.

EXPOSEZ VOS OBJETS FAVORIS SUR LA TABLETTE DE LA CHEMINÉE, POUR DONNER LE TON À LA PIÈCE.

Un miroir, *en haut à gauche*, est entouré d'objets éclectiques dans une composition asymétrique, en noir et blanc (les boules font écho au miroir circulaire). Disposez les divers éléments jusqu'à ce que vous soyez satisfait du résultat.

Cette collection de cinéphile, *ci-contre*, associe des affiches de films et une rangée d'appareils photographiques anciens, en hommage à l'histoire du cinéma.

Le thème naturel, *ci-dessus*, unifie cette présentation. La répétition des formes rondes et rectangulaires donne du rythme et du mouvement à l'ensemble, le regard allant des coquillages aux fleurs puis au livre curieusement encadré, exposé sur le mur.

Une série de loupes, *page opposée*, se mêle à des faïences blanches et noires, en un déploiement original. L'ensemble crée un enchaînement de formes dynamique, unifié par la palette de couleurs commune.

CRÉATION D'UN ESPACE COMMUN

La tendance aujourd'hui, dans de nombreux foyers, est à l'espace décloisonné. Il est facile d'en comprendre la raison : rien n'est plus propice à la vie familiale qu'une pièce assez vaste pour que tous puissent s'y trouver ensemble, et conçue de telle sorte que tout s'y déroule harmonieusement. Pour qu'un espace décloisonné soit efficace, il faut trouver un équilibre entre le désir de séparation et le besoin d'harmonie. Commencez par déterminer les diverses zones d'activités – lecture, télévision, repas... –, qui permettront d'établir des sphères d'intimité. Soulignez les transitions d'une zone à l'autre par des tapis et des groupes de meubles placés de façon stratégique. Unifiez l'espace en adoptant un seul style et n'utilisez qu'une ou deux couleurs principales pour minimiser l'encombrement visuel. Choisissez des matériaux, des finitions et des tissus résistants, des meubles de bonne dimension et de multiples sources d'éclairage d'ambiance ou ponctuel. Mettez vos collections en valeur et n'oubliez pas les espaces de rangement, élément particulièrement important en raison de la cohabitation de multiples activités.

DE NOMBREUSES FAMILLES TRANSFORMENT UN SALON ET UNE SALLE À MANGER TRADITIONNELS EN UNE GRANDE PIÈCE À USAGES MULTIPLES. CET ESPACE COMMUN DÉCLOISONNÉ DEVIENT LE NOUVEAU CŒUR DE LA MAISON.

HOLLYWOOD LIFE

UNE PIÈCE RÉUSSIE

Ce bel espace révèle le goût de la famille pour la culture et le confort. Ses lignes classiques sont adoucies par des meubles décontractés.

- UNE PALETTE CHALEUREUSE DE BLANC, crème et fauve, forme une toile de fond élégante pour les meubles et les accessoires sans prétention.
- LE PIANO donne le ton au décor, sa teinte profonde fait écho au miroir et aux éléments en bois.
- LE TAPIS BOUCLETTE, propice à la détente, ajoute sa texture au thème coloré feutré.
- LES FAUTEUILS CLUB en cuir marron, équilibrent la simplicité classique du décor.
- DE SIMPLES PHOTOS dans un cadre argenté sont exposées sur le piano.

CRÉATION D'UN ESPACE COMMUN

Une pièce familiale bien pensée

La musique et les jeux font partie de la vie familiale dans cette pièce confortable, qui s'habille élégamment pour les invités.

Une pièce conçue pour les échanges intimes et tranquilles, le piano ou la lecture, mais avec suffisamment d'espace pour les réunions familiales et les jeux : un décor discret est la meilleure solution pour ce lieu raffiné et décontracté. Confort et élégance se conjuguent harmonieusement dans une pièce aux tons neutres et aux couleurs de terre qui forment une toile de fond souple, l'atmosphère de la pièce pouvant être rapidement transformée. Les tons neutres chauds donnent un aspect luxueux mais discret et facile à adapter. Blotti dans votre fauteuil, vous jouez avec les enfants, le chien à vos pieds et, plus tard dans la soirée, vous recevez vos amis pour un cocktail. Adoucissez le côté protocolaire de la pièce avec des meubles résolument décontractés, fauteuils en cuir, tapis à longs poils, et des accessoires simples et graphiques.

CRÉATION D'UN ESPACE COMMUN

Zones d'activités

Matérialisez la pièce décloisonnée par des séparations subtiles qui respectent son volume tout en créant de discrètes zones d'activités.

Définir, des zones d'activités dans une pièce décloisonnée, sans encombrer l'espace, constitue souvent un véritable défi. La meilleure stratégie est de créer des séparations visuelles. Un canapé modulaire tournant le dos au reste de la pièce permet de marquer une zone de détente, de repas ou de travail. Les cloisons partielles, bibliothèques, paravents et portières (draperies en tissu servant de paravent) sont également efficaces pour diviser une pièce et, comme ils n'atteignent pas le plafond, ils en préservent le volume. Les diverses zones peuvent aussi être délimitées par un revêtement de sol différent ou un plafond plus bas ou plus haut. En règle générale, quelques gros meubles ont plus d'impact dans un espace décloisonné qu'une série de petits meubles qui peuvent créer une impression de désordre. Cependant, les canapés modulaires ou les petits fauteuils sont pratiques parce qu'ils aident à définir les zones d'activités et peuvent être disposés différemment si nécessaire.

UNE PIÈCE RÉUSSIE

Conçu pour une famille avec de jeunes enfants, cet espace décloisonné utilise des séparations visuelles imaginaires qui établissent des zones distinctes pour le jeu, la détente, les repas et la cuisine.

■ UNE PALETTE NEUTRE DE BLANC et de taupe unifie les diverses parties. Elle est rehaussée par des accents de rouge éclatant et de noir d'ébène.

■ UN CANAPÉ GÉNÉREUX définit une zone confortable pour la télévision et isole visuellement l'espace de travail qui se trouve derrière. Des abat-jour suspendus accentuent la séparation entre le séjour et le coin repas.

■ UNE CLOISON dissimule la zone de préparation des repas et marque le vigoureux accent de couleur rouge repris dans toute la pièce.

■ DES TISSUS NE CRAIGNANT PAS LES PETITES MAINS et un parquet peu salissant permettent aux enfants de jouer librement. La table basse faisant office de tableau noir peut être facilement déplacée. Les rallonges de la table des repas, montée sur roulettes, autorisent un nombre plus ou moins important de convives.

Menú
del día

Séjour pour la famille

Quand toute la famille partage un petit espace, chaque centimètre compte. Des meubles de rangement fermés et des casiers portables éviteront le désordre.

Les petits espaces doivent être parfaitement organisés, surtout si plusieurs membres de la famille doivent travailler ou jouer dans la même pièce. Pour que le matériel nécessaire à chacun – jouets, livres, crayons – soit facilement accessible, il vous faut des solutions de rangement sur mesure.

Des casiers à roulettes permettent aux enfants de transporter facilement leurs jouets ou leurs crayons. Chaque enfant, possédant son propre casier, aura à cœur d'y mettre ses affaires et accourra sans se faire prier quand sonnera l'heure du rangement. L'espace situé sous une table basse servira pour y glisser des casiers de livres et de jouets que les enfants atteindront facilement. Il vaut mieux abriter les « jouets » plus sophistiqués des adultes, matériel vidéo et audio, derrière une porte bien fermée, comme celle d'un placard ou d'une armoire.

UNE PIÈCE RÉUSSIE

Dans cette pièce familiale, les affaires des enfants sont rangées à leur portée, sur le sol, mais l'équipement audiovisuel et le matériel de bureau sont mieux protégés.

- DES PLACARDS sur toute la hauteur du mur abritent le téléviseur et autres matériels électroniques, ainsi que les affaires d'hiver en été et inversement.
- DES CASIERS ROULANTS empilables facilitent un rangement rapide et les livres des enfants sont glissés dans des paniers sous une solide table basse.
- UN PUPITRE D'ÉCOLIER à l'ancienne permet aux enfants de dessiner tout en restant près des adultes.
- DES ÉTAGÈRES NON FERMÉES créent un espace bureau miniature.

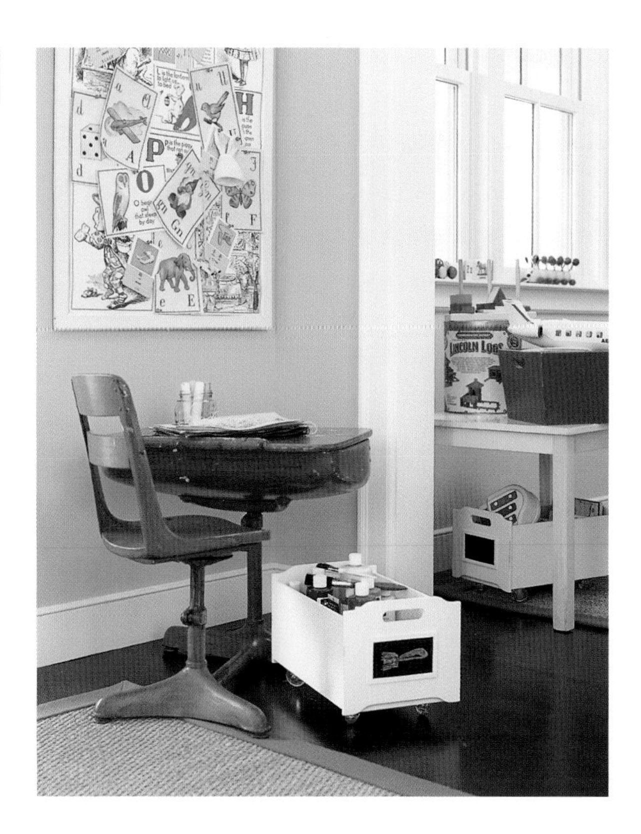

Les étagères

Les étagères forment un rangement très efficace. Elles ajoutent un intérêt architectural à la pièce et vous permettent d'exprimer votre créativité en présentant non seulement des collections de livres, mais aussi des souvenirs de famille, des photographies et des bibelots.

Les étagères doivent être en harmonie avec le décor général de la pièce. Le bois, très employé, peut être teinté ou peint et assorti aux moulures existantes ; le métal évoque un style plus contemporain. Pour que l'ensemble soit net, alignez les côtés et le haut des étagères avec les portes, fenêtres ou autres éléments d'architecture dans le même plan visuel. Conservez un espace suffisant entre les planches, qui doivent être alignées sur toute leur longueur (bien que leur hauteur puisse varier pour contenir divers objets, du matériel électronique ou de grands livres). Le plus haut espace doit se trouver dans le bas, pour éviter d'alourdir les étagères supérieures.

Bibliothèque d'angle, *à droite*. L'angle d'une pièce décloisonnée aux larges appuis de fenêtre est transformé en coin lecture, avec de jolis objets placés sur la planche supérieure. Les étagères encadrent les fenêtres, en donnant un aspect très ordonné.

LEÇON DE DÉCORATION. DISPOSITION DES LIVRES SUR LES ÉTAGÈRES

Ranger des livres sur des planches n'a peut-être rien d'un procédé de décoration, mais une disposition bien pensée, qui les associe à des objets personnels, formera un bel ensemble, facile d'accès. Les livres d'une bibliothèque sont la révélation intime de l'âme de la famille. Ils reflètent ses intérêts, ses auteurs et artistes favoris et ses voyages mémorables. Si vous décidez de réorganiser vos étagères pour obtenir une présentation plus harmonieuse ou simplement pour trouver plus aisément un livre, les quelques conseils ci-après feront de votre mur de rangements un élément de décoration.

- **INVENTORIEZ** ce que vous désirez mettre sur les étagères. Retirez tout et classez les éléments par tailles ou par genres, pour faire le point.
- **LAISSEZ DES ESPACES** entre les livres pour placer des objets ou des collections, pour accrocher un tableau sur le mur ou dans le fond de la bibliothèque. Ce procédé crée des « vitrines » dans les étagères et allège l'ensemble.
- **RANGEZ LES LIVRES PAR TAILLE.** Pour un effet plus harmonieux, placez les livres et les objets les plus grands sur les étagères inférieures, et les petits plus haut. Laissez un espace de 3 à 5 centimètres au-dessus de chaque rangée de livres.
- **POUR ÉVITER TOUT DÉSORDRE**, disposez les objets isolés dans des contenants. Rangez les photos, les cartes et les lettres dans des paniers ou de jolies boîtes.

Cubes uniformes
Si les étagères sont posées d'un mur à l'autre et composées de cubes de même taille, la distance entre les montants verticaux peut être réduite, ce qui évitera la déformation des planches. Cette grille bien nette permet de disposer harmonieusement livres et objets divers.

Bibliothèque isolée
Un trio d'étagères de 30 centimètres de profondeur transforme un palier d'escalier en minibibliothèque, tout en laissant l'espace nécessaire pour circuler. Appuyé contre un mur, l'ensemble offre l'apparence d'une bibliothèque intégrée plus luxueuse.

Encadrer la cheminée
Les murs encadrant une cheminée forment un emplacement naturel pour une bibliothèque. Ici, l'étagère supérieure se prolonge au-dessus de la cheminée, donnant ainsi une unité au mur tout entier et formant au-dessus de la tablette un cadre où exposer un tableau.

Récupérer l'espace
Une profondeur de 30 centimètres, que vous trouverez dans les endroits les plus inattendus de la maison, suffit pour y placer des étagères. Posées sous la fenêtre, elles utilisent au mieux l'espace, en faisant office de présentoir ou de siège.

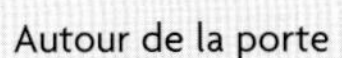

Autour de la porte
Les étagères encadrant les portes ont la faveur des amateurs de livres dont l'espace est restreint, et elles ajoutent aussi un certain intérêt architectural.
Des montants verticaux de chaque côté d'une porte ou d'une fenêtre la font paraître en renfoncement.

Peignez le mur de fond
Peignez en couleur contrastante le mur de fond, pour attirer l'attention sur les objets décoratifs posés entre les rangées de livres. Dans les bibliothèques allant du sol au plafond, vous créerez un ensemble plus dynamique en variant les espaces verticaux entre les étagères.

LES LIVRES SONT UN PLAISIR QUOTIDIEN. PRÉSENTEZ-LES DE FAÇON CRÉATIVE EN METTANT EN VALEUR VOS TITRES FAVORIS, QUI REFLÈTENT VOTRE PERSONNALITÉ.

Une haute boîte, *ci-dessus*, présente une amusante collection de livres de poche colorés. Le fond est tapissé de pages tirées de ces livres ; une composition qui apporte une touche personnelle.

Accompagnés d'objets divers, les livres recouverts de papier, *à droite*, forment une composition élégante et un brin ironique. Le papier blanc unifie les couvertures disparates et les titres écrits à la main leur donnent un aspect plus personnalisé.

Une rangée de livres de cuisine, *page opposée, en haut à droite*, est maintenue par une collection de râpes anciennes. Celles-ci pourraient être remplacées par des sacs de riz ou de farine en toile, des boîtes à denrées en étain portant des étiquettes d'époque, des planches à découper en bois ou autres collections d'objets culinaires.

Ici, les livres sont exposés, *page opposée, en bas*, comme dans une librairie, la couverture étant visible. Ce procédé attire l'attention et éveille le désir de feuilleter l'ouvrage. Changez la disposition de temps à autre ou ajoutez le dernier livre que vous avez lu.

HOME CHEF
Entertaining
JUDITH ETS-HOKIN

Tales of the South Pacific
FAULKNER
Katherine Anne Porter
ANNE TYLER
John Cheever
WILLIAM STYRON
THE CONFESSIONS OF NAT TURNER
WALLACE STEGNER
ANGLE OF REPOSE
The Hours
MICHAEL CUNNINGHAM
TOM WOLFE
Pearl S. Buck
The Good Earth
SAUL BELLOW
Humboldt's Gift
ALL THE KING'S MEN
ROBERT PENN WARREN

Autrefois, la disposition du salon était censée représenter la position sociale de la famille. Réservée aux occasions spéciales, la pièce réclamait un décor protocolaire. Le séjour actuel préfère le confort à l'ornement et l'apparat. C'est l'endroit où vous vous sentez chez vous, pelotonné dans un fauteuil pour y faire la sieste ou recevant des invités pour un apéritif ; c'est là aussi que vos enfants amènent leurs amis pour jouer. Le vrai confort, c'est mettre les gens à leur aise, physiquement et affectivement. Les ingrédients sont simples : meubles chaleureux, textures douces et petits plus qui invitent à la détente tels que des lumières tamisées, un coussin rebondi pour le dos et un fauteuil supplémentaire pour l'invité de dernière minute. Le confort, c'est le contact du cuir souple, l'élasticité du tapis bouclette, le parfum des fleurs fraîches. Ajoutez la flamme vacillante des bougies, un coussin brodé et un plaid souple et doux qui réchauffe les pieds nus... Le vrai confort, c'est être entouré de vos proches et apprécier la beauté du foyer.

LE VRAI CONFORT

SI UN INVITÉ ENLÈVE SES CHAUSSURES ET SE PELOTONNE SUR LE CANAPÉ COMME UN CHAT SATISFAIT, PRENEZ-LE COMME UN COMPLIMENT. VOUS LUI AVEZ OFFERT LE PLUS GRAND DES LUXES, LE VRAI CONFORT.

UNE PIÈCE RÉUSSIE

Tons chauds, lueur des bougies, tissus sensuels : dans ce séjour décontracté, chacun se sent bien.

- DES HOUSSES TOUTES SIMPLES, associées à des coussins et des jetés de lit en tissus somptueux, forment un équilibre parfait entre le naturel et l'élégance.
- OBJETS ANCIENS ET MODERNES se mêlent pour créer une ambiance décontractée.
- LE TON CHOCOLAT DES MURS donne une ambiance cocooning. Les couleurs de terre, même foncées, deviennent neutres dans une palette aussi élaborée.
- LES STORES DE BAMBOU sont plus naturels que de lourdes draperies.
- UN TAPIS DE LAINE apporte ses motifs et ajoute de la profondeur au décor.

LE VRAI CONFORT

Mélange de textures

Tissus aux différentes textures, couleurs chaudes et détails somptueux créeront un havre de paix pour la famille et les amis.

Votre intérieur peut être élégant et raffiné tout en étant accueillant et confortable. Le secret réside dans le choix des textures, le mélange des tissus d'ameublement et des objets, qui donneront un décor élégant où chacun se sentira bien. Adoptez la simplicité en posant sur des meubles de base des tissus qui parlent aux sens, tel un châle souple sur le dossier d'un canapé. Des murs aux riches couleurs, du cuir, du bois, des lumières tamisées donnent une atmosphère chaleureuse. Le soir, la flamme des bougies jette une lueur chaude. L'association de tissus simples et de textures plus riches crée une impression d'élégance et de confort. Juxtaposez les housses de coton et des coussins en cuir souple, en suédine, en velours. Velours de coton, damas et chenille sont des tissus confortables et d'entretien facile. Les étoffes matelassées, molletonnées ou en nid-d'abeilles apportent également une touche luxueuse.

THE OUTDOOR LIVING ROOM
legends
DOMINICK DUNNE
THE WAY WE LIVED THEN
PURE STYLE
weekend houses
CABIN FEVER
THE CABIN
EDWIN LUTYENS

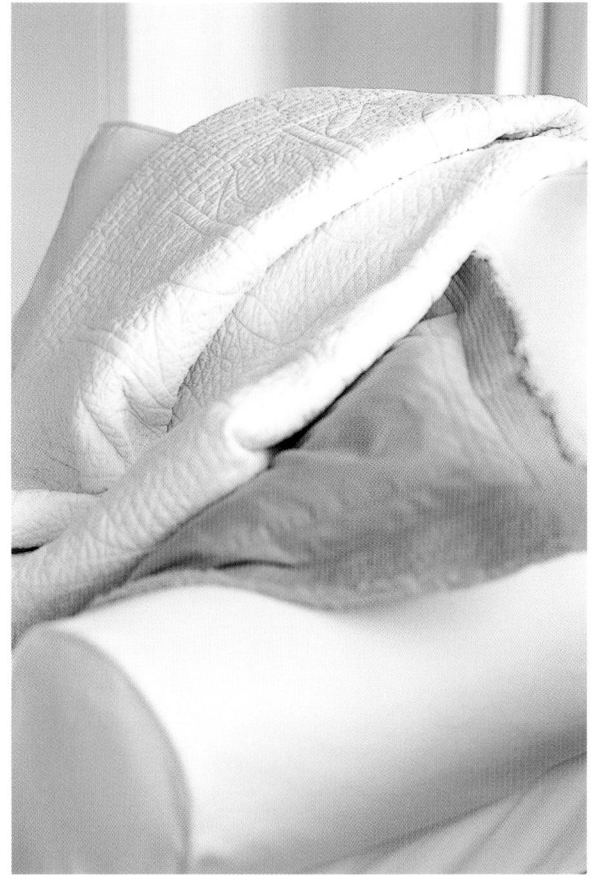

LE VRAI CONFORT

Une palette reposante

Pour créer un cadre aussi réconfortant que celui des grands hôtels d'autrefois, choisissez des couleurs et des tissus simples et laissez entrer la lumière du jour.

Le confort adopte de nombreuses formes mais rien n'est plus reposant que la lumière naturelle jouant sur une palette de couleurs paisibles. Les couleurs feutrées sont apaisantes, surtout si les meubles sont simples et les accents de couleurs discrets. Dans une pièce blanche, la variété vient des différences de textures. Lambris, antiquités rustiques, tapis de laine naturelle, meubles en rotin, tissus douillets, fleurs et plantes vertes ajoutent un intérêt textural. Laissez les fenêtres nues pour profiter de la lumière du jour et de la nature. Le mobilier d'extérieur en osier ou en rotin, équipé de coussins confortables, donnera un aspect naturel à la pièce.

UNE PIÈCE RÉUSSIE

La lumière qui entre à flots donne à cette pièce une sérénité et une fraîcheur rares, avec juste assez de contraste pour éveiller l'intérêt et ce qu'il faut de vert pour l'apaiser.

- DE NOMBREUX SIÈGES rendent l'espace accueillant, que vous soyez seul ou que vous receviez des invités.
- UNE PALETTE ENTIÈREMENT BLANCHE, aux différents accents de vert, change avec la lumière au cours de la journée.
- LES TEXTURES NATURELLES, sièges en rotin, tapis de sisal, bois patiné ou tissus doux ajoutent de l'intérêt au thème de couleur monochrome.
- UNE VERDURE ABONDANTE, des bouquets et des topiaires en pot font entrer la nature.
- DES ACCENTS IMPROMPTUS renforcent le style décontracté. Sur la cheminée, une gravure botanique curieusement encadrée s'entoure des fleurs du jardin.

Lorsque vous avez créé une salle de séjour accueillante, prolongez-la par le patio ou la terrasse. De plus en plus, les amoureux du confort considèrent l'extérieur non comme un royaume séparé mais comme une extension naturelle de la maison. En accord avec le désir d'un mode de vie plus simple, l'extérieur acquiert une importance nouvelle, en partie parce qu'il exige moins d'organisation et permet d'inclure facilement les enfants dans les festivités. Vous pouvez décorer votre terrasse ou

OUVERTURE SUR L'EXTÉRIEUR

NOS MAISONS S'OUVRENT POUR ACCUEILLIR LA NATURE COMME ELLES NE L'ONT JAMAIS FAIT AUPARAVANT. LA VÉRANDA, LE PATIO ET LA TERRASSE SONT DEVENUS DE NOUVELLES PIÈCES À VIVRE.

votre patio avec la même élégance que votre séjour, grâce aux tissus résistants aux intempéries que l'on trouve très facilement. L'entrée est également l'objet d'une attention nouvelle. Autrefois simple passage pour pénétrer dans la maison ou en sortir, elle est aujourd'hui traitée avec le même soin que les autres pièces. Dans les régions où le climat est tempéré, on peut utiliser le balcon ou la véranda une grande partie de l'année. Les stores, barbecues et cheminées d'extérieur permettent de faire de la cour, de la terrasse, du patio ou de la véranda une retraite appréciée toute l'année.

UNE PIÈCE RÉUSSIE

Entouré de plantations vigoureuses et inondé de lumière, ce joli patio offre tout ce que l'on peut souhaiter d'une pièce extérieure.

■ UNE HAUTE PERGOLA où grimpe une bougainvillée apporte une ombre filtrée et donne une impression d'intimité.

■ LES SIÈGES NE CRAIGNANT PAS L'HUMIDITÉ, garnis de coussins en tissu résistant à l'eau, sont de même style que les fauteuils du salon.

■ DE NOMBREUSES PORTES-FENÊTRES s'ouvrent sur toute la longueur du patio, effaçant la transition intérieur-extérieur et offrant un large accès aux différentes pièces de la maison.

■ LE BAR INDÉPENDANT peut être installé à l'intérieur pendant la mauvaise saison.

OUVERTURE SUR L'EXTÉRIEUR

Un passage réussi

Un espace extérieur totalement réussi efface les limites entre la maison et la terrasse, mariant ainsi la douceur du jardin aux commodités de l'intérieur.

La pièce extérieure semble faire partie de la nature tout en restant abritée. Pour renforcer cette impression, atténuez la transition avec l'intérieur. Groupez les meubles comme vous le feriez à l'intérieur et définissez les limites de l'espace extérieur avec un carrelage différent ou une transition avec le gazon. Des vues dégagées et un accès facile par de grandes portes-fenêtres créent une impression de fluidité.

Choisissez du mobilier en teck ou autres bois ne craignant pas l'humidité, qui prennent une teinte gris argenté en vieillissant. Ajoutez des coussins rebondis et des tissus imperméables résistants aux moisissures. L'éclairage subtil sera donné par de grandes lanternes et des lampes-tempête, associées à la douce lueur des bougies. Un bar extérieur ou une desserte épargneront les allers et retours à la cuisine et vous permettront de passer plus de temps avec vos invités.

UNE PIÈCE RÉUSSIE

Des sièges décontractés et une abondance d'objets confortables donnent à ce salon d'été le charme des anciens camps en plein air.

- PÔLE D'ATTRACTION ÉTERNEL, la cheminée de pierre, permet de profiter du salon d'été en toute saison.
- DES RIDEAUX EN TOILE À VOILE forment un « mur » escamotable qui protège la pièce de la pluie et du vent.
- LES SIÈGES LARGES ET CONFORTABLES – fauteuil à oreillettes et tabouret pliant –, sont assez légers pour être transportés à l'intérieur.
- LES MATÉRIAUX RÉSISTANTS AUX INTEMPÉRIES, comme le teck et le zinc, embellissent à l'usage.
- DES PRISES ÉLECTRIQUES au sol permettent d'installer de jolies lampes.

OUVERTURE SUR L'EXTÉRIEUR

Extérieur-intérieur

Une cheminée en pierre permet de profiter du salon d'été toute l'année.

Un salon d'été est beaucoup plus qu'un simple lieu de détente. Ces pièces abritées évoquent les cabanes perchées dans les arbres, et leur atmosphère particulière adoucit la mélancolie de la fin d'été. Les cheminées extérieures sont très tendance aujourd'hui dans les salons d'été, terrasses et patios, qui peuvent ainsi être utilisés bien après la belle saison. Tout comme dans le salon traditionnel, la cheminée offre un pôle d'attraction naturel autour duquel vous pouvez organiser votre pièce extérieure.

Dans les régions à climat sec, le choix de meubles est plus vaste. Le mobilier en métal inoxydable ou en bois ne craignant pas l'humidité, comme le teck et les bois exotiques, peut être accompagné par des meubles légers et des objets volés au séjour, tapis, tissus colorés, coussins et même lampes de lecture, pour plus de confort. Pour entourer l'espace, suspendez des draperies en toile à voile.

Entrées de charme

La première impression de votre maison passe par l'entrée : pensez-y quand vous en choisissez la décoration. D'un point de vue pratique, c'est un lieu de passage aux nombreuses allées et venues, et vous devez trouver des astuces pour éviter le désordre dans cette pièce, la plus petite de la maison. Sur le plan affectif, l'entrée se doit d'être accueillante, faisant de chaque arrivée un événement.

Tout commence par les rangements. Le manque de placards sera pallié par des patères fixées sur les murs et des casiers ou des paniers pour les bottes et les parapluies. Une table ou une console recevront les paquets, le courrier et les clés. Une chaise ou une banquette permettront de s'asseoir pour retirer ses chaussures. Pour relier visuellement l'entrée au reste de la maison, choisissez des tissus aux couleurs et aux accents décoratifs semblables à ceux des pièces adjacentes. Et n'oubliez pas le paillasson !

Un meuble solide, *à droite*, offre des rangements résistants pour toutes sortes d'objets. De plus grands contenants laissent le champ libre aux allées et venues, et des patères sur le mur transforment une rangée de chapeaux en collection décorative.

LEÇON DE DÉCORATION CHOISIR LE REVÊTEMENT DE SOL DE L'ENTRÉE

Le sol de l'entrée, pièce indépendante ou ouvrant directement sur le séjour, se doit d'être résistant, tout en créant une impression positive.
Le revêtement que vous choisirez donnera le ton non seulement à votre entrée mais aussi au reste de la maison. Le choix des matériaux dépend de deux critères : esthétique et durabilité. Un décor élégant ou une maison cérémonieuse réclament une entrée recherchée. De même, les intérieurs simples et naturels seront précédés d'une entrée décontractée. Vous pouvez faire paraître l'entrée plus grande en utilisant le même revêtement que celui de la pièce sur laquelle elle s'ouvre, mais vous risquez ainsi de sacrifier la durabilité à l'esthétique (s'il s'agit de parquet, par exemple).

- **LE BOIS**, *en haut à gauche*, est chaud, beau et lisse, mais il doit être régulièrement traité contre l'humidité.
- **CERTAINS CARRELAGES**, *en haut à droite*, sont fabriqués à partir d'un mélange spécial d'argiles et de minéraux cuits à très haute température, donnant ainsi un produit dense et dur qui résiste aux taches et aux rayures. Les grands formats ressemblent souvent à de la pierre.
- **LA PIERRE TEXTURÉE**, *en bas à gauche*, est un choix polyvalent qui convient à toutes sortes de styles. Elle donne une touche luxueuse et résiste bien à l'usure.
- **LA TERRE CUITE**, *en bas à droite*, offre un aspect rustique chaleureux. Elle doit être imperméabilisée avec un produit spécial.

Portail d'entrée peint
Le portail d'entrée se doit d'être accueillant tout en reflétant le style de la maison. Ce chaleureux portail en bois sculpté fait écho au style rustique de la terre battue sur laquelle il s'ouvre. Sa couleur gaie et ses panneaux ajourés donnent une note bienveillante et le rendent moins imposant.

Portail grillagé
La transparence de ce solide portail le rend moins imposant, plus accueillant. Fabriqué à partir d'une ancienne fenêtre de récupération en fer forgé à volutes, il est aussi solide que beau et invite les visiteurs à admirer le jardin. Son style spectaculaire décuple le plaisir de l'arrivée.

Entrée sur escalier
Tirez le meilleur parti de l'entrée d'une maison ancienne dominée par des escaliers, en mettant en valeur les détails d'architecture par de la peinture brillante et en posant un chemin qui dirige le regard vers le palier. Ce « chemin », habilement peint sur les marches, aboutit à une pile d'anciennes valises qui servent de rangements hors saison.

Entrée sur la pièce à vivre
Si la porte d'entrée ouvre directement sur la pièce à vivre, définissez une « entrée » avec un grand meuble, comme une console ou une armoire. Des patères placées haut sur le mur exposent les manteaux et autres vêtements. Un tiroir abrite les clés, les gants et les écharpes, ainsi que le courrier qui trop souvent s'accumule.

Style rustique
Le style rustique convient à une retraite de week-end, pour un garage ou pour l'entrée secondaire d'une maison très fréquentée. Les panneaux de bois sont personnalisés par des ardoises, chacun pouvant ainsi retrouver facilement son chapeau, ses bottes ou son vêtement de pluie et les ranger non moins facilement au retour.

Fausse cloison
Les pièces décloisonnées réclament aussi un espace de transition. S'il n'existe aucune entrée définie, créez-la avec un meuble isolé. Ici, ce coffre à haut dossier, qui permet de s'asseoir pour retirer ses bottes ou des chaussures boueuses, offre un grand volume de rangement et dissimule derrière lui l'espace utilisé pour entreposer du matériel d'extérieur.

Exposer des objets qui vous sont chers constitue l'une des formes de décoration les plus informelles et les plus charmantes. Les souvenirs de famille, expression de votre personnalité, fascinent souvent les invités. Disposez les œuvres d'art, les photos et les objets que vous aimez sur les étagères, la tablette de la cheminée, les tables et les murs, et laissez-les raconter l'histoire de votre vie, vos voyages, vos goûts, vos intérêts. Objets et collections sont un élément important du décor, et bien qu'il n'existe aucune règle, ces quelques conseils vous aideront à tirer le meilleur parti de vos souvenirs préférés. Disposez les objets et les photos pour produire un certain impact, en les groupant par couleurs, matériaux, formes ou thèmes ; les arrangements par groupes de trois ou cinq sont particulièrement plaisants. Des photos encadrées de vos ancêtres, de la ferme familiale et de vos parents jeunes mariés posant devant leur première voiture se dégage la même poésie mélancolique que d'un arbre généalogique. Même des cartes postales anciennes, si elles sont encadrées et fièrement exposées, prennent la dimension d'œuvres d'art.

VITRINES
ET BIBELOTS

LES COLLECTIONS D'OBJETS AIMÉS OU DE SOUVENIRS APPORTENT DE LA VIE DANS LA MAISON. OFFREZ À VOS INVITÉS UN APERÇU DE VOS GOÛTS EN CRÉANT DE JOLIS ARRANGEMENTS DANS CHAQUE PIÈCE.

Étagères décoratives

Les étagères allant d'un mur à l'autre forment un présentoir spectaculaire pour les livres, les objets et les collections. Pour obtenir un bon résultat, planifiez votre décor.

Rien n'est plus malléable qu'un mur d'étagères permettant de présenter des livres, des objets et des œuvres d'art. Indépendantes ou intégrées, efficaces en termes d'espace, recueillant tout ce qui traîne et pouvant facilement être changées ou rajeunies, les étagères sont idéales pour exposer vos trésors. Variez la hauteur des niches, mélangez les groupes de livres et vos objets favoris et laissez parler votre créativité. Unifiez les étagères en les peignant de la même couleur ; une teinte contrastante sur le mur de fond fait ressortir les objets. Prévoyez des prises électriques pour un éclairage ponctuel ou indirect qui ajoutera une touche théâtrale.

UNE PIÈCE RÉUSSIE

Cette pièce est animée par des étagères intégrées abritant des objets d'art et des trésors de famille, qui créent une ambiance chaleureuse.

- **DES PLANCHES HORIZONTALES** plus épaisses forment une ossature vigoureuse et mettent en valeur la collection posée sur l'étage supérieur.
- **LES OBJETS SE DÉTACHENT** contre le fond gris clair d'une palette reposante en donnant l'impression d'avancer visuellement.
- **DES ÉTAGÈRES INFÉRIEURES PLUS GRANDES**, pour les livres volumineux, sont pratiques et importantes pour l'équilibre visuel.
- **DEUX NICHES HAUTES** établissent une symétrie et permettent d'exposer des tableaux.
- **DES ANTIQUITÉS** et des objets trouvés dans la nature, intercalés parmi les livres, apportent de la variété.
- **DES BOÎTES INATTENDUES** abritent le courrier et de la menue monnaie.

LIFE'S PICTURE HISTORY OF WESTERN MAN
ART TODAY AND EVERY DAY
NEW LAROUSSE ENCYCLOPEDIA OF
BASEBALL
YESTERDAY IN SPORTS
Hawaii
PARIS
CAESAR
FATAL SHORE
WALDEN
Lincoln

GROUPEZ VOS COLLECTIONS ET CRÉEZ DES ARRANGEMENTS SPECTACULAIRES. RÉPÉTEZ LA FORME, LA COULEUR ET LE THÈME POUR LEUR DONNER UNE UNITÉ.

Ces tasses à thé anciennes, *ci-dessus*, paraîtraient perdues dans une grande vitrine. Les cubes fixés sur le mur mettent en valeur chaque objet et se détachent nettement sur le fond bleu foncé.

Cette collection d'objets naturels, *à droite*, met en valeur un élément particulier, ici un délicat œuf d'autruche, pour augmenter l'intérêt visuel de l'ensemble.

Un assortiment de clés disposé sur un tableau, *page opposée en haut*, devient une collection. La toile de fond est une planche équipée d'aimants rectangulaires sur lesquels les clés sont attachées par de simples rubans.

Cette rangée de poids anciens est rendue plus présente par sa position surélevée, *page opposée en bas*. L'accent coloré de quelques baies rouges couronne cette belle composition.

Une galerie personnelle

Présentez vos photographies sur un mur, comme dans une galerie. Vous pourrez ainsi facilement les changer.

Des photographies bien présentées peuvent transformer une pièce, qu'il s'agisse d'œuvres d'art signées ou du résultat de vos derniers essais avec votre appareil numérique. Les photographies ne sont pas seulement une forme d'art abordable, elles se prêtent aussi à toutes sortes d'arrangements. Vos photographies personnelles, dont vous pouvez choisir la taille et la présentation, vous laissent encore plus de liberté.

Au lieu d'accrocher vos cadres à un clou, essayez de les présenter sur d'étroites étagères. Ce procédé est plus pratique pour changer la disposition des photographies ou en ajouter de nouvelles. Pour plus de dynamisme, disposez-les de façon asymétrique.

UNE PIÈCE RÉUSSIE

Des couleurs bien choisies et une impression de luxe feutré donnent un espace chaleureux. Les murs et les meubles blancs mettent l'accent sur la collection de photographies.

■ DES ÉTAGÈRES ÉTROITES se fondent dans le mur blanc mais offrent tout l'espace voulu pour une galerie changeante. L'éclairage ponctuel illumine la collection le soir.

■ DES PHOTOGRAPHIES NON ENCADRÉES, accrochées avec des pinces sur des fils métalliques, peuvent être changées rapidement.

■ DES ENCADREMENTS SIMPLES, de même style et couleur, unifient une collection disparate.

■ DES MEUBLES DISCRETS mettent en valeur cette collection de photographies colorées.

■ DES ACCESSOIRES BIEN CHOISIS reprennent les couleurs des photographies et les intègrent à la pièce.

SAVOIR PRÉSENTER DES PHOTOGRAPHIES EST UN ART. ENCADREZ ET GROUPEZ LES IMAGES POUR DONNER PLUS D'IMPACT, ET TROUVEZ DES ENDROITS INATTENDUS OÙ LES ACCROCHER.

Des photographies de tailles diverses, *page opposée en haut*, sont disposées asymétriquement et associées à des miroirs et des objets pour former une composition dont l'harmonie est assurée par la couleur des cadres et le choix des photographies, en noir et blanc. Les souvenirs glissés çà et là racontent tous une histoire.

Cette série de photographies, *page opposée en bas*, dégage une fraîcheur surprenante sur les portes de l'armoire d'un noir luisant. La collection est uniformément encadrée de rouge sur un fond blanc. Cherchez des présentoirs originaux, autres que vos murs, pour exposer vos photographies : sur d'étroites étagères le long de l'escalier, ou encore alignées sur le sol au pied d'un mur.

Des photographies botaniques sont alignées symétriquement, *à gauche*, à la manière des galeries. Si vous suivez ce schéma, il vaut mieux vous en tenir à un seul thème, avec des images uniquement en noir et blanc ou en couleurs. Dans ce genre d'arrangement, les cadres font plus d'effet s'ils sont identiques, bien que les fonds puissent varier selon la taille de la photographie. Calculez vos mesures de façon à former une grille uniforme.

Des photographies panoramiques, *en haut*, mises en valeur par leur emplacement – ici sous un appui de fenêtre –, racontent une histoire en noir et blanc. Disposées en rangée horizontale, les images se déroulent un peu comme les pages d'un livre.

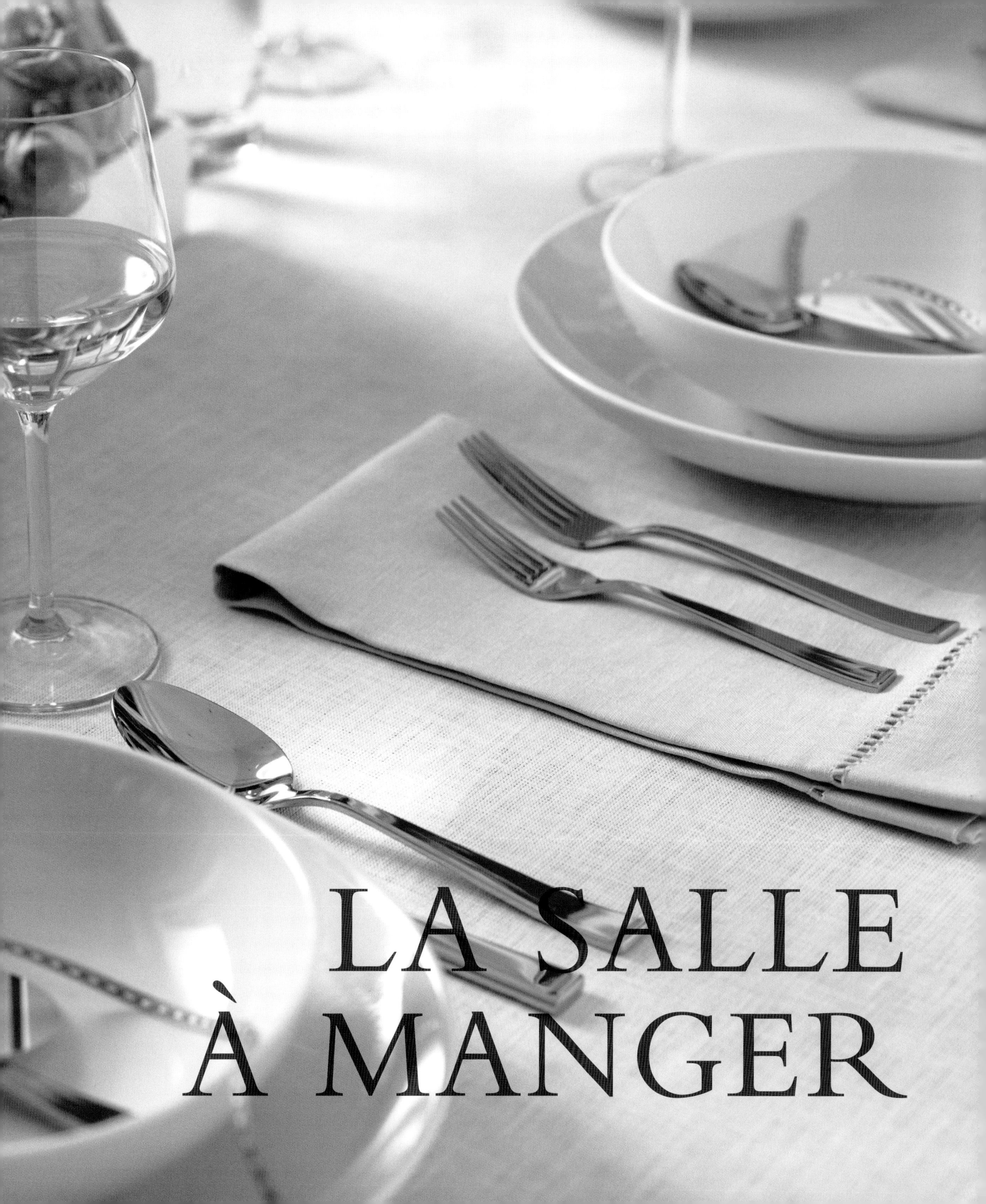

LA SALLE À MANGER

ET MES AMIS. JE VEUX QUE
CHACUN SE SENTE CHEZ SOI
DANS MA SALLE À MANGER,
LIBRE DE PARLER, DE RIRE
ET DE RESTER DES HEURES
AUTOUR DE LA TABLE. »

Fritto Misto Amalfi
chickpea crusted black grouper
with roasted tomato
roasted asparagus
green garlic and spinach soufflé
chocolate panna cotta
with caramel sauce
Moet Chandon
Sauvignon Blanc
Pinot Noir

COMMENT RÉUSSIR

LA SALLE À MANGER

De toutes les pièces de la maison, la salle à manger est celle qui a le moins changé, principalement dans son mobilier et sa disposition. C'est davantage le style des repas qui a évolué. Alors que les pièces classiques et les décors recherchés étaient autrefois la norme, nous préférons aujourd'hui une élégance décontractée dans un espace décloisonné, autour de la table de la cuisine ou sur une terrasse, et nous utilisons la salle à manger comme lieu pour accueillir d'autres activités en dehors des heures des repas. Notre espace repas est aussi beaucoup plus chaleureux et personnel.

Les pièces présentées dans les pages qui suivent illustrent quelques-unes des options possibles pour créer un espace repas agréable, à l'intérieur comme à l'extérieur.

89 Redéfinir la salle à manger

101 Recevoir avec élégance

111 La table familiale

119 Les repas en plein air

Comment organiser une salle à manger

La salle à manger est, par nature, un espace simple, mais qui peut être élégant. Après tout, sa principale fonction est de célébrer des événements. Achetez de la vaisselle de qualité, puis choisissez des meubles dans votre style.

Le centre de tout espace repas est la table. Le bois reste le plus courant pour sa chaleureuse patine et son entretien facile. Ses belles finitions conviennent à tous les styles mais les tables peintes sont généralement plus décontractées. Le bois laqué noir rajeunira un espace repas et saura être informel ou sophistiqué selon l'occasion. Le style des chaises est également important pour personnaliser la pièce. Elles doivent compléter la table, sans pour autant lui être assorties (voir pages 98-99 les conseils pour choisir les chaises de salle à manger). Un placard intégré ou un buffet indépendant seront pratiques pour ranger la vaisselle. Le buffet sert à la fois de rangement et de desserte. Une haute argentière à porte vitrée ajoutera de la hauteur dans une pièce au mobilier assez bas.

La salle à manger est une pièce aux surfaces dures, qu'il faut réchauffer et adoucir à l'aide de jolies étoffes. Drapez la table avec des nappes en lin frais ou choisissez des sets décontractés qui laisseront entrevoir la beauté du bois. Posez des rideaux ou des stores aux fenêtres. Des draperies de velours ou de soie reflètent merveilleusement la lumière des bougies, ajoutent de la texture et par là même de la chaleur, et donnent une impression de luxe. Des chaises tapissées ou des housses permettent elles aussi d'introduire des couleurs, des motifs et des textures.

SALLE À MANGER DÉCONTRACTÉE

Confortablement meublée d'une table ovale et de fauteuils, cette pièce, *ci-dessus et page précédente*, invite à partager un savoureux repas.

■ LES TABLES RONDES ET OVALES, qui facilitent la conversation et les échanges, sont de plus en plus répandues.

■ LES FAUTEUILS REMBOURRÉS incitent les invités à rester après le repas.

■ LE BUFFET VITRÉ ajoute du caractère à l'espace repas. Il peut servir de desserte, de rangement pour les verres et la vaisselle et même de vitrine d'exposition.

■ UN JOLI LUMINAIRE évoque la fête sans la solennité des lustres de cristal.

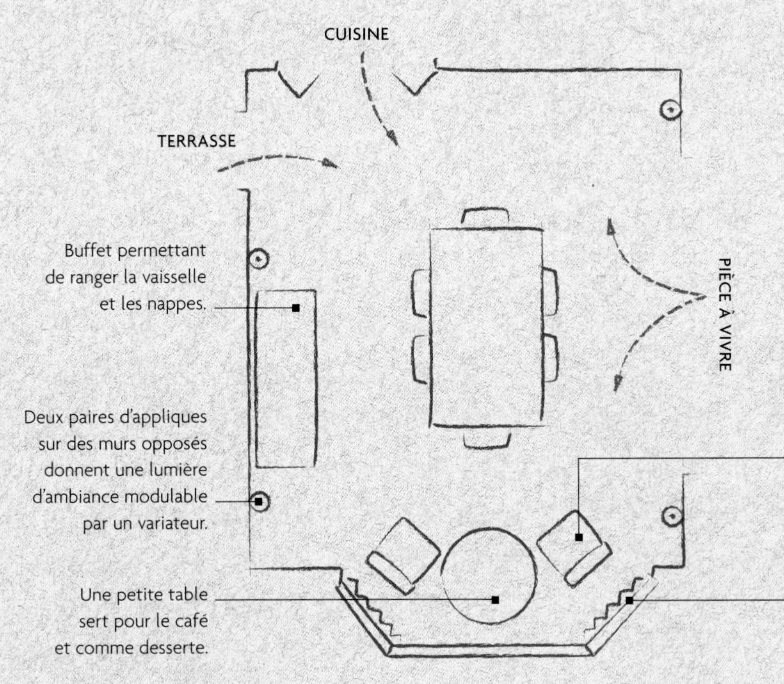

SALLE À MANGER CLASSIQUE

Plusieurs portes s'ouvrent sur ce plan traditionnel, mais un passage de 1,20 mètre facilite les allées et venues. Pour permettre aux convives de reculer leur chaise sans problème, la table destinée aux repas est éloignée de 90 centimètres des meubles posés contre les murs.

Deux sièges supplémentaires encadrent une table basse et peuvent être ajoutés quand la table a ses rallonges.

Les rideaux de la grande baie vitrée apportent la chaleur et la douceur de leur texture.

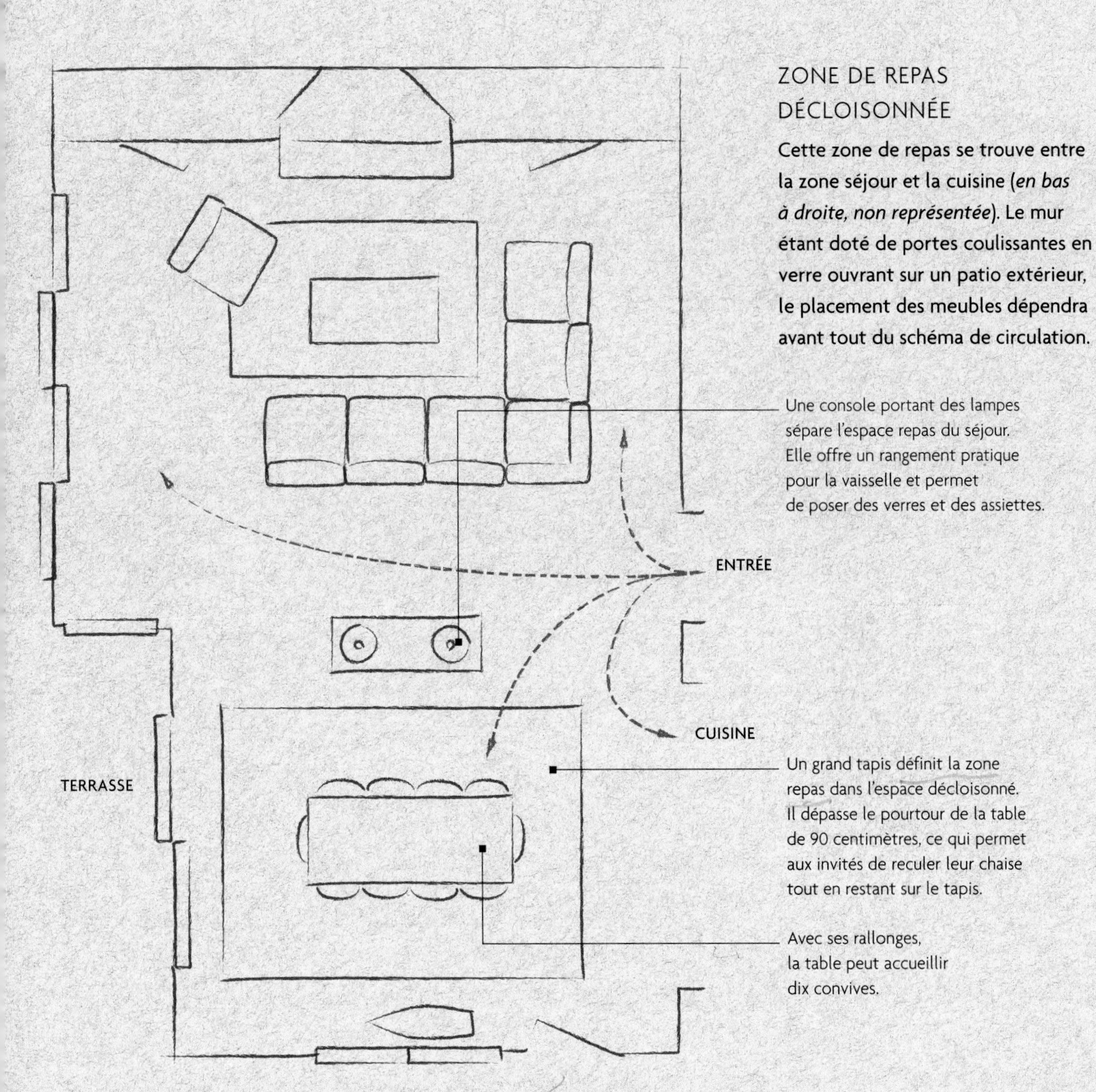

ZONE DE REPAS DÉCLOISONNÉE

Cette zone de repas se trouve entre la zone séjour et la cuisine (*en bas à droite, non représentée*). Le mur étant doté de portes coulissantes en verre ouvrant sur un patio extérieur, le placement des meubles dépendra avant tout du schéma de circulation.

Une console portant des lampes sépare l'espace repas du séjour. Elle offre un rangement pratique pour la vaisselle et permet de poser des verres et des assiettes.

Un grand tapis définit la zone repas dans l'espace décloisonné. Il dépasse le pourtour de la table de 90 centimètres, ce qui permet aux invités de reculer leur chaise tout en restant sur le tapis.

Avec ses rallonges, la table peut accueillir dix convives.

COMBIEN DE CONVIVES POUVEZ-VOUS RECEVOIR ?

Pour éviter que les convives ne se donnent des coups de coude, comptez au moins 60 centimètres pour chacun d'eux.

Table rectangulaire

180 x 80/90 cm : 6 personnes
230 x 80/90 cm : 8 personnes
275 x 80/90 cm : 10 personnes
300 x 80/90 cm : 12 personnes

Voyez page 99 comment déterminer la taille de la table adaptée à votre zone repas.

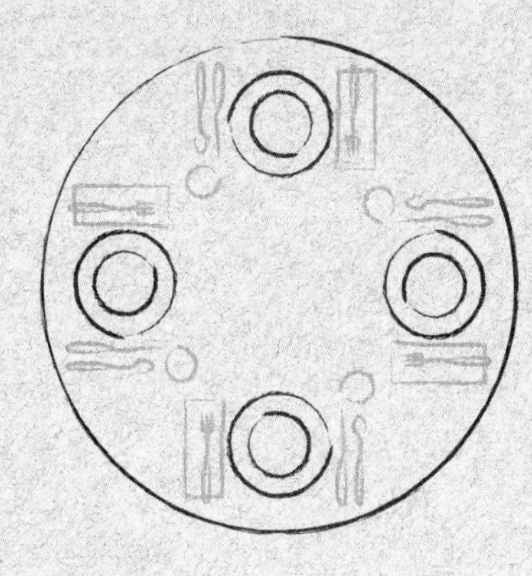

Table ronde ou ovale

Une table à pied central accepte un plus grand nombre de convives.

Ronde, 115 cm de diamètre : 4 personnes
Ovale, 170 x 115 cm : 6 personnes
Ovale, 185 x 115 cm : 6 à 8 personnes

La salle à manger classique de notre enfance ressemblait à un costume trois pièces, distinguée, traditionnelle et plutôt protocolaire. Les salles à manger d'aujourd'hui s'apparentent davantage aux vêtements décontractés du week-end. Confort est le maître mot, et la beauté du décor vient de l'association harmonieuse et élégante d'éléments informels. Les meubles restent classiques mais deviennent plus fonctionnels, plus confortables et adoptent le style du reste de la maison. La salle à manger consacrée n'est plus nécessaire et fait place à un espace décloisonné, à une pièce inoccupée ou à une cuisine-salle à manger. Meublez votre espace repas avec des meubles originaux, des chaises dépareillées et vos objets favoris. Rangez la vaisselle et les nappes sur des étagères. Pour éviter le désordre, accrochez des placards aux murs ou empilez la vaisselle dans une grande armoire. Accueillez vos convives avec du linge de table sans façons, les sets ou chemins de table remplaçant les nappes protocolaires, et habillez vos sièges de housses colorées et de coussins. Disposez des photos de famille ou des tableaux sur les murs et ajoutez partout votre touche personnelle.

REDÉFINIR LA SALLE À MANGER

LES ESPACES REPAS D'AUJOURD'HUI SONT SIMPLES, AVEC QUELQUES TOUCHES PLUS RECHERCHÉES APPORTÉES PAR LE DÉCOR DE TABLE ET DES ACCESSOIRES BIEN CHOISIS PLUTÔT QUE PAR LA PIÈCE ELLE-MÊME.

Une nouvelle salle à manger pour recevoir

Si vous aimez recevoir mais que votre salle à manger est trop petite, transformez un salon rarement utilisé en un spacieux espace repas.

Certaines maisons anciennes possèdent un deuxième salon rarement utilisé, les habitants des lieux préférant le séjour familial ou de plus grandes pièces. Si cela est votre cas et que votre salle à manger est trop petite pour le nombre des convives, pourquoi ne pas transporter votre table dans cette pièce inutilisée ? Généralement grandes, ces pièces offrent souvent des détails d'architecture qui leur donnent un air luxueux. Les cheminées ajoutent leur présence chaleureuse et leur tablette peut recevoir bougies et bouquets. Des étagères intégrées présentant vos collections personnelles ou de jolies assiettes créent une atmosphère accueillante.

UNE PIÈCE RÉUSSIE

Avec ses jolies chaises, son vaste espace et son charme classique, cet ancien salon est devenu un espace repas. En changeant simplement les accents, la pièce s'adapte aussi bien au dîner protocolaire qu'au souper près du feu.

- UN BUFFET EN ACAJOU sert de cellier et de desserte. La liste des fromages se glisse dans le goulot d'une bouteille, avec l'indication du vin approprié.
- LES CHEMINS DE TABLE EN LIN laissent apercevoir la beauté du bois nu, tout en donnant une note festive, sans l'apparat d'une nappe traditionnelle.
- DES FAUTEUILS EN CUIR contrastant avec les housses en lin des chaises créent une atmosphère chaleureuse.
- LE SOMPTUEUX CENTRE DE TABLE donne une impression d'abondance, qui tranche avec sa simplicité.
- DES PHOTOS DE FAMILLE et divers objets exposés sur la cheminée et sur les étagères personnalisent cet espace repas.

Espace repas décloisonné

Un séjour spacieux offre de multiples possibilités pour recevoir. Définissez une zone repas puis ajoutez des accents chaleureux et accueillants.

Si vous vivez dans un espace décloisonné, vous avez la chance exceptionnelle de créer vos « pièces » là où vous le souhaitez. En l'absence des quatre murs traditionnels, vous pouvez organiser votre espace en disposant le mobilier de façon judicieuse.

Le tapis est le moyen le plus simple de définir une zone repas. Assurez-vous qu'il est d'une taille généreuse. Les meubles qui abritent la vaisselle et le linge de table servent également à définir l'espace. Un bar, par exemple, un buffet ou une desserte peuvent former un autre « mur » entre les zones repas et salon.

UNE PIÈCE RÉUSSIE

Habillé de riches couleurs et de textures chaleureuses, cet espace repas installé dans un coin d'un ancien loft offre tout le confort et le charme d'une salle à manger traditionnelle.

- **UN BAR-DESSERTE** à une extrémité de la pièce permet de définir l'espace. Le mur miroir formant un plaisant contraste avec la brique agrandit l'espace.
- **LE MÉLANGE DES TEXTURES** crée un intérêt visuel et tactile avec le jeté en cachemire servant de nappe, les housses en lin naturel à ourlet plissé, le tapis à motifs et la vaisselle étincelante.
- **DES NICHES INTÉGRÉES** dans le mur de brique servant de cellier accueillent des objets choisis.
- **LA VAISSELLE EST D'ACCÈS FACILE** et les assiettes empilées allègent le service.

UNE PIÈCE RÉUSSIE

Cette salle à manger contemporaine comprend la table traditionnelle, les chaises et le buffet, mais elle reflète aussi la personnalité de son propriétaire.

■ UN BUFFET OUVERT permet de présenter une collection d'argenterie ancienne, en la laissant à portée de main.

■ DES PHOTOGRAPHIES ENCADRÉES à la façon des galeries donnent du caractère et un intérêt visuel au mur.

■ LE THÈME NATUREL apporte une unité à la pièce, avec des branches de figuier pour centre de table et des feuilles de tremble brodées sur les serviettes en lin.

■ LA REPRODUCTION PHOTOGRAPHIQUE d'une feuille très agrandie et protégée par un dessus en Plexiglas tient lieu de nappe.

REDÉFINIR LA SALLE À MANGER

Rajeunir un style classique

Il est temps de rajeunir la définition du style « classique » en donnant à la disposition traditionnelle une approche contemporaine.

Une table pour six ou huit convives plus un buffet ou une armoire vitrée représentent la formule traditionnelle de la salle à manger, sans cependant définir à l'avance l'aspect des meubles ni la manière dont ils peuvent être habillés. Réinterprétez la formule et apportez un esprit nouveau à la disposition classique. Si les collections diverses sont généralement réservées aux autres pièces de la maison, elles sont toutefois à leur place dans la salle à manger, où l'on peut les apprécier tout au long du repas. Exposez votre argenterie ou de jolies assiettes et transformez vos murs en galerie d'art avec des photographies ou des tableaux. La table restera simple, cependant, avec des sets discrets et un beau centre de table. Mêlez des objets anciens à des styles plus contemporains, telle de l'argenterie d'hôtel sur de simples assiettes blanches.

L'éclairage

Les règles sont simples : la lumière indirecte vaut mieux que la lumière directe, elle doit être flatteuse pour les convives, et la flexibilité est la clé du succès. Prévoyez un éclairage polyvalent et facile à moduler en fonction de l'heure ou de l'occasion. Le mélange des lumières d'ambiance indirecte et ponctuelle convient pour la table, où les convives ne font pas que dîner. Les lustres donnent un bon éclairage d'ambiance. Des suspensions, des appliques en retrait ou des spots muraux fourniront une lumière bien répartie, les variateurs permettant de moduler le tout. Soulignez un détail d'architecture ou un tableau par un spot et faites un large usage des bougies pour l'atmosphère qu'elles procurent.

Le style choisi établira le décor. De petites bougies flottantes, par exemple, créent une atmosphère détendue et les hautes bougies des candélabres une ambiance cérémonieuse.

Un lustre suspendu à bonne hauteur, à droite, illumine la table sans gêner les convives. Sa taille doit être adaptée à celle de la table et il ne doit pas bloquer la vue.

LEÇON DE DÉCORATION LE LUSTRE

De quelle taille doit être votre lustre ? Mesurez le diamètre d'une table ronde ou la largeur d'une table rectangulaire et ôtez 30 centimètres pour obtenir la taille du lustre qui lui conviendra. Si vous avez, par exemple, une table de 1 mètre de large, votre lustre doit faire 70 centimètres de diamètre : une formule simple qui vous permet de choisir un lustre bien proportionné à votre table. Il doit aussi être en retrait de 15 centimètres de chaque côté de la table.

Comment suspendre un lustre
Si la hauteur de plafond est de 2,40 mètres, le bas du lustre doit se trouver à 75 centimètres du plateau de la table. Si le plafond est plus haut, remontez le lustre de 8 centimètres pour 30 centimètres de hauteur. Le lustre doit être centré sur la table, même si l'installation électrique ne l'est pas. Une chaînette décorative dissimulera les câbles. Suspendez solidement le lustre à un crochet au-dessus du centre de la table.

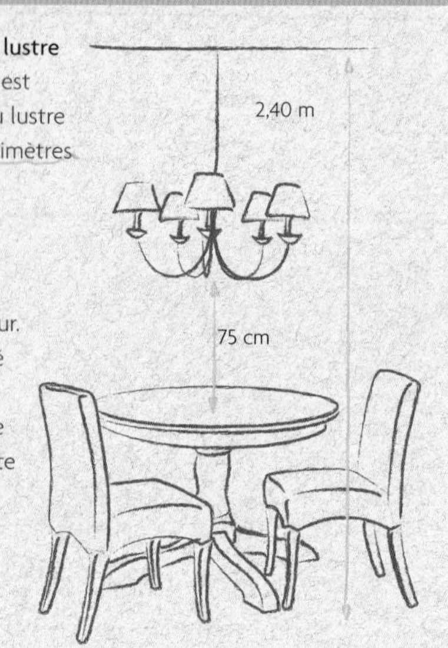

Des suspensions, *ci-contre*, projettent une lumière directe généreuse sur le plan de travail de la cuisine et sur le bar du petit déjeuner. Les abat-jour opaques donnant une lumière ponctuelle, de nombreuses lampes sont nécessaires pour couvrir un grand espace.

Lampes à poser, *à droite*. Le périmètre de la salle à manger doit être éclairé, tout comme la table. Les appliques donnent une lumière agréable mais sont parfois difficiles à installer. Les lampes à poser, installées sur des petites tables et équipées de variateurs sont un autre choix.

Grosses bougies, *ci-contre*. Ce lustre formé d'une couronne de bougies de différentes tailles offre une source de lumière originale et décontractée. Le même genre de lustre existe en version électrifiée.

Le lustre, *à droite*. Un lustre peut être fantaisie ou classique, le choix dépend davantage de votre décor que d'une règle précise. Réservés autrefois aux salles à manger imposantes, ces luminaires ornent aujourd'hui les espaces repas des maisons familiales. Si la pièce réclame une autre source de lumière, ajoutez des appliques ou des lampes.

Chaises en bois
Vous trouverez des chaises en bois polyvalentes dans des styles différents. La nature du bois et sa finition influencent l'atmosphère plus ou moins cérémonieuse de la pièce, le bois peint étant peut-être le moins solennel. Des galettes de siège apportent un confort supplémentaire et des touches de couleurs.

Fauteuils
Ces confortables fauteuils incitent à rester à table et à se détendre en prenant son café et son dessert. Les fauteuils sont souvent placés en bout de table pour les invités, mais ils peuvent être utilisés tout autour. Pour seule règle, les bras ne doivent pas toucher le plateau de la table.

Housses de chaises
Les housses en tissu égayent les pièces aux surfaces dures par leur couleur et leurs motifs. Elles donnent aussi à l'espace repas une grande flexibilité. Vous pouvez les retirer en été ou les changer pour une occasion plus formelle ou, au contraire, plus décontractée. En outre, elles sont faciles à nettoyer.

Sièges recouverts
Les chaises recouvertes en tissu ou en cuir souple sont un choix traditionnel pour leur confort et leur aspect lisse. Elles conviennent à presque tous les décors, formels ou décontractés. Les tissus sont presque toujours faciles d'entretien, et les cuirs, devenus plus résistants et traités avec des produits antitaches, restent joliment patinés.

Chaises à empiler
Les chaises légères et empilables sont particulièrement polyvalentes : de la réunion entre copains au dîner cérémonieux, elles sont faciles à déplacer et s'empilent en grand nombre. Elles apportent un accent contemporain à la salle à manger traditionnelle.

Style traditionnel américain
Les chaises de style classique américain avec dossier à barreaux et lignes courbes adoucissent visuellement la géométrie d'une table rectangulaire et donnent de la hauteur à une table légère.

Les sièges

Une salle à manger réussie doit être aussi confortable que belle. Pour trouver la meilleure disposition des sièges, commencez par une table spacieuse propice à toutes sortes d'activités, dont les repas et le travail, puis cherchez des sièges proportionnés à la taille de la pièce. Pour que les convives soient confortablement installés (et que les coudes ne se heurtent pas), comptez au moins 60 centimètres pour chacun. Si des chaises et une table assorties donnent une unité à l'espace repas, le mélange de styles ancien et contemporain, ou l'association d'une table en bois et de chaises à housses, en osier, peintes ou en cuir, vous permettent de montrer votre personnalité. Les mariages possibles sont innombrables, mais gardez toujours assez de place pour que les convives puissent s'asseoir et sortir de table sans problème. N'oubliez pas que le nombre de chaises dépend de l'emplacement des pieds de la table et qu'un pied central est toujours moins encombrant.

De longs bancs rembourrés, à gauche, remplacent de façon originale les chaises de salle à manger traditionnelles. À chaque bout de l'ancienne table de ferme, des chaises en bois peintes en blanc complètent l'ensemble et donnent à la pièce une atmosphère décontractée.

LEÇON DE DÉCORATION QUELLE TAILLE POUR LA TABLE DE LA SALLE À MANGER ?

Quelle est la taille de la table adaptée à votre espace repas ? La réponse se trouve dans les dimensions de la pièce.

Prenez vos mesures
Tracez un plan indiquant la longueur et la largeur de la pièce, les portes et les fenêtres. Choisissez la place du buffet ou autre vaisselier (généralement 60 centimètres de profondeur). En partant des murs vers l'intérieur, laissez 1,20 mètre pour le passage. Comptez au moins 90 centimètres entre la table et les murs ou les meubles, afin de pouvoir reculer les chaises facilement. L'espace qui reste au centre vous indique la place que vous pouvez consacrer à la table.

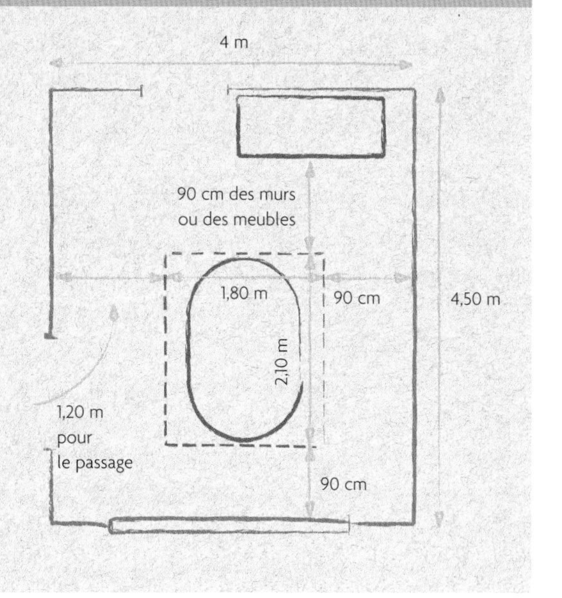

Pour que recevoir soit toujours un plaisir, apprenez à rester décontracté. En organisant vos réceptions d'après un schéma type, vous serez plus libre et plus spontané que si vous deviez chaque fois tout réinventer. Il est probable aussi que vous recevrez beaucoup plus souvent. Avant tout, ayez toujours à l'idée que vos invités doivent se sentir honorés, ce qui ne demande ni beaucoup de temps ni beaucoup de travail. Concentrez-vous sur les détails qui créent une fête inoubliable.

RECEVOIR
AVEC ÉLÉGANCE

DES AMIS CHERS, UN EXCELLENT REPAS ET UN JOLI DÉCOR SONT ESSENTIELS POUR TOUTE FÊTE, MAIS CE SONT LES TOUCHES PERSONNELLES ET LES DÉTAILS BIEN PENSÉS QUI EN FERONT L'ÉLÉGANCE.

Sortez l'argenterie et les nappes en lin, ou habillez la table d'étoffes colorées et de fleurs aux couleurs chatoyantes. Illuminez la pièce avec des bougies décoratives, des lanternes ou des luminaires en verre qui ajouteront leur éclat. Des touches simples, comme des menus écrits à la main ou de jolis rubans à la place de chaque invité, signalent le début d'une fête mémorable. Des accents originaux personnaliseront chaque couvert – photographie, étiquette de valise ou mini-ardoise faisant office de marque-place, ronds de serviettes faits de perles, de boutons ou de brins d'herbe. Laissez votre créativité imaginer les touches personnelles qui feront l'élégance de vos réceptions.

Spectaculaire mais pratique

Bien recevoir, c'est associer le spectaculaire et l'organisation pour réussir des dîners élégants et des fêtes inoubliables.

Si vous avez beaucoup de choses à disposer, la meilleure solution est parfois de tout exposer. Ranger sur des étagères ouvertes est une idée qui, si elle n'est pas nouvelle, peut s'avérer excellente dans la salle à manger où de nombreux objets sont si jolis qu'ils créent de véritables collections. Vous pouvez dresser la table de façon permanente, ce qui incitera la famille à se réunir pour les repas au lieu de grignoter devant la télévision. Un mur entier d'étagères garnies de vaisselle, de verres à pied et d'assiettes est extrêmement décoratif. Il est aussi très pratique, tout étant à portée de main. Installez un bar dans un espace éloigné du passage et équipez-le de flûtes à champagne, de verres à pied ou de verres ballons et de serviettes en papier. Et n'oubliez pas l'éclairage – mélange de lumière d'ambiance et d'accents ponctuels – pour illuminer votre fête.

UNE PIÈCE RÉUSSIE

Le mélange des meubles décontractés, de la table raffinée et de la verrerie exposée sur les murs donne un décor discret et sophistiqué.

- **LES MURS NOIRS** soulignent le côté théâtral. Le fond sombre met en valeur les verres, la vaisselle blanche et l'argenterie.
- **DE LA PEINTURE À TABLEAU NOIR** sur une partie du mur permet d'annoncer le menu.
- **UN BUFFET BAR À FOND MIROIR** abrite les verres en les exposant dans tout leur éclat.
- **LA LUMIÈRE EST PARTOUT** : suspensions avec variateur, spots encastrés dans les étagères et le buffet bar victorien, bougies sur la table. Les accessoires reflètent la lueur vacillante des bougies.

ANTIQUES
az
Menú
Vinos
Candela
Muga

UNE PIÈCE RÉUSSIE

Cette pièce aérée avec ses hautes fenêtres est parfaite pour recevoir, en offrant toute la place voulue pour que les invités se mêlent et se rencontrent et pour poser les plats et les boissons.

- **LA TABLE BUFFET** laissant l'accès libre sur trois côtés peut accueillir de nombreux invités.
- **UN BAR SELF-SERVICE** est installé loin du passage, sur une bibliothèque.
- **DES SIÈGES CONFORTABLES** sont disposés dans toute la pièce et dans la véranda. Des fauteuils généreux et un canapé encadrent la cheminée.
- **LES ASSIETTES ET LES PLATS** sont posés de chaque côté de la table, pour faciliter le service.
- **LES COUVERTS ENFERMÉS** dans une serviette roulée sont plus faciles à transporter que des pièces indépendantes. Entourez-les d'un joli ruban.
- **DES CARTES À JOUER MINIATURE,** attachées avec une ficelle permettent aux invités de retrouver leur verre.

RECEVOIR AVEC ÉLÉGANCE

Style buffet

Le buffet est l'une des façons les plus simples de recevoir une foule d'invités. La clé du succès réside dans la disposition des meubles, qui doit faciliter les allées et venues.

Nous avons tous eu l'occasion d'inviter un nombre de convives important. Dans ce cas, organisez un buffet dans la plus grande pièce de la maison, qui n'est pas obligatoirement la salle à manger. Une longue et large table convient le mieux, surtout si elle est habillée simplement pour laisser la place aux plats et à la vaisselle. Assurez-vous qu'il y a assez d'espace autour de la table pour que chacun puisse circuler facilement. Laissez, si possible, les deux côtés accessibles. Disposez des groupes de sièges ici ou là pour favoriser les rencontres, en utilisant des chaises d'appoint, et installez de petites tables pour poser les verres.

Scène de fête

Vous pouvez toujours recevoir de nombreux convives, il suffit d'avoir de l'imagination et le sens de la fête.

Un grand dîner peut sembler un défi, mais il est cependant possible d'asseoir élégamment et de servir de nombreux convives. Transformez un endroit de la maison en salle à manger temporaire : un coin de votre séjour ou un large couloir, par exemple. Pour asseoir tout le monde confortablement, il vous faut évidemment une grande table. Deux choix sont possibles : plusieurs tables accolées et habillées d'une même nappe, ou la location chez un spécialiste. Vous pouvez aussi installer plusieurs petites tables, pour une atmosphère « bistro ». Complétez vos chaises de salle à manger avec des chaises légères d'appoint, ou louez le nombre de sièges nécessaires.

UNE PIÈCE RÉUSSIE

Cette table de banquet est composée de plusieurs tables carrées alignées sur toute la largeur de la pièce mais sans l'encombrer. La table étant étroite, l'ensemble prend moins de place.

- LE MÉLANGE DE CHAISES assorties crée une atmosphère décontractée.
- LE DESSERT EST SERVI DANS LE BUREAU ADJACENT pour favoriser les échanges après le repas.
- DES ATTENTIONS PERSONNELLES accueillent les invités. Une cerise en verre de Murano orne les menus et des sacs à cadeaux sont accrochés aux sièges. Les marque-place des convives sont des photographies prises à leur arrivée. Détail amusant : les bouteilles de champagne miniatures servies dans des coupes individuelles remplies de glace.
- LE DÉCOR DÉCONTRACTÉ laisse toute latitude à la fête. Une simple nappe en lin naturel marque le style informel, renforcé par la cascade de guirlandes d'œillets.

IL EST FACILE DE PRÉSENTER DES FLEURS AVEC ÉLÉGANCE SI VOUS DISPOSEZ DU VASE APPROPRIÉ. RESTEZ SIMPLE DANS VOS CHOIX.

Un petit pot à lait, *ci-dessus à gauche*, posé devant chaque place, contient une seule fleur. Les arrangements floraux n'ont pas besoin de se trouver obligatoirement au milieu de la table. Cette sorte de présentation est une attention personnelle pour chaque convive. Ici, le vase sert aussi de marque-place, le nom de l'invité étant directement écrit dessus. Chaque invité emportera le vase et sa fleur à la fin de la soirée.

Ces sacs en papier, *ci-contre*, peints de couleurs vives, n'ont plus rien de prosaïque et font de charmantes housses pour des contenants hétéroclites. Chacun est garni d'un bouquet de fleurs dont la couleur est assortie à la peinture des sacs.

Un long vase étroit, *ci-dessus à droite*, met en valeur la simplicité des tulipes. Le vase en céramique blanche, très bas, ajoute une élégance colorée à la table sans gêner les convives. Il serait tout aussi élégant sur la tablette d'une cheminée ou sur une desserte. Pour obtenir sans effort un impact théâtral, choisissez une seule variété de fleur par vase.

Des alliums originaux, *page opposée*, dressés dans de hauts verres, forment un centre de table simple mais superbe qui donne un impact théâtral au décor. Pour donner de la couleur sur deux niveaux, posez quelques fleurs d'alliums directement sur la table. Ici, des billes de verre, normalement utilisées dans les vases, forment un chemin lumineux.

Best Wishes

CHILLED CUMIN GAZPACHO WITH SHERRY VINEGAR

LA TABLE FAMILIALE

L'ESPACE REPAS CONSTITUE SOUVENT LE CŒUR DE LA MAISON. FAITES-EN UN LIEU QUI CORRESPONDE À VOS BESOINS ET REFLÈTE VOS INTÉRÊTS, ACCUEILLANT POUR VOTRE FAMILLE COMME POUR VOS AMIS.

L'une des images d'Épinal les plus persistantes est celle de la famille réunie autour d'une table, riant et bavardant tout en dégustant un repas préparé avec amour. Il n'est donc pas surprenant que la table de la salle à manger soit le lieu de réunion le plus fréquenté de nombreux foyers. C'est la scène où se joue et se rejoue la vie quotidienne et l'un des rares endroits dans notre monde toujours pressé où nous pouvons nous retrouver, passer du temps avec notre famille et célébrer toutes sortes d'événements. Cuisine-repas minuscule ou grande pièce décloisonnée, assurez-vous que votre espace repas convient à toute la famille, reflète son style et ses intérêts et accepte aussi bien les réunions de vacances que les jeux de société. Des tissus résistants y sont de règle. Choisissez des meubles solides et de la vaisselle qui peut être décorée pour les repas de fête. Donnez à la pièce les honneurs qu'elle mérite en l'habillant avec vos objets favoris et en la personnalisant avec des collections et des tableaux. Changez souvent le décor de la table et ses accessoires, pour la rajeunir et l'accorder aux saisons.

Fêtes de saison

Donnez une ambiance festive à vos réunions familiales et vos soirées entre amis grâce à des décorations colorées faciles à réaliser et des tons coordonnés.

Dresser une table pour une fête de famille ne demande pas d'efforts considérables. Inspirez-vous des générosités de la nature. Commencez par des assiettes blanches ou de tons neutres, qui forment une toile de fond pour les serviettes, les nappes et les verres à pied aux couleurs de la saison. Tons ocre de la moisson ou tendres coloris du printemps, créez des centres de table avec la palette de la nature. Composez des arrangements de fleurs de saison, d'herbes, de coloquintes, de baies ou de branches. Les bougies sont toujours bien accueillies et un unique verre à pied apporte suffisamment d'élégance pour une occasion spéciale.

UNE PIÈCE RÉUSSIE

Cette table emprunte les couleurs de l'automne. Bien que les assiettes soient simples, les accents colorés et les touches décoratives bien pensées en font la table d'un moment d'exception.

- **LA VAISSELLE BLANCHE** permet de changer facilement le décor de la table. Mélangée à des accents colorés, elle donne une palette fraîche et accueillante.
- **LA CHAUDE LUEUR DES BOUGIES** s'ajoute au centre de table de saison composé de coloquintes et de baies. Les décorations naturelles se répètent sur le vaisselier.
- **LES ENFANTS ONT DROIT AUSSI À LEUR PROPRE TABLE** avec une vaisselle solide, des blocs de papier comme sets de table et une quantité de crayons de couleur.
- **DES MARQUE-PLACE ORIGINAUX** favorisent les conversations et la convivialité, surtout s'ils servent ensuite pour les jeux de société ou autres activités.

EMILY
TOM

NO SMOKING
STOP MOTOR

UNE PIÈCE RÉUSSIE

Lorsque l'espace repas est dans la cuisine, la famille se rassemble plus souvent dans la journée. Son décor intime invite chacun à s'asseoir.

- LES DEUX BANCS évoquent le plaisir des pique-niques en plein air et sont en outre des sièges pratiques pour les enfants. Des fauteuils en osier habillent l'ensemble.
- DE LA VAISSELLE BLANCHE associée à une palette fraîche et une abondance d'accents naturels et de verdure forment un espace aéré, léger, intégrant le jardin tout proche.
- DES COLLECTIONS D'OBJETS FAMILIERS et des souvenirs de famille attirent le regard à tous les niveaux.

LA TABLE FAMILIALE

Une base familiale

L'atmosphère accueillante de la cuisine-salle à manger incite chacun à venir s'asseoir à la table.

Une cuisine où l'on prend les repas est toujours appréciée de la famille et des amis. Elle est pratique pour les parents qui peuvent surveiller les devoirs des enfants tout en cuisinant avant de mettre la table. Elle est également parfaite pour recevoir. Chacun peut s'y détendre et bavarder avec le cuisinier.

Le décor de la cuisine-espace repas doit être aussi confortable et décontracté que possible. Accordez-lui la même attention qu'à une « vraie » salle à manger mais profitez de ce côté informel pour rendre son aménagement plus personnel. Montrez que c'est le cœur de la maison avec vos objets et vos souvenirs favoris. Rassemblez des « trésors » de famille, dessins des enfants, collection de faïences, coquillages ramassés sur la plage, souvenirs de voyages, qui donneront caractère et intérêt au décor.

Les rangements

La jolie vaisselle et l'argenterie ne garderont toute leur beauté que si elles sont correctement entretenues et bien rangées. Il n'est pas nécessaire pour cela de multiplier les buffets et les armoires. Contentez-vous de suivre quelques règles de bon sens et vos assiettes, plats, verres à pied et couverts resteront comme neufs pendant des générations.

Que vous choisissiez d'exposer vos trésors sur des étagères en un décor spectaculaire mais d'accès facile ou que vous les cachiez dans un buffet pour un aspect plus net, vous devez avant tout les protéger. Les pièces fragiles demandent de la place pour ne pas risquer d'être heurtées et le système de rangement doit assurer leur protection. Les objets quotidiens, plats, faïences et verres solides, qui nécessitent moins d'égards, seront rangés à portée de main. Les belles pièces, en porcelaine, cristal, argenterie, réclament un soin particulier et seront rangées au fond du placard.

Un mur d'étagères, à droite, transforme ce couloir en version moderne de l'office d'autrefois. Des étagères réglables reçoivent des pièces de diverses hauteurs et des paniers abritent les nappes et les sets de table ou les objets moins souvent utilisés.

LEÇON DE DÉCORATION ENTRETIEN DE LA VAISSELLE

Quand la fête est finie et qu'il est temps de ranger le service, les nappes et les plats, appliquez ces quelques règles aux pièces que vous utilisez rarement.

Il existe des housses molletonnées et zippées de toutes tailles pour protéger la porcelaine fragile. Vous pouvez fabriquer vos propres casiers de rangement, en les tapissant de plastique à bulles et en les divisant en sections avec du carton pour abriter les objets de forme biscornue, comme les saucières et les terrines. Le feutre et la mousse sont des matériaux recommandés pour protéger la porcelaine. Il existe aussi des feuilles intercalaires pour les piles d'assiettes. Vous pouvez réaliser vous-même des séparations en feutre ou en mousse plastique.

- **LA BELLE PORCELAINE** doit être lavée à la main (ni eau de Javel ni détergent au citron) avant d'être rangée. Ne formez pas de piles de plus de 20 centimètres.
- **LES BELLES NAPPES** seront posées à plat, couvertes d'un papier non acide, puis roulées plutôt que pliées afin d'éviter les plis et les moisissures.
- **L'ARGENTERIE** est rangée dans des tiroirs ou des boîtes tapissées d'un tissu spécial antioxydant, ou encore enveloppée dans un tissu non acide (jamais dans le plastique, le lainage, le feutre, le papier journal ou la suédine) puis conservée dans des sacs en polyéthylène.
- **LE CRISTAL ET LES VERRES À PIED** seront lavés à la main à l'eau tiède avec un détergent doux. Rangez-les debout sur les étagères.

Étagères de rangement, *à gauche* D'étroites planches de hauteurs réglables sont ajustées à la taille des verres, plus environ 3 centimètres, pour qu'ils soient faciles à ranger. Ils doivent être posés debout.

Verres à l'envers, *ci-contre* Les verres à pied doivent être rangés avec soin. Préservez leur coupe de la poussière en les suspendant par le pied sur un rail spécial.

Verres et vaisselle protégés Abritées dans des armoires ou des placards vitrés, les rangées de verres, d'assiettes et de tasses bien alignées ajoutent joliment au décor. Certaines pièces de vaisselle ont des formes si élégantes qu'elles méritent d'être exposées. De plus, les étagères peuvent être ajustées à la taille des objets.

Rangements ouverts Des planches fixées au-dessus d'une desserte supportent les objets d'usage quotidien et facilitent le service. Ajoutez un ou deux souvenirs à votre mélange de vaisselle et de verres et vos étagères participeront au décor de la salle à manger.

L'argenterie, *ci-contre* La table sera mise plus rapidement si les couverts sont glissés dans des housses individuelles en tissu antioxydant, roulés et attachés.

Range-couverts Les couverts en acier inoxydable, à droite, et autres plats d'usage courant, seront rangés à portée de main en les posant simplement dans des verres ou autres jolis récipients.

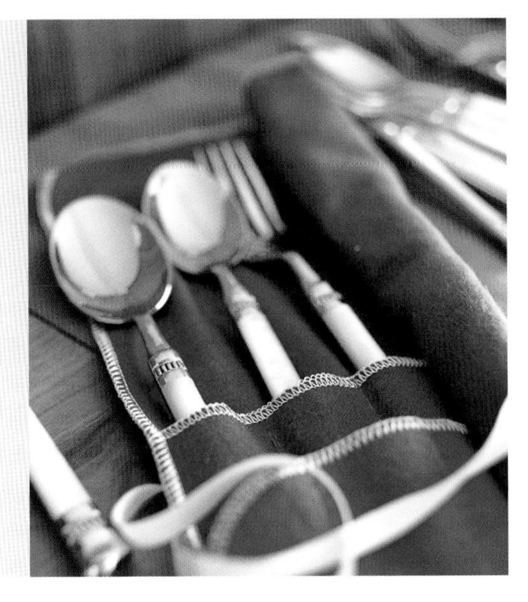

CHARD
FUME

Les repas sont toujours meilleurs quand on les prend en plein air. Profitez-en pour installer une table accueillante sur la terrasse, sur une pelouse sous les arbres, dans une cour abritée ou dans le patio près de la piscine. Recevoir en plein air est idéal pour profiter à la fois de l'organisation et de la fête. Laissez la nature s'occuper de la décoration et concentrez-vous plutôt sur les détails qui vont compléter le décor naturel : sièges confortables, une belle table et un éclairage

LES REPAS EN PLEIN AIR

UN ESPACE REPAS DANS LE JARDIN, FACE À LA MONTAGNE OU AU BORD DE L'EAU EST TOUJOURS AGRÉABLE. LAISSEZ LA NATURE PRENDRE SOIN DU DÉCOR ET CONCENTREZ-VOUS SUR LE CONFORT.

recherché. Que vous disposiez d'un petit balcon citadin ou d'un vaste patio, vous prendrez facilement l'habitude de manger dehors pendant la belle saison. Commencez par équiper votre espace de meubles qui supportent les intempéries. Le choix des meubles et des tissus résistants à l'eau est vaste et vous pouvez transposer à l'extérieur le décor de la maison sans souci du bulletin météo. Puis, pour créer une atmosphère conviviale et détendue (et pour alléger votre travail), servez un buffet ou demandez aux invités de passer les plats sans façons, ce qui encouragera les échanges.

Une table au bord du lac

Rien n'est plus relaxant qu'un repas pris au bord d'un lac, un beau jour d'été. La vaisselle sera solide et la table décontractée.

Un repas partagé au bord de l'eau invite aussitôt les convives – et leur hôte – à la détente. Restez en accord avec le décor déjà établi. Habillez-la simplement d'une nappe et de serviettes en coton de couleur vive, et abandonnez la porcelaine au profit de verres en plastique et de solides assiettes en faïence.

Le style buffet est l'une des meilleures façons d'animer un repas champêtre. Apportez une table console du salon et posez sur son plateau des plats solides bien garnis. L'endroit idéal se trouvera près de la fenêtre de la cuisine, qui peut servir de passe-plat.

UNE PIÈCE RÉUSSIE

Un quai rustique sur un lac, équipé d'un coin repas permanent, offre un endroit charmant pour les repas d'été. Le style camp en plein air est confortable et familial, incitant chacun à la détente.

- **LES MEUBLES RÉSISTANTS** aux intempéries sont toujours prêts pour accueillir les invités, pour un dîner élégant ou des jeux de société.
- **UNE PALETTE ROUGE ET BLANCHE** déclinée en uni, rayures et écossais donne une ambiance légère, en ajoutant des accents de couleur au décor naturel.
- **DES ACCESSOIRES DÉCONTRACTÉS,** coussins en coton imprimé et plaids rayés, apportent leur confort douillet aux meubles robustes et pratiques. Des torchons font office de serviettes.
- **UN APPUI DE FENÊTRE** fabriqué avec une vieille pancarte en métal sert de desserte. Celui qui est en cuisine peut passer les plats par la fenêtre en laissant les invités se servir. Le rangement de la vaisselle est également facilité.

UNE PIÈCE RÉUSSIE

Dans ce salon d'été devenu salle à manger, une palette de bleu et de blanc se décline dans la sérénité d'un décor ensoleillé pendant les longs jours d'été.

- **UN MÉLANGE D'OBJETS** d'intérieur luxueux et d'objets d'extérieur crée une impression de confort d'une fraîcheur revigorante.
- **LA CHEMINÉE D'EXTÉRIEUR** permet de prolonger la saison.
- **LES COULEURS DE LA MER** sont déclinées dans toute la pièce, des motifs variés des coussins aux sets de table jusqu'à la vaisselle. Le décor, bien que simple, reste élégant.
- **LES THÈMES NAUTIQUES** abondent, comme sur le serre-livres qui maintient les serviettes en papier.

REPAS EN PLEIN AIR

Dîner près de la piscine

Le salon d'été ou le patio forment une toile de fond naturelle pour les réunions en plein air.

Si vous avez la chance de posséder une piscine, le salon d'été ou le patio attenant seront parfaits pour recevoir pendant la belle saison. Dans un tel décor, la simplicité est de mise et vous donne toute latitude pour profiter de vos invités.

Commencez par une table estivale faite pour les plaisirs du barbecue. Le mobilier en osier, aujourd'hui disponible dans une large gamme de couleurs, évoque immanquablement les beaux jours. Installez des fauteuils autour de la table et garnissez-les de coussins confortables ne craignant pas les intempéries. Créez une ambiance de bord de mer en habillant la table de couleurs et de rayures nautiques. Sous le soleil estival, les accents bleus des meubles et de la vaisselle évoquent l'océan et l'azur du ciel au crépuscule. Si vous ne possédez pas de terrasse couverte, sortez les parasols pour vous protéger du soleil de midi et des averses.

Déjeuner campagnard

Pour ajouter une touche personnelle à un repas en plein air, empruntez un thème à l'environnement et déclinez-le avec des détails amusants.

Lorsque vous avez trouvé l'endroit idéal pour passer une après-midi ensoleillée avec des amis, inspirez-vous du décor pour le style de votre fête. Adoptez un thème en rapport avec l'environnement et votre réception sera mémorable. Agencez le décor de table autour d'une seule idée, déjeuner informel avec la moisson pour thème ou élégant dîner sur la pelouse. Réalisez de simples centres de table avec les fleurs, les feuillages et les branches proches. Délaissez vos chaises de salle à manger et si le déjeuner a lieu dans le jardin, apportez une table près des bancs ; dans une grange, asseyez vos invités sur des bottes de paille.

UNE PIÈCE RÉUSSIE

Un déjeuner campagnard dans une grange ensoleillée est parfaitement adapté au décor. Tout, des sièges à la nappe jusqu'au centre de table, est inspiré par l'environnement.

- **DES BOTTES DE PAILLE** de chaque côté de la table remplacent les chaises. Des pinceaux posés sur chaque « siège » chasseront les brins de paille égarés.
- **LA NAPPE EN TOILE** est assez grande pour couvrir les pieds de la table pliante louée pour l'occasion. Un étroit chemin en lin encadre les bouquets et des petits torchons servent de serviettes.
- **LES DÉTAILS ÉVOQUANT LE THÈME,** comme la brouette seau à glace et les lampes-tempête accrochées à des râteaux, créent une ambiance humoristique. Des fleurs sauvages glissées dans de simples vases en verre forment de jolis bouquets.
- **DES EMBALLAGES À JETER** servent d'assiettes et simplifient le service et la vaisselle.

VOS REPAS BUCOLIQUES NE RÉCLAMENT RIEN DE PLUS QU'UN MENU LÉGER PRÉSENTÉ SIMPLEMENT ET DES PLATS FACILES À TRANSPORTER.

Un casier à bouteilles ancien, *page opposée en haut*, facilite le transport du dessert. Les gobelets en verre garnis de cônes gaufrés, emplis de fruits frais et entourés de serviettes à rayures, évoquent la nostalgie des pique-niques sur la plage en été.

Des sandwiches, *page opposée en bas*, sont enveloppés dans des serviettes en papier maintenues par une ficelle. Une longueur de ficelle vous suffira pour attacher les couverts ensemble. Ce système portable, qui permet aux invités de se servir eux-mêmes, peut être préparé avant la réception.

Des galets entourés de ficelle, *à gauche*, maintiennent la nappe si le vent se lève. Vous pouvez également utiliser de gros coquillages ou des pierres de rivière bien lisses. Attachez-les ensemble avec une longue ficelle, comme ici, pour en faciliter le maniement.

Des coupes en faïence, *ci-dessus*, contiennent un déjeuner complet, avec couverts et boisson. Les ingrédients, faciles à rassembler, sont maintenus en place par une serviette, qui sert aussi d'anse permettant de transporter le tout sur le lieu du pique-nique.

LA CUISINE

« LA CUISINE EST VRAIMENT
LE CŒUR DE LA MAISON,
C'EST MA PIÈCE PRÉFÉRÉE,
OÙ CHACUN SE SENT BIEN,
OÙ JE PEUX BAVARDER
AVEC MA FAMILLE ET
MES AMIS PENDANT QUE
JE PRÉPARE LES REPAS. »

COMMENT RÉUSSIR

LA CUISINE

La cuisine est devenue un espace de vie. Elle a toujours été indispensable à la vie familiale, mais aujourd'hui nous y passons plus de temps et nous l'utilisons pour diverses activités. Plus grande et plus ouverte sur les autres pièces, elle ressemble davantage au reste de la maison, incorporant des éléments tels que le parquet, les placards aux allures de meubles et les accessoires décoratifs, tels les tableaux et les collections culinaires. En même temps, elle se personnalise avec des appareils et des ustensiles modernes et pratiques.

137 La cuisine de vos rêves

145 Optimisez l'espace

157 Exprimez votre style

L'organisation de la cuisine

Dans une cuisine, le côté fonctionnel, qui conditionne l'utilisation de l'espace, prime sur le style. Aménagez un triangle de travail efficace et pratique, formé par le réfrigérateur, la cuisinière et l'évier, clé de toute cuisine bien conçue.

Des règles bien établies donnent des paramètres utiles. Commencez toujours par le triangle de travail défini par l'emplacement de l'évier, de la cuisinière ou table de cuisson, et du réfrigérateur. Un triangle de travail efficace vous épargnera bien des pas. Dans l'idéal, chaque côté du triangle doit mesurer entre 1,20 et 2,70 mètres et la somme des trois côtés du triangle entre 4,90 et 7,90 mètres. Ces dimensions correspondent aussi aux surfaces de travail et aux volumes de rangement minimaux dont vous avez besoin. Un espace de 60 centimètres sous l'évier sera réservé au lave-vaisselle, et vous devrez disposer d'un plan de travail de 75 à 120 centimètres entre l'évier et la cuisinière, là où vous passez le plus clair de votre temps.

Si deux cuisiniers utilisent la cuisine simultanément, prévoyez un second plan de travail autour d'un autre évier, généralement situé sur un îlot central. Celui-ci ou un meuble en épi augmenteront la surface de travail et isoleront le triangle fonctionnel du passage emprunté par la famille (voir, page ci-contre, l'utilité de l'îlot central). Le réfrigérateur étant fréquemment visité par les membres de la famille entre les repas, il est préférable de le placer sur le côté extérieur de l'espace de travail, afin qu'il soit facilement accessible.

LA CUISINE FAMILIALE

Cette pièce (*ci-dessus et page précédente*) présente un large îlot central comportant une table de cuisine incorporée. Utilisée pour les repas, la table est également le quartier général de la famille.

- **LE TRIANGLE DE TRAVAIL** se trouve en dehors du passage grâce à l'évier inoxydable installé au bout de l'îlot.
- **UN GRAND ÉVIER** campagnard, installé à l'écart de la zone de préparation, peut être facilement utilisé par les enfants ou les invités.
- **LA HAUTEUR DES SURFACES DE TRAVAIL** varie selon les tâches. Le plateau d'une table est à 75 cm, hauteur standard pour une salle à manger et parfaite pour pétrir le pain ; la hauteur classique est de 70 à 80 cm.
- **LES SURFACES DE TRAVAIL** et les rangements sont maximisés dans ce plan en L.

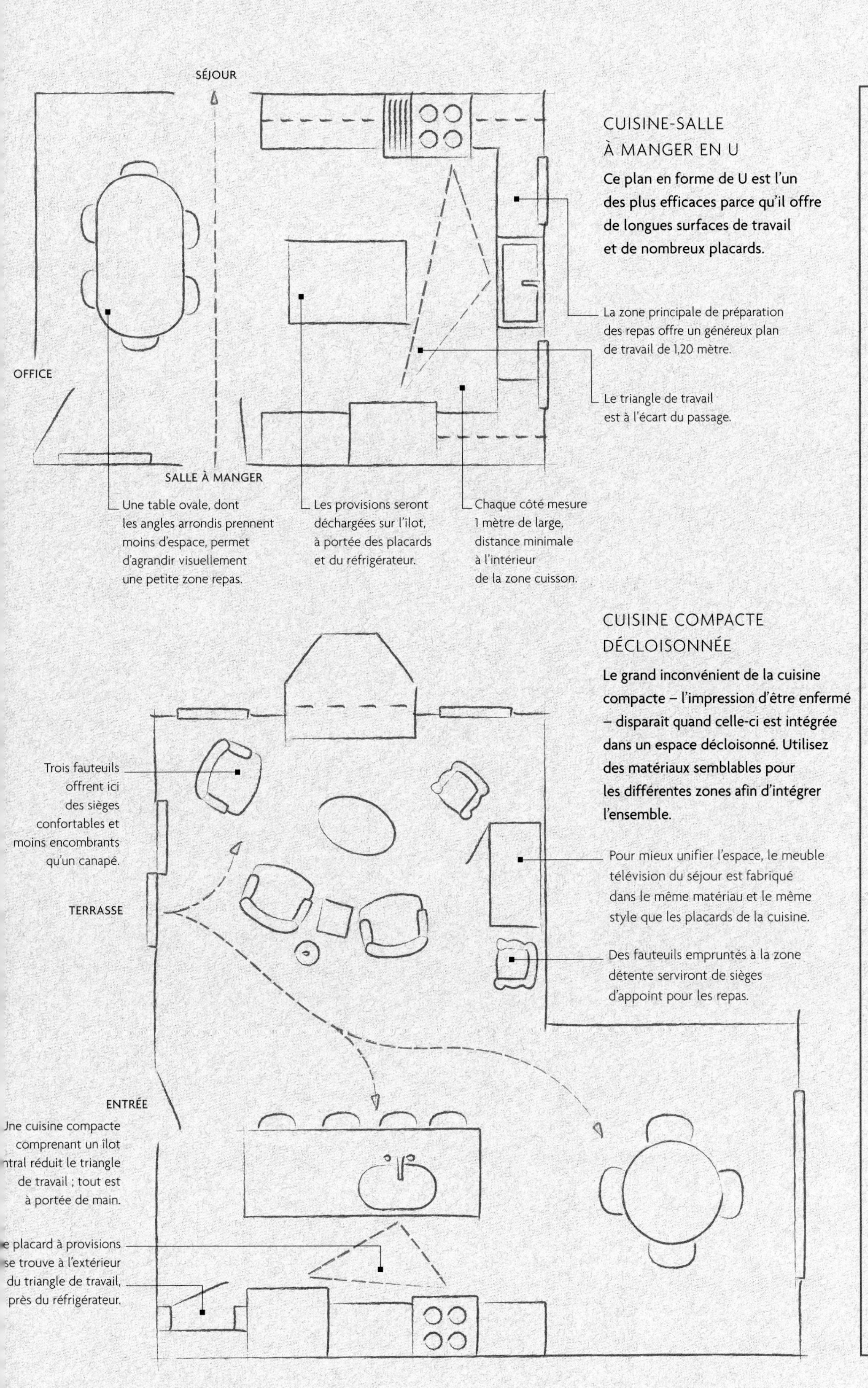

CUISINE-SALLE À MANGER EN U

Ce plan en forme de U est l'un des plus efficaces parce qu'il offre de longues surfaces de travail et de nombreux placards.

CUISINE COMPACTE DÉCLOISONNÉE

Le grand inconvénient de la cuisine compacte – l'impression d'être enfermé – disparaît quand celle-ci est intégrée dans un espace décloisonné. Utilisez des matériaux semblables pour les différentes zones afin d'intégrer l'ensemble.

ÎLOTS DE CUISINE

L'îlot crée des rangements et des plans de travail supplémentaires. S'il comporte un évier ou une plaque de cuisson, il réduit le triangle de travail et épargne bien des pas.

Taille de l'îlot

Les dimensions idéales pour un îlot sont de 90 centimètres de hauteur pour une profondeur d'au moins 65 centimètres. Une table bar sera haute de 1,20 mètre, afin d'y loger les tabourets, avec au moins 35 centimètres de profondeur.

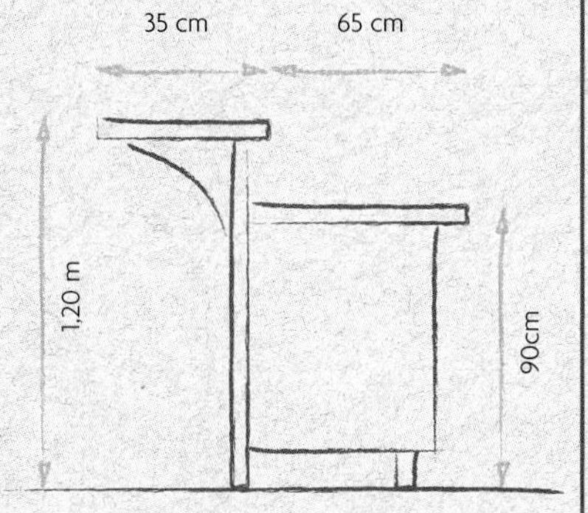

Taille de la pièce

Un îlot demande une pièce d'au moins 2,40 x 3,50 mètres pour que l'ensemble soit confortable.

Efficacité

Si vous avez deux cuisiniers dans la famille, deux éviers, dont un sur l'îlot, seront les bienvenus pour établir une double zone de préparation.

Matériaux

Vous pouvez utiliser des matériaux assortis aux placards ou, au contraire, un revêtement différent. Si vous aimez la pâtisserie, optez pour une surface en marbre qui restera fraîche, à moins que vous ne choisissiez une table de ferme ou un plan en inoxydable, qui formeront un îlot original.

Rangements personnalisés

Maximisez l'espace de rangement d'un îlot avec de larges étagères pour les casseroles et autres faitouts côté cuisson, et des planches étroites pour les verres côté repas. Les rangements ouverts sous les îlots sont parfaits pour les ustensiles encombrants qui refusent d'entrer dans les placards.

Tout plan demande une réflexion préalable, surtout pour la cuisine. Cet espace doit être aussi accueillant que les autres pièces, d'autant plus que vous y travaillez davantage que partout ailleurs. L'essentiel est que votre cuisine soit faite « pour vous ». Il existe heureusement toutes sortes de possibilités pour la personnaliser. Étudiez d'abord la façon d'utiliser l'espace. Êtes-vous un(e) maître-queux gastronomique ou un(e) adepte des plats préparés ?

LA CUISINE DE VOS RÊVES

UNE CUISINE RÉUSSIE EST CELLE DANS LAQUELLE VOUS AIMEREZ PRÉPARER LES REPAS, RECEVOIR VOS AMIS ET VOUS DÉTENDRE. FAITES DE LA VÔTRE UN PLAISIR SANS CESSE RENOUVELÉ.

La cuisine idéale doit être confortable et faciliter les tâches quotidiennes. Si vous aimez cuisiner à plusieurs, il vous faut assez d'espace pour des zones de travail séparées et peut-être un second évier. Si vous aimez recevoir, optez pour un espace décloisonné qui vous permettra de discuter avec vos invités tout en préparant le repas. Vous pouvez aussi ajouter, un bar pour les repas rapides ou un coin lingerie, installer deux lave-vaisselle ou une cave à vin. Laissez courir vos rêves mais, ensuite, établissez vos plans et soyez précis. Le plan d'une cuisine exige des décisions plus détaillées que pour les autres pièces, mais le résultat en vaut la peine.

Le nouveau classicisme

Efficaces et faciles d'entretien, les cuisines des maisons bourgeoises d'autrefois nous donnent des idées pour les espaces modernes.

Pour une cuisine idéale, tournez-vous vers le passé. Placards blancs, carrelages émaillés, plans de travail en pierre et accessoires en acier inoxydable sont des éléments du décor qui rappellent les cuisines des demeures historiques. Ces matériaux sont à conseiller dans la cuisine familiale moderne pour leur durabilité. Un îlot géant, autre élément clé des cuisines des grandes maisons, permet à plusieurs personnes d'œuvrer ensemble sans se gêner. Un second évier réduit le triangle de travail, en épargnant bien des pas. L'office fait aussi son retour. Sa capacité de rangement permet de supprimer des meubles dans la cuisine et de créer des fenêtres supplémentaires.

UNE PIÈCE RÉUSSIE

Cette cuisine aux généreuses proportions, qui associe les matériaux classiques aux facilités les plus modernes, est aussi élégante que pratique.

- **UN ÎLOT GÉANT** ancre l'espace et assure un excellent plan de travail. Sa base ouverte offre une grande capacité de rangement, tout en allégeant l'ensemble.
- **LE PLAN EN U** crée un triangle de travail efficace (le réfrigérateur, non représenté, est à droite de la table de cuisson). Un second évier installé dans l'îlot rétrécit le triangle et l'écarte du passage.
- **UN OFFICE**, situé derrière le mur où se trouve la table de cuisson, permet de réduire le nombre d'éléments et de céder la place aux fenêtres.
- **DES MATÉRIAUX COORDONNÉS** et des accessoires noirs ou en étain ajoutent à l'élégance de la pièce. Un présentoir à épices fait maison devient un pôle d'attraction à la fois simple et utile.

Les choix du chef cuisinier

Si vous voulez disposer d'une cuisine plus efficace pour préparer les repas, équipez-la comme une cuisine professionnelle.

Les cuisines commerciales sont le domaine des chefs professionnels, mais vous pouvez leur emprunter des idées. Il est facile de trouver des appareils adaptés à l'usage familial et aussi efficaces que ceux des cuisines de restaurant. Vous pouvez aussi changer certains éléments sans procéder à une rénovation complète. Choisissez des détails qui conviennent à votre style de cuisine. Par exemple, un plan de travail en marbre est parfait pour la pâtisserie ; un robinet sur la cuisinière permet de remplir plus vite les casseroles ; un évier sur l'îlot simplifie le lavage des légumes.

UNE PIÈCE RÉUSSIE

Organisée autour de son îlot, cette cuisine pour chef expérimenté incorpore des appareils et des rangements empruntés aux cuisines professionnelles.

- **UNE CUISINIÈRE DE STYLE RESTAURANT** comporte une canalisation d'eau et un robinet à long col pour remplir les casseroles ; les ustensiles souvent utilisés sont accrochés à un rail.
- **DE NOMBREUX RANGEMENTS** sur tous les niveaux offrent des espaces réservés à un usage bien précis. Le vin est gardé au frais dans une cave réfrigérée ; un tiroir est conçu spécialement pour les épices.
- **LES PETITS USTENSILES**, comme le mixeur et le grille-pain, sont des modèles réduits des versions professionnelles, mais leur efficacité est la même.
- **UN COIN BUREAU** intégré ménage un espace pour étudier les recettes. Les étagères situées au-dessus abritent des livres de cuisine et des magazines.

UNE PIÈCE RÉUSSIE

Les espaces ouverts de cette cuisine sobre donnent une impression d'espace. La table en épi sert à la préparation des aliments, mais aussi de desserte et de lieu convivial.

- **DES MATÉRIAUX** et accessoires simples s'ajoutent à des collections bien choisies pour créer une atmosphère décontractée.
- **LA LUMIÈRE NATURELLE** passe à flots par la grande fenêtre et se reflète sur les surfaces brillantes et l'acier inoxydable luisant. Le billot de boucher donne un côté chaleureux à cet espace ensoleillé.
- **DES BOCAUX EN VERRE ANCIENS** et des pots de tailles et formes diverses laissent voir leur contenu tout en formant une composition décorative.
- **SUR LES ÉTAGÈRES**, des collections d'objets donnent du caractère à la pièce.

LA CUISINE DE VOS RÊVES

Recevoir sans façons

Si vos talents culinaires se limitent aux repas simples, vous apprécierez la sobriété de cette cuisine et ses espaces décloisonnés.

Pour recevoir sans façons, la cuisine ouverte, resserrée dans un petit espace, est parfaite. Si tout est à portée de main, vous serez détendu pour cuisiner et bavarder avec vos invités, même dans une petite cuisine. Gardez sous la main les ingrédients et les ustensiles fréquemment utilisés et ajoutez un îlot ou un meuble en épi pour vous permettre de profiter de vos invités pendant que vous préparez le repas. Le billot de boucher est également polyvalent. Assez grand pour hacher les denrées, son esthétisme permet d'y présenter des amuse-bouche pour un cocktail. Il forme aussi une parfaite desserte pour servir un buffet.

Les étagères ouvertes peuvent remplacer les placards hauts et permettent d'exposer vaisselle et collections d'objets divers tout en agrandissant l'espace. Une palette monochrome et des matériaux simples comme l'acier inoxydable ou le bois donnent une impression d'ordre et d'harmonie.

Arbequina

Maximiser l'espace est toujours un défi. Cela peut vouloir dire aménager une vaste surface en la rendant la plus confortable possible, ou bien utiliser de façon créative chaque centimètre pour assurer des plans de travail adéquats et un grand volume de rangement. Quelle que soit la taille de la pièce, une bonne organisation de l'espace est indispensable. Créez tout d'abord des zones de travail bien conçues (préparation, cuisson, lavage et rangement) et un triangle de travail

OPTIMISEZ L'ESPACE

UN SYSTÈME BIEN PENSÉ SERA BÉNÉFIQUE À CHAQUE PIÈCE, DE LA PLUS GRANDE À LA PLUS PETITE. UNE PARFAITE ORGANISATION DE L'ESPACE EST LA CLÉ D'UNE CUISINE RÉUSSIE.

efficace (disposition du réfrigérateur, de la cuisinière et de l'évier l'un par rapport à l'autre). Un plan au sol bien pensé fonctionnera sans heurts. Un autre aspect essentiel de la cuisine est l'importance du volume de rangement. De nombreuses astuces peuvent vous aider : étagères réglables et tiroirs compartimentés, étagères d'angle tournantes, supports à plateaux, paniers divers… les possibilités sont presque infinies. Tous ces accessoires peuvent être ajoutés à des placards existants, sans qu'il soit nécessaire de tout transformer.

UNE PIÈCE RÉUSSIE

Fonctionnant à la fois comme cuisine et salle à manger, ce généreux espace accueille aussi bien le simple goûter que le dîner familial.

- **UN PETIT TRIANGLE DE TRAVAIL** facilite la préparation des repas. L'efficacité est de règle.
- **LE BAR INTÉGRÉ À L'ÎLOT CENTRAL** accueille la famille pour le petit déjeuner ou un repas léger, ou les invités qui viennent bavarder.
- **DANS LA PARTIE SALLE À MANGER,** un vaisselier ancien apporte sa personnalité chaleureuse, tout en abritant la porcelaine et les nappes.
- **DES MEUBLES DE RANGEMENT** à l'ancienne donnent un charme désuet à l'espace décloisonné.

OPTIMISEZ L'ESPACE

La cuisine salle à manger

Découvrez le plaisir de cuisiner, prendre vos repas et recevoir dans une cuisine-salle à manger solide et pratique, spacieuse et agréable.

Les agents immobiliers ont de bonnes raisons de mentionner « cuisine-salle à manger ». Quelle famille, en effet, ne souhaiterait pas disposer d'une vaste « cuisine à manger » intime et chaleureuse et donnant néanmoins une impression d'espace ? L'association cuisine et salle à manger apporte une sorte de fluidité à votre maison. Cette disposition permet aussi d'allouer diverses zones aux différents repas. Ainsi, par exemple, vous servirez le petit déjeuner, un déjeuner informel ou un repas rapide au comptoir intégré à l'îlot central, tandis qu'une grande table installée dans l'espace repas accueillera vos amis et les soupers familiaux. L'îlot central est parfait pour bavarder avec vos invités tout en continuant à travailler. Pour obtenir un effet harmonieux et indiquer le double usage de la pièce, le décor de la salle à manger doit rappeler celui de la cuisine tout en étant subtilement différent.

OPTIMISEZ L'ESPACE

Une cuisine de bateau

Laissez cette étroite cuisine vous offrir tous les avantages d'une grande. Une disposition astucieuse saura tirer parti du moindre espace.

Ce type de cuisine, qui tire son inspiration des cuisines des navires où l'espace est particulièrement limité, correspond à la réalité de nombreux appartements urbains. Même si elle n'est guère spacieuse, elle peut être parfaitement fonctionnelle. Son principal atout est la dimension compacte de son triangle de travail, tout se trouvant à portée de main. Son gros inconvénient est le manque d'espaces de rangement, auquel on peut remédier avec d'étroits placards, des étagères à plateaux tournants et des tiroirs sur mesure qui tireront parti du moindre centimètre ; des appareils ménagers plus étroits que la norme permettront de gagner un peu de place.

UNE PIÈCE RÉUSSIE

Grâce à sa palette entièrement blanche, cette étroite cuisine de bateau donne l'impression d'être plus grande qu'en réalité. Pour agrandir encore l'espace, le nombre des matériaux et des textures est limité et les plans de travail sont bien dégagés.

- CETTE PETITE PIÈCE INCORPORE UN TRIANGLE de travail fonctionnel : cuisinière, évier et réfrigérateur (situé sur le mur en face de la cuisinière) sont tous à portée de main.
- D'ÉTROITS ÉLÉMENTS DE RANGEMENT abandonnent la largeur standard de 30 à 40 centimètres et sont juste assez larges pour accueillir une seule rangée d'objets. Leur faible profondeur permet de les aligner au ras du mur, derrière le plan de travail.
- UN ROBINET FIXÉ SUR LE MUR économise de précieux centimètres.
- DISSIMULÉS DERRIÈRE LES PORTES des placards, les tiroirs ne nuisent pas à la ligne nette de l'ensemble.

Rangements créatifs

Les meilleures façons d'utiliser l'espace ne sont pas uniquement fonctionnelles. Laissez parler votre imagination et rangez avec élégance.

L'un des points les plus importants de l'organisation de la cuisine est le rangement. Nous aimerions tous des espaces de rangement supplémentaires, ce qui est possible avec un peu d'astuce tout en personnalisant la cuisine. Commencez par utiliser tous les espaces dont vous disposez. Créez des subdivisions dans les casiers de rangement avec des plateaux décoratifs, des paniers, des jattes, des rails. Placez un panier dans un coin accessible près de la table de repas, dans lequel vous rangerez les objets quotidiens comme les serviettes et les couverts. Si vous avez de la place, exposez joliment les produits courants, comme l'huile et le vinaigre, dans un plateau à rebords que vous laisserez sur le plan de travail.

UNE PIÈCE RÉUSSIE

Cette spacieuse cuisine avec son îlot central généreux présente un mélange d'espaces de rangement fixes et amovibles offrant toutes sortes de possibilités.

- **LES COMPARTIMENTS FERMÉS** et ouverts de l'îlot central mettent à portée de main les ustensiles d'usage courant et dissimulent ceux qui sont moins utilisés.
- **DES PANIERS DÉPOURVUS D'ANSE** abritent les torchons et l'épicerie.
- **RECONVERTI, UN SÉCHOIR À BOUTEILLES** acheté aux puces devient support de tasses.
- **UN JOLI PLATEAU** contient les objets difficiles à ranger comme les couverts et les condiments.
- **LE BOIS DES ÉLÉMENTS**, les vieilles poutres du plafond et une hotte rustique en métal forment une élégante toile de fond pour les objets rassemblés sur le plan de travail.

Les éléments de rangement

Les placards définissent le style de votre cuisine. Que vous préfériez les éléments ouverts ou fermés ou encore un mélange des deux, le choix est immense, chaque style offrant des matériaux, des formes et des finitions différents. Le style dit rustique, avec ses portes encadrant le panneau central, est le plus classique. D'autres modèles proposent des portes lisses, simples et nettes. Les éléments de grande série sont moins chers mais offrent souvent moins de choix. Tous peuvent être équipés d'accessoires de rangement. Les éléments à adapter à vos mesures proposent diverses finitions et sont de meilleure qualité. Les éléments entièrement sur mesure présentent des détails haut de gamme comme les tiroirs à rappel automatique, les colonnes à tiroirs... les options sont innombrables. Pour plus d'informations, voir *Matériaux,* page 360.

Les éléments bas, en bois, *à droite*, sont jumelés avec des étagères en acier inoxydable. Le mélange d'éléments ouverts et fermés est une façon élégante d'exposer de jolis objets, tout en dissimulant les ustensiles plus utilitaires derrière les portes.

LEÇON DE DÉCORATION RANGEMENT DES PROVISIONS

Autrefois, l'armoire à provisions était une pièce séparée de la cuisine – l'office –, conçue pour abriter tous les ingrédients nécessaires. Aujourd'hui, le placard à provisions se trouve dans un meuble colonne souvent équipé de diverses astuces de rangement. Les colonnes à provisions offrent des plateaux ou des paniers coulissants ou encore des étagères étroites n'accueillant qu'une seule rangée de produits, pour que tout soit visible au premier coup d'œil. Vous trouvez aussitôt ce que vous cherchez, sans avoir besoin de déplacer les denrées. Les placards à provisions peuvent être fonctionnels même s'ils sont de taille réduite, ce qui permet de les glisser sous un escalier ou un coin inutilisé de la cuisine.

- **PROFITEZ DES ASTUCES** comme les grilles sur les portes ou les paniers et étagères coulissants. Les éléments coulissants sont indispensables dans les meubles profonds où les denrées situées à l'arrière sont difficilement accessibles.
- **DES ÉTAGÈRES MONTÉES SUR LES PORTES** augmentent le volume de rangement. Elles doivent comporter un léger rebord pour empêcher les denrées de tomber à l'ouverture de la porte.
- **CRÉEZ DES ZONES PAR CATÉGORIES** – conserves, ingrédients pour pâtisserie, aliments tout préparés... – afin de faciliter la recherche.

Portes vitrées, *ci-contre*
Les portes vitrées plaisent pour diverses raisons. Certains apprécient leur côté désuet, d'autres aiment à contempler un placard à provisions bien garni. Elles donnent également plus de profondeur aux petites cuisines, qui paraissent ainsi plus grandes.

Portes translucides, *à droite*
Les portes translucides laissent entrer la lumière dans la cuisine d'une façon originale. Ici, des portes en verre givré sont installées devant une fenêtre, utilisant au mieux l'espace et la lumière. Les pots et les jattes se détachent contre la lumière extérieure en un défilé abstrait original.

Le bois, *ci-contre*
Le bois est toujours un excellent choix. Non seulement il est durable, mais il peut aussi être teinté, peint ou verni pour se marier avec tous les décors. Encadrements, panneaux et moulures lui ajoutent un caractère traditionnel ; le bois plan et uni est plus contemporain.

Stratifiés, *à droite*
Associés à un sol ou des meubles en bois chaleureux, les stratifiés ont un charme contemporain très élégant. Résistants aux taches et aux rayures, ils demandent moins d'entretien que le bois. De nombreuses variétés de stratifiés existent en finitions mates, texturées et brillantes.

Plateaux coulissants
Les plateaux coulissants équipant les placards ou les colonnes à provisions évitent de se baisser ou de s'accroupir pour prendre un objet. Des plateaux coulissants identiques peuvent être installés pour un prix modique dans des placards existants.

Tiroirs profonds
Le tiroir profond offre un espace de rangement plus accessible qu'une étagère, les objets situés à l'arrière étant plus faciles à saisir. Les tiroirs destinés aux bouteilles seront encore plus pratiques si vous les divisez en sections, dont chacune sera bien remplie pour éviter aux bouteilles de se cogner et de se renverser.

Tiroir sous appareil ménager
Un tiroir installé sous un appareil ménager ou un placard est un bon exemple d'utilisation efficace de l'espace. Glissé sous une cuisinière, il abrite les plaques à pâtisserie et les moules. Ces tiroirs peuvent être installés sous presque tous les meubles, et il existe des escabeaux pliants qui se glissent dans ces espaces.

Divisions par patères
Un système de patères mobiles sur fond perforé permet d'organiser les tiroirs. Les patères séparent et maintiennent les différents objets. Cette solution de rangement modulable fonctionne dans presque tous les cas : piles d'assiettes et de soucoupes, bocaux d'épices, torchons, ustensiles de cuisine, bref, tout ce qui doit être rangé dans les tiroirs.

Espace de rangement dans un îlot central
Tirez le meilleur parti d'un îlot central en lui incorporant des espaces de rangement. Côté cuisson, des placards profonds de 60 centimètres abritent le gros matériel. Côté repas, d'étroites étagères utilisent un espace qui serait autrement perdu. Une collection de vaisselle colorée éclaire et personnalise cet îlot.

Étagères modulables
Installer des étagères réglables ou des plateaux coulissants dans les placards est un moyen simple et économique d'adapter les espaces de rangement à vos besoins spécifiques et de pouvoir placer ensemble les ustensiles de même taille. Comptez 3 à 8 centimètres entre l'ustensile le plus haut et la tablette suivante, pour en faciliter la prise et le rangement.

OPTIMISEZ L'ESPACE

Les rangements sous les plans de travail

Les espaces situés sous les plans de travail sont souvent les plus vastes de la cuisine. Pour en tirer le meilleur parti, adaptez les étagères, tiroirs ou rails à vos besoins. Il existe de nombreux accessoires tout faits, à installer dans des placards existants pour remplacer ou compléter les étagères. Fixez des tablettes coulissantes dans les placards trop profonds, pour trouver facilement ce que vous cherchez, ou ajoutez des séparations pour créer quatre espaces ; fixez des grilles sur l'intérieur des portes. Adaptez la hauteur des tablettes à la taille de vos ustensiles. Groupez les objets semblables par tailles et selon leur utilisation et laissez-les près de leur zone de travail : casseroles près de la cuisinière, huile près de la zone de préparation, torchons et éponges près de l'évier... Assignez une place à chaque objet et vous n'aurez plus jamais besoin de les chercher.

Des étagères sous une plaque de cuisson, *à gauche*, offrent à portée de main casseroles et plats. Les solides tablettes peuvent aussi supporter de petits appareils, libérant le plan de travail.

LEÇON DE DÉCORATION ADAPTER LA HAUTEUR DES PLANS DE TRAVAIL

La hauteur standard des éléments bas est de 90 centimètres, hauteur confortable pour la plupart des gens. Pour les personnes de grande taille, il existe des éléments plus hauts, pouvant atteindre 1,15 mètre, ce qui leur évitera bien des courbatures. En fait, les plans de travail devraient avoir une hauteur variable selon la tâche accomplie. S'il est possible aujourd'hui d'adapter la hauteur des plans de travail à votre taille, vous pouvez aussi modifier l'emplacement des étagères et la place du four pour vous assurer un confort maximal.

- **HAUTEUR DES PLANS DE TRAVAIL** : il est plus confortable de hacher, pétrir, mélanger sur une surface haute de 70 à 80 centimètres. Beaucoup de personnes préfèrent une table dont la hauteur leur permet de travailler bras tendus.
- **EMPLACEMENT DU FOUR** : le bas d'un four mural devrait se trouver à hauteur de la taille pour éviter de vous brûler les bras sur la porte ouverte quand vous sortez un plat.
- **RANGEMENTS** : les éléments situés à une hauteur entre vos genoux et vos yeux sont les plus confortables. Il ne serait guère pratique de se contenter de cet espace, mais vous pouvez l'utiliser pour les objets les plus courants.

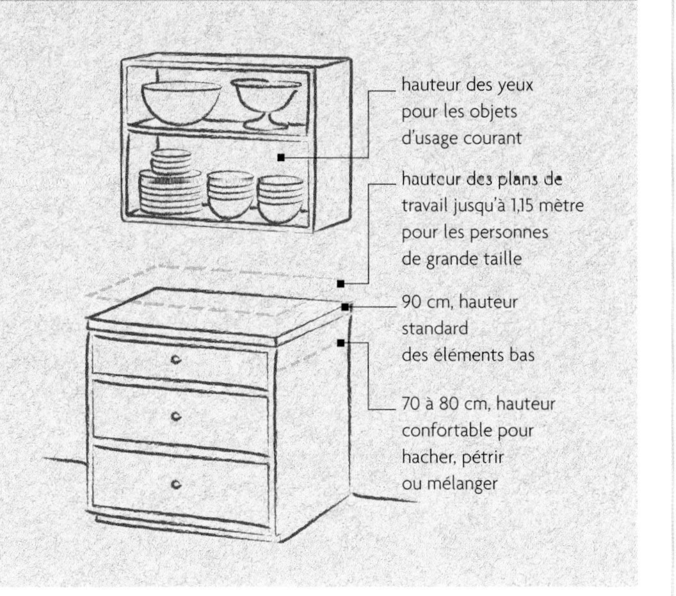

EXPRIMEZ
VOTRE STYLE

LA CUISINE EST L'UNE DES PIÈCES ESSENTIELLES DE LA MAISON. METTEZ LA VÔTRE EN VALEUR AVEC DES COLLECTIONS ET DES TRÉSORS QUI RACONTENT VOTRE HISTOIRE ET CELLE DE VOTRE FAMILLE.

La cuisine est l'axe autour duquel tourne toute la famille. Il est donc normal que son décor en reflète les goûts et les intérêts. Certes, l'entretien des objets décoratifs y est plus difficile, chaleur et vapeurs grasses pouvant endommager les pièces délicates. Transformez cet inconvénient en avantage en créant un style unique, spécialement adapté à cet espace. Choisissez pour cela des objets aussi résistants que beaux, tels les objets culinaires. Les accessoires quotidiens, livres de cuisine, faïences, plats de service et condiments s'exposent tout naturellement. Les objets de collection, nappes anciennes, salières et poivrières, boîtes à gâteaux ou antiques ustensiles de cuisine, ont également un grand charme visuel. Si vous avez plusieurs collections, vous pourrez les changer ou modifier leur disposition pour transformer rapidement le décor de la pièce. Les plantes sont également décoratives. Exposez des herbes en pot, taillées en topiaires, séchées ou suspendues. Et n'oubliez pas les dessins des enfants, qui apporteront chaleur et fantaisie à cet espace familial.

UNE PIÈCE RÉUSSIE

Cette cuisine-salle à manger allie fluidité de l'espace, décor harmonieux et bonne définition des zones de travail.

- **L'ÎLOT CENTRAL** est plus haut côté repas que côté plan de travail, ce qui permet de cacher ce dernier.
- **UN ÉGOUTTOIR À VAISSELLE** suspendu au-dessus de l'îlot central complète la « cloison » invisible séparant les deux zones.
- **DES COULEURS ET DES TISSUS** coordonnés se déclinent dans tout l'espace, et un accent rouge se répète dans les trois zones.
- **LE TAPIS NATUREL** définit les zones repas et salon.
- **DE GRANDES FENÊTRES** agrandissent l'espace et laissent entrer la lumière.

EXPRIMEZ VOTRE STYLE

Une approche aérée

Créez une atmosphère harmonieuse dans une pièce décloisonnée, en gardant une continuité de style qui reflète la beauté du reste de la maison.

Les espaces décloisonnés ou « grandes pièces » aux fonctions multiples offrent d'innombrables possibilités pour délimiter les espaces cuisine, repas et invités. La première étape est d'aborder l'espace comme un tout et non comme deux pièces différentes. Respectez le style général de votre maison. Trouvez une harmonie en utilisant les mêmes revêtements de sol et les mêmes matériaux dans les deux zones et peignez les murs de la même couleur ou déclinez un accent de couleur d'une zone à l'autre. Suggérez subtilement une séparation entre les espaces de façon à préserver l'impression de fluidité. Utilisez des poutres ou autres éléments d'architecture, un égouttoir à vaisselle, l'emplacement des meubles ou des tapis pour définir les zones. Ceci est encore plus important si la pièce comporte un espace séjour. Plus l'espace est grand, mieux il doit être défini pour créer des zones fonctionnelles distinctes.

Simplicité du blanc

L'élégance et la sobriété d'une cuisine entièrement blanche produisent un impact spectaculaire.

Le silence est parfois le meilleur moyen de s'affirmer. Il en est de même en décoration. L'absence de couleur peut révéler la personnalité et produire le même effet qu'une débauche de teintes diverses. Un thème de couleur entièrement blanc donne une impression de fraîcheur, de netteté, de brillance, des qualités particulièrement appréciées dans une cuisine. La lumière du jour est la meilleure amie d'une pièce toute blanche. Laissez les fenêtres nues ou habillées de simples voilages pour que le soleil entre à flots. Mêlez les surfaces mates et brillantes des verres transparents, et associez les diverses formes et textures pour donner à la pièce chaleur et dynamisme.

UNE PIÈCE RÉUSSIE

Le blanc pur, décliné dans toute la pièce, des meubles à la vaisselle jusqu'aux moindres détails, donne une impression de fraîcheur particulièrement relaxante.

- **UNE LAQUE BRILLANTE** transforme la simple table et ses chaises en un mobilier remarquable.
- **DE GRANDES ÉTAGÈRES** soutenues par des consoles apportent un élément architectural sur le mur nu.
- **LES MATÉRIAUX ET LES ACCESSOIRES** pratiques et discrets donnent un aspect élégant à la douce harmonie de blanc.
- **LES RANGEMENTS APPARENTS** conviennent à la beauté toute simple de la pièce.
- **UNE COLLECTION DE VAISSELLE** contemporaine et ancienne ajoute de la texture et de l'intérêt à la pièce. La transparence des verres et le blanc de la vaisselle apportent dynamisme et variété visuelle à la composition.

PERSONNALISEZ VOTRE CUISINE

AVEC DES PHOTOGRAPHIES ARTISTIQUES OU FAMILIALES, ET DES COLLECTIONS AMUSANTES ET ORIGINALES.

Des râpes anciennes, *page opposée en haut*, décorent l'espace vide sur le côté d'un placard. Les collections originales appellent souvent les commentaires des invités. Chaque objet aimé raconte l'histoire de ses origines, voyage familial mémorable ou simple visite au marché aux puces.

Un panneau de liège, *page opposée en bas*, équipé de punaises colorées, forme un accent décoratif. Couvert de photos de famille, de notes, d'invitations et de cartes postales, il devient un livre de souvenirs en évolution permanente, ouvert à tous.

Un tableau choisi, *à gauche*, réchauffe les surfaces lisses de la cuisine. En ajoutant simplement deux poires sur le plateau de la balance, une charmante nature morte se forme. Les compositions fragiles seront éloignées de l'évier et de la cuisinière, l'humidité et la graisse risquant de les abîmer.

Un tableau aimanté, *ci-dessus*, constitue une variante élégante aux aimants posés sur le réfrigérateur. Fixé sur le mur entre des placards et le plan de travail, il présente les recettes des menus de la semaine.

LA CHAMBRE

« MA CHAMBRE EST

UN ESPACE INTIME ET AVANT

TOUT CONFORTABLE.

JE LA VEUX CHALEUREUSE,

AVEC DES ÉTOFFES

ACCUEILLANTES,

DES TEXTURES DOUCES ET

MES SOUVENIRS FAVORIS. »

COMMENT RÉUSSIR

LA CHAMBRE

Confort et flexibilité sont d'autant plus importants que nous passons du temps chez nous. La chambre n'est plus seulement consacrée au sommeil mais aussi à la lecture, au travail, à la détente, et parfois à la télévision. Les chambres d'aujourd'hui sont censées répondre à toutes ces exigences tout en préservant une atmosphère de paix et d'intimité. Si elles deviennent multifonctionnelles, elles sont également plus malléables et acceptent de se fondre dans le style général de la maison. La chambre abandonne le cliché standard du lit flanqué de deux tables de chevet et de la coiffeuse.

Les pièces que nous vous présentons dans ces pages ouvrent de nouveaux horizons pour vous aider à créer un espace fonctionnel et confortable qui réponde à vos besoins.

173 Créez un cadre intime

183 Tirez le meilleur parti de l'espace

191 L'accueil des invités

Comment organiser une chambre

Pour certains, la chambre n'est qu'un lieu de repos. Pour d'autres, c'est un espace multifonctionnel. Les faits sont là cependant : nous passons un tiers de notre vie au lit, et mieux vaut investir dans la qualité et le confort.

L'emplacement du lit est le premier point à considérer pour l'aménagement d'une chambre. Dans l'idéal, la tête de lit devrait se trouver contre un mur avec un espace de 60 centimètres de chaque côté pour faire le lit et y accéder facilement (30 cm peuvent suffire éventuellement). Quant au style du lit, voyez pages 180 et 181 celui qui vous convient le mieux.

Vient ensuite l'organisation des espaces de rangement. Ils peuvent être facilement réalisés avec des placards astucieusement agencés (voir page ci-contre), des coiffeuses, armoires, chiffonniers et autres tiroirs à glisser sous le lit. La plupart des commodes font 50 à 55 centimètres de profondeur et il faut compter 110 à 120 centimètres devant les portes et les tiroirs afin de pouvoir les ouvrir (75 cm étant un minimum). La profondeur des penderies et des armoires varie davantage, mais un espace similaire doit être ménagé pour y accéder.

Les tables de chevet sont indispensables pour accueillir les livres et les magazines, une lampe pour la lumière d'ambiance et la lecture, un réveil, une carafe et autres objets. Vous pouvez aussi disposer dans la chambre des meubles réservés habituellement à d'autres pièces, une vitrine abritant vos collections ou une jolie console, par exemple.

UNE CHAMBRE À VIVRE ET À TRAVAILLER

Cette pièce reposante est un havre confortable de jour comme de nuit. Son plan bien pensé incorpore une zone de travail qui laisse à la chambre sa destination première, le repos et la détente.

■ **DEVANT L'APPUI DE FENÊTRE**, une jolie table de travail crée une zone séparée discrète, et laisse au lit la place de choix.

■ **LES ÉTAGÈRES EN RETRAIT**, intégrées au mur, accueillent aussi bien des livres que de jolis objets.

■ **LES MULTIPLES SOURCES DE LUMIÈRE** éclairent chaque zone ponctuellement. Des voilages superposés laissent entrer le soleil pendant la journée et obscurcissent totalement la pièce le soir.

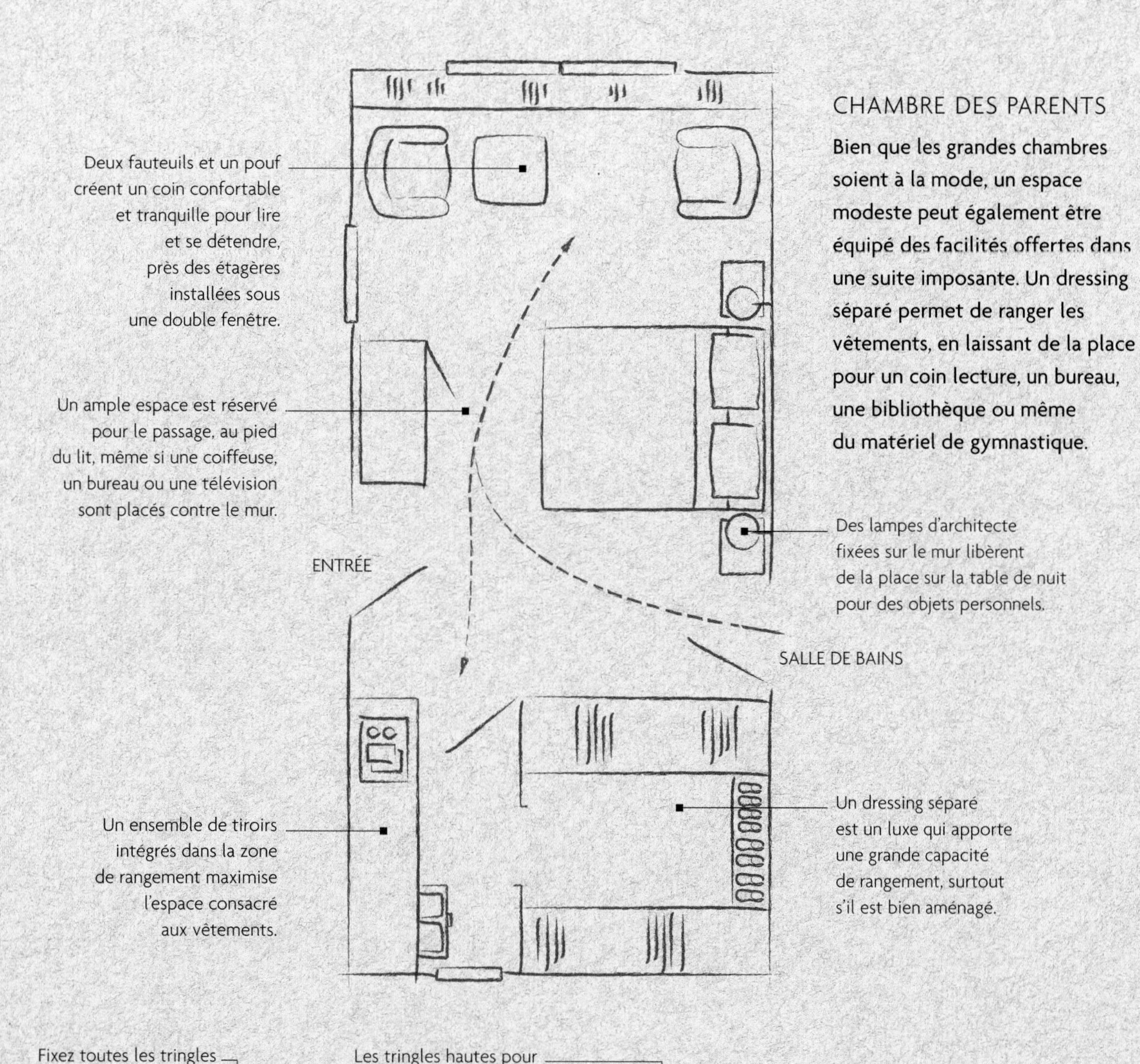

CHAMBRE DES PARENTS

Bien que les grandes chambres soient à la mode, un espace modeste peut également être équipé des facilités offertes dans une suite imposante. Un dressing séparé permet de ranger les vêtements, en laissant de la place pour un coin lecture, un bureau, une bibliothèque ou même du matériel de gymnastique.

Fixez toutes les tringles à 30 centimètres du fond du placard, ce qui laisse 5 centimètres pour sortir aisément les cintres.

Les tringles hautes pour robes et manteaux doivent être fixées à 1,20 mètre du sol au moins, en comptant 1,50 mètre pour les robes longues.

Les tringles basses sont fixées à 1,10 mètre du sol ; installez les tringles hautes à 90 centimètres au moins au-dessus des tringles inférieures.

Un meuble à tiroirs abrite les sous-vêtements, les T-shirts et les chaussettes, tout en servant de coiffeuse.

UN DRESSING BIEN AMÉNAGÉ

Un dressing, peu importe sa taille, doit être aménagé de façon à utiliser le moindre centimètre. Divisez-le en sections séparées pour les différentes sortes de vêtements : double rangée de tringles pour les chemises, jupes et pantalons, tringles hautes pour les robes et les manteaux ; étagères pour les pulls et accessoires, et tiroirs ou planches inclinées pour les chaussures.

ORGANISATION D'UN DRESSING

Pour que le dressing soit bien organisé, il doit être séparé en sections pour chaque type de vêtement. Les règles suivantes indiquent l'espace nécessaire.

Robes et manteaux
Accrochés à une tringle haute, ils occupent une section spécifique. Suspendez-les du plus court au plus long. Comptez 3 à 8 centimètres de longueur de tringle par vêtement.

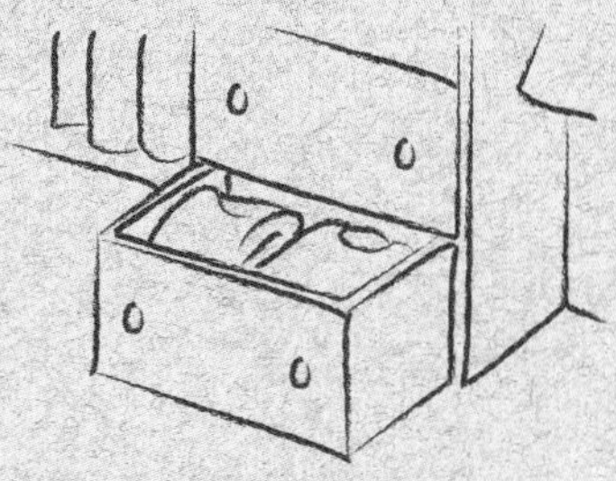

T-shirts
Les T-shirts d'usage courant sont pliés et empilés dans des tiroirs ou sur une étagère. Les T-shirts et polos pliés réclament un espace d'au moins 23 centimètres en largeur.

Chaussures
Les chaussures sont rangées sur des étagères inclinées ou dans des tiroirs. Comptez une profondeur de 30 à 35 centimètres et une largeur de 18 à 20 centimètres par paire (20 à 25 cm pour les hommes).

La chambre représente bien plus qu'un simple endroit où dormir. C'est une retraite, un lieu où l'on laisse à la porte le stress de la journée et où règne la sérénité. Pour en faire un havre de paix que vous avez hâte de regagner le soir, habillez-la exclusivement de textures et de couleurs apaisantes. Peut-être avez-vous déjà ressenti un tel sentiment de quiétude au hammam ou dans un hôtel de luxe. Rappelez-vous les étoffes somptueuses et les parfums de la pièce, la palette de couleurs apaisante

CRÉEZ UN CADRE INTIME

LA CHAMBRE EST LA PIÈCE LA PLUS INTIME DE LA MAISON. FAITES-EN UN LIEU PRIVILÉGIÉ, OÙ VOUS AVEZ ENVIE DE VOUS RÉFUGIER, LE SOIR, APRÈS UNE JOURNÉE DE TRAVAIL.

et la lumière du soleil jouant sur les meubles. Tous ces éléments, vous pouvez les transposer chez vous, dans votre chambre. Dénichez du linge, des jetés de lit et des coussins moelleux que vous accumulerez. Choisissez pour vos fenêtres des voilages qui laissent passer la lumière du jour et allumez un feu dans la cheminée ou des bougies. Entourez-vous de photos de famille et de vos objets favoris. Le mariage réussi d'éléments simples transformera une chambre ordinaire en un cadre intime.

Lumière naturelle

Pour créer un espace naturellement reposant, tirez le meilleur parti des fenêtres et laissez entrer les rayons du soleil.

Habiller les fenêtres de lourdes draperies est souvent le premier réflexe. Mais la lumière naturelle est si apaisante et revigorante qu'on a tout intérêt à la laisser entrer à flots. Le rai de lumière qui vous réveille est beaucoup moins stressant pour commencer la journée que la sonnerie du réveil ou le vacarme de la radio.

Pendant la journée, les voilages respectent l'intimité (pour la nuit, installez des stores ou superposez des voilages occultants) tout en laissant passer une lumière douce. Choisissez une palette blanche ou monochrome avec quelques accents légers, et vous créerez une pièce calme et réconfortante. Multipliez les textures douillettes pour le plaisir tactile et l'intérêt visuel.

UNE PIÈCE RÉUSSIE

De larges fenêtres et une palette blanc crème font de cette chambre un havre inondé de lumière. Un mélange élaboré de textures superposées crée une atmosphère de sérénité.

- DES VOILAGES ROMANTIQUES, sur les grandes fenêtres, laissent filtrer une lumière diffuse tout en protégeant l'intimité.
- LES RICHES TEXTURES ABONDENT : broderies, matelassé et fausse fourrure, coussins et jetés de lit, tapis de laine.
- PLACÉ EN FACE DE LA FENÊTRE, un joli miroir reflète la lumière dans toute la pièce.
- LE FOYER SURÉLEVÉ donne de la présence à la cheminée et permet d'admirer le feu, même depuis le lit.
- DES FAUTEUILS, un pouf et une petite table ronde invitent à la lecture, près du feu.

UNE PIÈCE RÉUSSIE

Des surfaces nettes, une palette de couleurs naturelles et apaisantes font de cette chambre une retraite propice à la méditation. Des tissus douillets ajoutent une note luxueuse.

- **LES TONS NEUTRES DES ÉTOFFES**, les fauteuils rembourrés, la descente de lit et les paniers au tissage rustique se fondent à la tendre palette créée par le vert feutré des murs.
- **DES PANNEAUX DE LIN** tendus devant les étagères respectent la pureté des lignes et minimisent l'encombrement visuel.
- **DES PANIERS** sous l'estrade du lit dissimulent vêtements et accessoires.
- **DE LARGES MÉRIDIENNES**, face à la fenêtre, permettent de se relaxer tout en admirant la vue.

CRÉEZ UN CADRE INTIME

Une pièce propice à la réflexion

Une palette feutrée et des rangements bien pensés s'unissent pour transformer cette pièce en domaine de la contemplation.

Les nuances feutrées de la nature sont parfaites pour une chambre : les bruns et les gris des écorces et du bois patiné, les tons crème du sable et de la pierre, les verts tendres du printemps et de l'été et les gris-bleu de l'eau et du ciel. Couleurs naturelles associées aux surfaces lisses, tissus frais au toucher : tout favorise la méditation. Choisissez des meubles et accessoires aux lignes douces : méridiennes, tête de lit rembourrée ou cube recouvert de tissu en guise de table de nuit. Renforcez l'effet apaisant en minimisant l'encombrement visuel ; vous pouvez même draper les étagères de panneaux de lin pour dissimuler leur contenu. Cherchez des systèmes de rangement à la fois utiles et beaux. Les paniers se glissent dans les coins en ajoutant leur texture rustique au décor. Une cheminée ou une jolie vue formeront un pôle d'attraction propice à la relaxation.

Une sérénité colorée

Empruntez au décor des intérieurs orientaux pour transformer votre chambre en un espace paisible mais coloré, propice au repos et à la réflexion.

Les cultures orientales ont perfectionné l'art du repos. En intégrant des éléments du décor asiatique dans votre espace – bambou, soieries, tapisseries et tapis –, vous créerez une atmosphère de sérénité, même avec des couleurs vives. Si les couleurs douces sont considérées comme relaxantes, les teintes vives peuvent elles aussi créer une atmosphère reposante, teintée d'exotisme. Les paravents, cloisons mobiles ou objets décoratifs font aussi partie de cette tradition orientale qui convient à un cadre intime. Divisez subtilement l'espace avec des paravents ou suspendez des panneaux de tissu au plafond pour définir les volumes et diffuser la lumière.

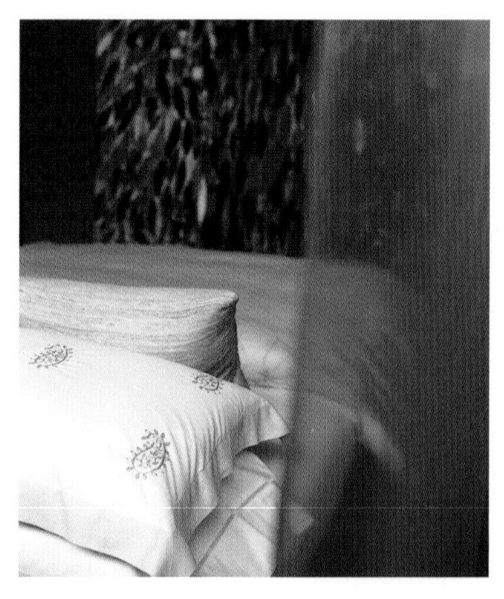

UNE PIÈCE RÉUSSIE

Des couleurs vibrantes et des voilages transparents créent une atmosphère reposante, teintée du romantisme de l'Orient.

- **DES PANNEAUX DE VOILE** transparent suspendus au plafond délimitent l'espace autour du lit. D'autres panneaux, maintenus par du Velcro, adoucissent les lignes rigides de la bibliothèque.
- **UN LIT MONTÉ SUR UNE ESTRADE** renforce le thème asiatique et préserve l'atmosphère aérée de la pièce.
- **LA FRAÎCHEUR DES DRAPS BLANCS,** un édredon rose pâle et des coussins en soie atténuent la chaleur des autres teintes de la pièce.
- **DES MOTIFS ÉLABORÉS** et des accents bien choisis, kilims, linge brodé et théière de style oriental, apportent une note exotique.
- **DE GRANDES PORTES VITRÉES** s'ouvrent sur le jardin. Les tissus translucides qui abritent des regards laissent pénétrer la lumière sans masquer la vue sur l'extérieur.

Choix du lit

Les lits n'ont jamais été aussi confortables qu'aujourd'hui, avec une gamme toujours plus grande de tailles, de matériaux et de styles. Étant donné le nombre d'heures que nous passons sous la couette, le choix de ce meuble est d'une grande importance.

Rappelez-vous que le cadre du lit est plus grand que le matelas qu'il supporte. Choisissez un cadre avec une tête de lit solide, offrant un bon support pour la lecture. Si vous avez beaucoup de place, optez également pour un pied de lit. Dans le cas contraire, préférez un modèle sans pied et avec une mince tête de lit. Les sommiers sur estrade, de style plus dépouillé, ne comportent ni l'un ni l'autre. Quel que soit le style choisi, comptez assez d'espace pour le passage, sur les côtés et au pied du lit : 60 à 90 centimètres suffisent pour faire facilement le tour.

Le lit estrade, *à droite*, sans tête ni pied de lit, peut être placé partout dans la pièce. Ici, il est adossé au mur et garni de coussins qui lui donnent l'aspect d'un élégant lit de repos, invitant à la lecture.

LEÇON DE DÉCORATION **ENTRETIEN DU LINGE DE LIT**

Des draps aux housses de couette, le linge de lit offre un moyen facile et relativement bon marché de rajeunir une chambre. Les draps en coton de bonne qualité ont un tissage de 57 fils au cm^2 minimum (plus le nombre de fils est grand, meilleure est la qualité du drap). La douceur et le lustre des draps en coton augmentent généralement à chaque lavage. Un entretien et un rangement soigneux prolongeront la vie de votre linge de lit.

Rangez les draps, les couvertures et les oreillers dans un endroit bien aéré. Le linge abrité dans des placards, des tiroirs, des paniers ou encore dans des boîtes en carton sans acide, aux couvercles non hermétiques, restera frais et sec.

- **LAVEZ LES DRAPS** séparément et non avec des serviettes ou autres tissus plus rêches qui pourraient amincir leurs fibres.
- **LAVEZ LE LINGE DE LIT** à 30 degrés pour que les fibres restent solides. Effectuez un rinçage supplémentaire si vous disposez de ce cycle, les résidus de savon rendant le linge rêche.
- **RÉGLEZ LE SÈCHE-LINGE SUR TIÈDE** : car la chaleur affaiblit les fibres de coton. Repassez les draps encore légèrement humides et les broderies sur l'envers.
- **FAITES NETTOYER LES COUVERTURES** à tissage lâche, qui seraient déformées par le lavage.
- **PROTÉGEZ LES OREILLERS** par des housses lavables. Suivez l'étiquette pour les instructions de lavage et séchez-les sur tiède. Rangez les oreillers inutilisés dans un endroit sec.

Lit traineau
Les courbes gracieuses de ce lit traditionnel en bois traversent les modes. Les lits traîneaux existent aujourd'hui en fer, et sur quelques modèles, le pied de lit disparaît. Si vous choisissez le cadre classique en bois, la tête et le pied de lit sont disponibles en plusieurs hauteurs et styles.

Cuir
Le cuir évoque le charme luxueux d'un fauteuil club confortable. Dans la chambre, il ajoute de la profondeur au décor par sa vigoureuse présence et attire aussitôt l'attention vers le lit. Les têtes de lit en cuir matelassé, comme celle-ci, permettent de s'adosser confortablement pour lire.

Lits en fer et en cuivre
Les lits en fer ou en cuivre, anciens ou reproductions, sont extrêmement populaires. Les cadres anciens demandent de nouveaux sommiers et matelas plus confortables, certains devant être faits sur mesure pour s'accommoder de dimensions plus petites. Les reproductions modernes sont tout aussi jolies que les originaux et plus faciles à trouver.

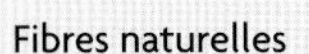

Panneau de bois
Si la place est limitée mais que vous recherchiez quand même l'aspect fini et la stabilité d'une tête de lit, choisissez quelque chose de très mince. Vous pouvez aussi faire une tête de lit avec un panneau de bois fixé sur le mur ou sur le cadre du lit. Peignez, teintez le bois ou utilisez des pochoirs de couleur coordonnée au décor.

Fibres naturelles
Osier, rotin, abaca tressé et autres fibres naturelles forment des têtes de lit originales. La simple silhouette des cadres en fibres naturelles donne à la chambre une atmosphère décontractée et exotique, et leur texture présente un aspect plus léger que le bois massif.

Tête de lit recouverte
Une tête de lit recouverte d'une housse en tissu adoucit le lit et le rend plus confortable pour lire. Les choix sont légion : lin à rayures ou uni pour un aspect net, coton à fleurs pour une note romantique. Les housses peuvent camoufler une tête de lit existante et il suffit de les retirer pour les nettoyer ou les changer.

2109 Virginia Street
Berkeley, Calif.

TIREZ LE MEILLEUR PARTI DE L'ESPACE

QUE VOUS AYEZ BEAUCOUP OU PEU DE PLACE DANS UNE CHAMBRE, VOUS DEVEZ ESSAYER D'EN TIRER LE MEILLEUR PARTI. UN PEU D'IMAGINATION VOUS AIDERA À UTILISER AU MIEUX SON POTENTIEL.

Dans une chambre où sont rangées presque toutes nos affaires personnelles, l'espace est toujours précieux. L'un des moyens les plus évidents de l'utiliser au mieux est d'éliminer tout désordre à l'aide de tiroirs et de placards bien organisés. Mais il existe bien d'autres façons. Profitez des murs libres et des recoins, particulièrement sous les plafonds bas ou mansardés, dont la hauteur est insuffisante pour accueillir une armoire. Aménagez des rangements sous un appui de fenêtre. Installez des étagères sur mesure dans les niches. En utilisant chaque renfoncement, vous augmentez les possibilités de rangement et donnez du caractère à la pièce. Vous trouverez toutes sortes d'armoires et de meubles appropriés à votre chambre, en divers styles et tailles, solides et élégants. Des meubles proportionnés à la pièce élargissent visuellement l'espace. Dans une petite chambre, optez pour des meubles plus légers et plus petits, ou suspendus, pour donner une impression d'espace. Dans une grande chambre, il est plus facile de créer un décor vigoureux avec des meubles massifs.

UNE PIÈCE RÉUSSIE

Tissus frais et accents colorés animent cette chambre aménagée dans un ancien grenier. Le lit placé sous la lucarne permet d'installer des tables d'appoint.

- **UNE FENÊTRE TRIANGULAIRE** installée dans la soupente agrandit l'espace et laisse entrer la lumière.
- **LES PORTES-FENÊTRES ÉTROITES** faites sur mesure s'ouvrent sur un petit balcon et agrandissent l'espace.
- **UNE ARMOIRE PEINTE** de la couleur des murs paraît reculer visuellement.
- **DEUX FAUTEUILS** sont garnis de housses blanches pour renforcer l'impression de clarté, accentuée par la nappe en voile qui couvre la table ronde.

TIREZ LE MEILLEUR PARTI DE L'ESPACE

Une retraite mansardée

Il suffit parfois de monter l'escalier pour trouver un peu d'intimité. Transformez votre grenier en une chambre calme et ensoleillée.

Le dernier étage des hôtels ou des immeubles de luxe est souvent le plus prisé, pour son intimité et pour ses vues étendues. Si vous cherchez de la place pour installer une chambre, le grenier est une merveilleuse option. En l'ouvrant à la lumière, vous exploiterez au mieux l'espace de votre maison et disposerez d'une retraite enviée. Lumière et hauteur sont les deux maîtres mots. Il vous faut une hauteur suffisante pour circuler aisément, et beaucoup de lumière pour vous sentir bien. Les lucarnes sont parfaites pour augmenter l'espace et la clarté. Les chiens assis et les fenêtres de toit éclairent l'intérieur de la pièce et peuvent la faire paraître plus grande. Renseignez-vous pour savoir s'il est possible d'en ajouter. Lorsque la structure de l'espace est en place, choisissez une palette de couleurs homogène pour obtenir une pièce simple, aérée et spacieuse.

UNE PIÈCE RÉUSSIE

Une décoration simple permet à cette chambre de garder sa personnalité tout en étant ouverte au reste de l'espace.

- UN PILIER ET UNE POUTRE EN BOIS séparent subtilement la partie sommeil de la partie bureau. D'autres piliers créent une entrée entre le lit et le bureau.
- LES TONS NEUTRES DES MEUBLES, tels la tête de lit et le fauteuil recouvert d'une housse, donnent une impression d'espace. Des accents colorés réveillent la toile de fond à base de noir, de blanc et de tons neutres.
- DU LINGE DE LIT SIMPLE donne un lit net, facile à faire.
- UN PLANCHER EN BOIS SOMBRE réchauffe l'espace et unifie les zones.

TIREZ LE MEILLEUR PARTI DE L'ESPACE

Un large espace ouvert

Si vous avez beaucoup de place, rappelez-vous que le mieux est l'ennemi du bien. En évitant de surcharger une grande pièce, vous mettez ses volumes en valeur.

Utiliser les volumes d'un espace décloisonné n'est pas toujours facile, car il n'est pas évident de séparer les zones. Il est possible de sectionner l'espace avec des cloisons partielles ou de grands meubles, ou d'utiliser des piliers ou des poutres pour définir subtilement des séparations visuelles. Le grand charme d'un espace décloisonné est son « ouverture ». Pour la conserver, choisissez de grands meubles proportionnés à la pièce et placez-les loin des murs afin de donner une impression de sérénité. Ajoutez quelques accents dont les formes compléteront l'espace. La zone sommeil, souvent dans la ligne de mire, doit être toujours nette, et donc facile à entretenir. En habillant le lit de couleurs neutres, vous rehaussez l'impression de simplicité et de calme. Vous pouvez ajouter quelques éclats colorés avec des coussins et autres accessoires.

MICHELANGELO
LEONARDO DA

DE JOLIS OBJETS ET DES RANGEMENTS ASTUCIEUX TROUVENT UNE PLACE DE CHOIX DANS L'ESPACE INUTILISÉ AU PIED DE VOTRE LIT.

Cette table console, *à gauche*, habituellement réservée au séjour, s'adapte parfaitement au pied du lit. Les boîtes rouges décoratives et le chemin de table en tissu à carreaux font écho aux draps, en intégrant le meuble dans la pièce.

Des bancs en bois, *ci-dessus et en haut au centre*, permettent de poser de petits paniers et des boîtes qui augmentent les capacités de rangement de la pièce. Ces bancs accueillent également des couvertures supplémentaires et offrent un siège pratique pour s'habiller. Le banc en pin clair *(ci-dessus)* sert de coiffeuse, détail apprécié des invités.

Deux tables accolées, *en haut à droite*, forment un long élément de rangement au pied du lit. Une pile de livres emplit l'espace central et un chemin en tissu posé sur la surface des tables les relie. Des paniers abritant des magazines sont glissés en dessous.

Une table pliante, *à droite*, offre une surface d'appoint, comme table de chevet ou pour accueillir des objets. Dans la chambre d'amis, elle peut servir pour poser les bagages.

Le plus grand compliment que peut faire un invité à son hôte est de vouloir revenir. Ce souhait fait toujours plaisir. Pour permettre à son invité d'être à l'aise, l'important est avant tout d'établir une atmosphère intime. Proposez au visiteur un espace où il se sente chez lui. Assurez-vous qu'il existe, même dans une pièce à double usage, un endroit où défaire ses bagages. Ensuite, pensez à la qualité du lit. En particulier, si votre invité doit utiliser un canapé convertible, testez-le vous-

L'ACCUEIL DES INVITÉS

LES INVITÉS AIMENT AVANT TOUT LES PLAISIRS SIMPLES. LA CHAMBRE D'AMIS IDÉALE OFFRE INTIMITÉ ET CONFORT, AVEC QUELQUES ATTENTIONS BIEN CHOISIES.

même d'abord pour vous assurer que le matelas est assez confortable pour passer une bonne nuit. Faites le lit avec des draps fins et ajoutez quelques petites touches personnelles : une corbeille de petits gâteaux, un jeté de lit moelleux, une carafe emplie d'eau fraîche, un savon parfumé tout neuf, des serviettes, des couvertures et des coussins sont la marque d'hôtes attentifs. En touche finale, n'oubliez pas les fleurs fraîches. Un simple bouton de rose peut ravir les sens.

Une invitation permanente

Le bien-être des invités est la base de l'hospitalité. Créez pour eux un espace dans lequel vous aimeriez vous réfugier.

Si vous avez la chance de disposer d'un espace réservé aux invités – chambre d'amis, studio ou maisonnette –, vous pouvez sans problème créer un havre de paix prêt à accueillir les visiteurs en permanence, en veillant à ce qu'il soit toujours garni de détails confortables. Ne vous limitez pas à un lit confortable, mais installez un coin pour prendre le petit déjeuner, écrire ou lire. Garnissez l'armoire ou le placard de couvertures, oreillers, serviettes et peignoirs. Ajoutez une bouilloire électrique, du thé, du café, pour que vos invités se sentent vraiment chez eux.

UNE PIÈCE RÉUSSIE

Conçu comme pièce d'appoint et comme chambre d'amis, ce vaste espace donne au visiteur l'impression d'être dans une maison de campagne.

- UN LIT DE REPOS CONFORTABLE, qui peut également servir pour la lecture ou pour une petite sieste, est un bon choix pour une chambre d'amis.
- LA TABLE GUÉRIDON accueille le petit déjeuner le matin, sert d'écritoire l'après-midi et devient une table de nuit le soir.
- L'ARMOIRE offre de généreux rangements pour les couvertures et les peignoirs, et laisse assez de place pour les vêtements des invités.
- DES BOÎTES À CHAPEAUX empilées forment une charmante table de nuit et offrent un espace de rangement.
- LES TEXTILES BIEN CHOISIS, draps de coton, dessus-de-lit matelassé, nappe en lin et tapis bouclette, sont aussi beaux que confortables.

Atmosphère de sérénité

Une atmosphère de sérénité est l'un des luxes les plus précieux d'une chambre d'amis. Pour créer un havre de paix, meublez-la simplement.

Quand on voyage, le grand luxe est de trouver un endroit calme où se reposer. Pour votre chambre d'amis, inspirez-vous des lieux de villégiature tranquilles et créez un environnement apaisant. Mêlez les meubles simples aux étoffes luxueuses et aux accessoires inspirés par la nature. Commencez par le linge de lit. Restez naturel et choisissez un ou deux couvre-lits de tons neutres, aux textures agréables. Réduisez le nombre de meubles et respectez une palette de teintes douces, puis ajoutez une ou deux notes de couleur vive, une fleur exotique par exemple, ou un flacon décoratif, pour ponctuer le décor serein de la pièce.

UNE PIÈCE RÉUSSIE

Les invités découvriront un havre de paix dans cette chambre calme et intime. Le mobilier est simple et sage, et des détails bien choisis renforcent l'atmosphère de repos.

- UNE ÉTAGÈRE FIXÉE SUR LE MUR et adoucie par un napperon sobre sert de table de chevet, en laissant ainsi plus de place au lit.
- LE COUVRE-LIT TEXTURÉ sur lequel est posée une élégante étoffe attire l'attention vers le confort du lit.
- UN BANC EN BOIS RUSTIQUE permet de s'asseoir pour s'habiller. Son style dépouillé renforce la simplicité du décor.
- UNE SEULE FLEUR et des bougies flottantes dans une coupe accentuent encore l'atmosphère de quiétude. Des bougies sont placées en plusieurs endroits pour réchauffer l'espace et parfumer l'air.
- QUELQUES ACCESSOIRES discrets mais esthétiques donnent à la pièce son aspect fini.

L'ACCUEIL DES INVITÉS

Le charme d'une maisonnette

Une chambre évoquant les simples charmes d'une maisonnette estivale offrira à vos invités une rupture appréciée avec la vie quotidienne.

Pensez à la cabane au bord du lac ou à la maisonnette sur la plage que vous aimiez tant autrefois. Elles n'avaient rien de luxueux mais vous pouviez courir dans la brise ou faire une petite sieste sur le couvre-lit chiffonné et empli des frais parfums de la campagne. Aidez vos invités à se débarrasser de leurs soucis en les accueillant dans une pièce où vous aurez recréé ce sentiment de bien-être. Pour apporter à votre espace la chaleur accueillante d'une chambre estivale, adoptez la simplicité. Une toile de fond immaculée évoque non seulement les murs blanchis à la chaux d'autrefois, mais elle permet de transformer le décor en un clin d'œil, en changeant simplement les draps ou quelques détails. Pour le mobilier choisissez des meubles basiques. Une chambre peu encombrée est toujours appréciée : un lit confortable, une table de chevet sobre et une lampe sont suffisants. Le charme des draps frais de couleur vive complète le décor.

UNE PIÈCE RÉUSSIE

Un soleil éclatant, des murs blanchis à la chaux et des draps frais, et c'est une atmosphère de gaieté qui se dégage de cette pièce dont le charme pittoresque évoque les étés campagnards.

■ LES MURS ET LE SOL BLANCS créent un environnement net et rafraîchissant, qui reflète la lumière naturelle et donne une impression d'espace.

■ LES TISSUS À MOTIFS comme les draps à carreaux, la courtepointe matelassée et le jeté de lit en jacquard apportent le charme de leurs textures, très importantes dans cette pièce essentiellement blanche pour l'intérêt visuel qu'elles présentent.

■ UN CACHE-SOMMIER à l'ourlet ajouré rappelle les broderies d'autrefois.

■ LES MURS EN LAMBRIS PEINTS évoquent les bungalows et les salons d'été des maisons de vacances.

■ LES ACCENTS sont en petit nombre et adoptent le même thème de couleur rouge et blanc.

LA SALLE DE BAINS

« POUR MOI, LA SALLE

DE BAINS EST L'ULTIME

RETRAITE. ELLE DOIT ÊTRE

INTIME ET APAISANTE,

EMPLIE DE TOUT CE QUI

FAIT LE PLAISIR DU BAIN

ET COMBLE LES SENS. »

COMMENT RÉUSSIR

LA SALLE DE BAINS

Plus que jamais, le décor de la salle de bains reflète le style et le confort de la maison. Cette pièce était autrefois d'usage courant, sans prétention, plaisante mais avant tout fonctionnelle. Si l'aspect pratique demeure, notre conception du bain a considérablement changé. La salle de bains est devenue une pièce à part entière, consacrée à la toilette mais aussi au repos et à la détente. Les pièces présentées dans les pages suivantes n'offrent qu'un échantillon de ce qu'il est possible de faire, en créant une salle de bains lumineuse, chaleureuse et confortable.

207 Rajeunir la salle de bains classique

219 Partager la salle de bains

231 Rafraîchir le corps et l'âme

Comment organiser une salle de bains

Si vous voulez réaliser une salle de bains dernier cri, choisissez l'espace qui lui sera alloué et voyez comment vous pouvez y intégrer le décor de votre choix.

Dans la salle de bains plus que dans toute autre pièce, peut-être, la façon d'utiliser l'espace est essentielle. Même si vous ne l'aménagez pas à partir d'un espace vide, renseignez-vous sur tout ce qui est susceptible de la rendre plus fonctionnelle et confortable, de nombreux meubles ou accessoires pouvant être ajoutés sans qu'il soit nécessaire d'entreprendre de gros travaux. Prenez le temps de réfléchir à la manière dont vous utilisez votre salle de bains. La considérez-vous comme l'unique endroit où vous pouvez enfin vous retrouver seul, ou aimez-vous la partager avec d'autres membres de la famille ? Si vous adorez y passer de longs moments et que votre budget n'est pas limité, un jacuzzi sera le luxe suprême et une cabine de douche à parois de verre givré équipée de jets multiples décuplera le plaisir de la toilette.

Mais pour obtenir une atmosphère de luxe à moindres frais, ajoutez simplement une chaise ou un fauteuil confortable et des lampes bien placées pour lire dans la baignoire. Notez quels sont vos choix et vos besoins côté rangement, éclairage et décoration, et vous vous apercevrez peut-être qu'ils se bornent à changer les serviettes et le rideau de douche. Quelques petits changements peuvent suffire à produire un grand impact. Dressez votre liste après avoir évalué vos besoins quotidiens puis amusez-vous à explorer toutes les possibilités de décoration.

LA SALLE DE BAINS IDÉALE

Cette salle de bains spacieuse (ci-dessus et page précédente) représente une nouvelle approche de l'art du bain. Lieu de jouvence autant que de propreté, elle accepte des meubles venant d'autres pièces.

- **LA BAIGNOIRE INDÉPENDANTE** est en vogue. Sa position met en valeur ses lignes sculpturales.
- **UNE FENÊTRE MAJESTUEUSE**, comme dans un salon, inonde la pièce de lumière.
- **LA COIFFEUSE EN BOIS** contraste par sa texture naturelle et chaleureuse avec la blancheur fraîche des surfaces. Des paniers et des plantes offrent un intérêt textural supplémentaire.
- **UNE MÉRIDIENNE** invite à paresser un moment dans la clarté du soleil.

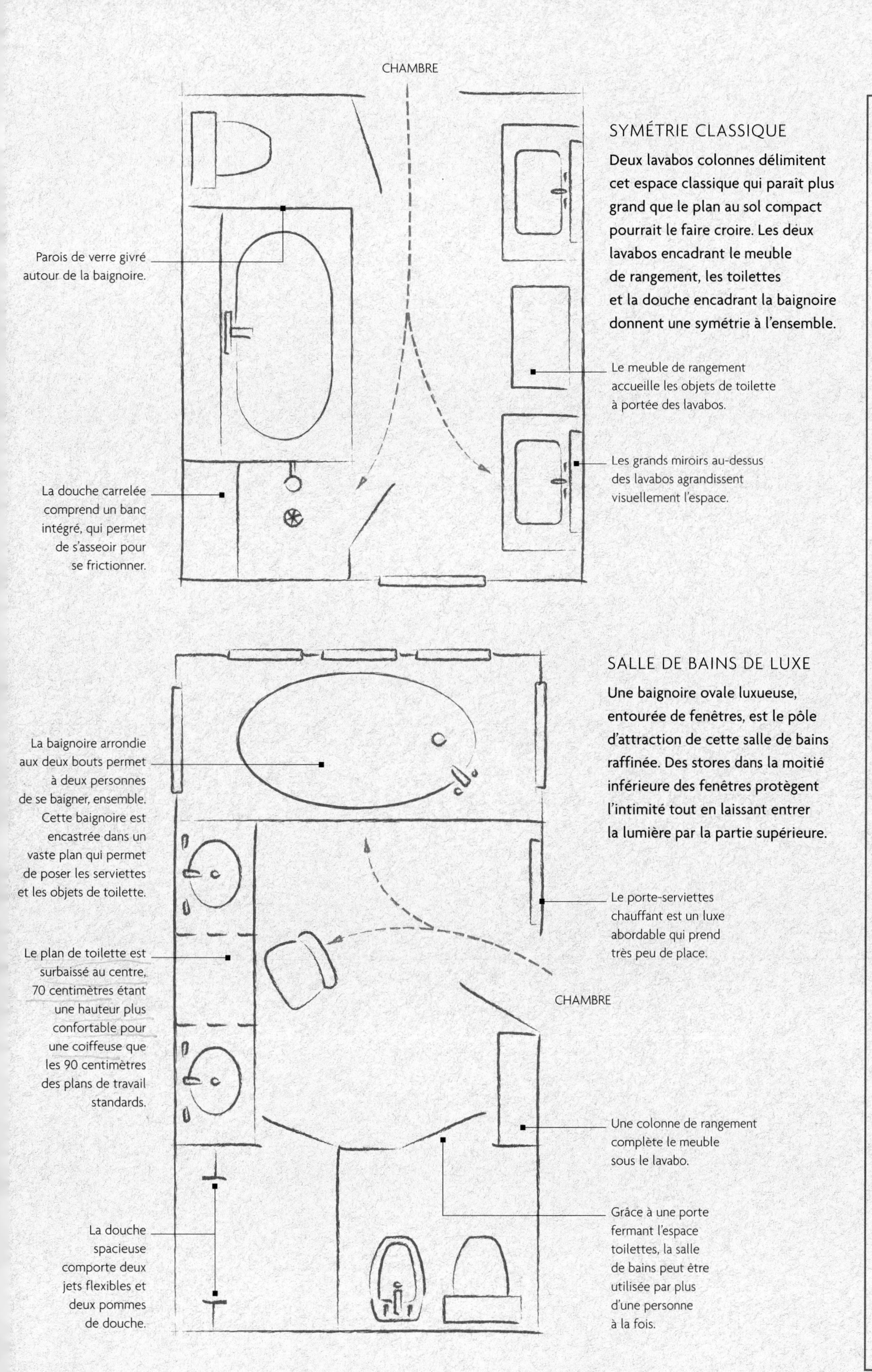

SYMÉTRIE CLASSIQUE

Deux lavabos colonnes délimitent cet espace classique qui paraît plus grand que le plan au sol compact pourrait le faire croire. Les deux lavabos encadrant le meuble de rangement, les toilettes et la douche encadrant la baignoire donnent une symétrie à l'ensemble.

SALLE DE BAINS DE LUXE

Une baignoire ovale luxueuse, entourée de fenêtres, est le pôle d'attraction de cette salle de bains raffinée. Des stores dans la moitié inférieure des fenêtres protègent l'intimité tout en laissant entrer la lumière par la partie supérieure.

ORGANISATION DE L'ESPACE

En traçant un plan de votre espace, à l'échelle, vous verrez comment les accessoires pourront être intégrés à la pièce. Essayez diverses possibilités pour trouver celle qui vous convient. Pour circuler aisément, adoptez les dimensions minimales indiquées ci-dessous.

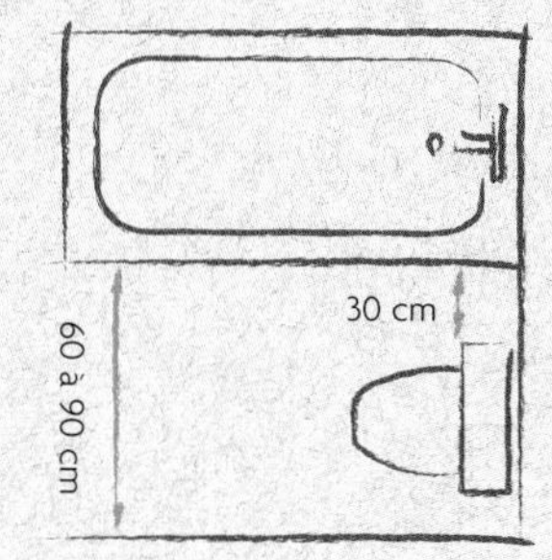

Baignoire
Comptez au moins 30 centimètres entre la baignoire et un autre appareil, 60 à 90 centimètres entre la baignoire et un mur. La cabine de douche réclame un espace d'au moins 90 cm², en laissant assez de place pour ouvrir complètement la porte.

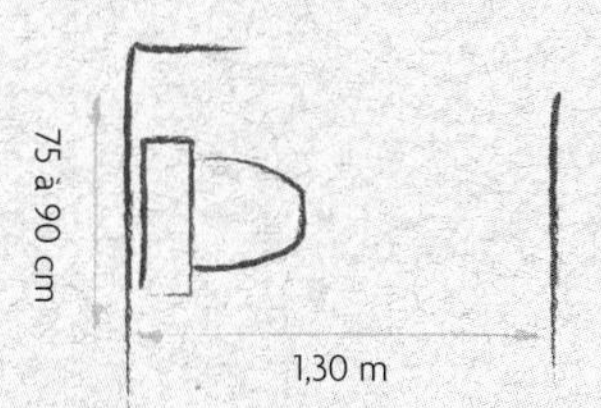

Toilettes
Un espace de 1,30 mètre à partir du mur où il est fixé est nécessaire pour un W.-C. Comptez 75 à 90 centimètres en largeur.

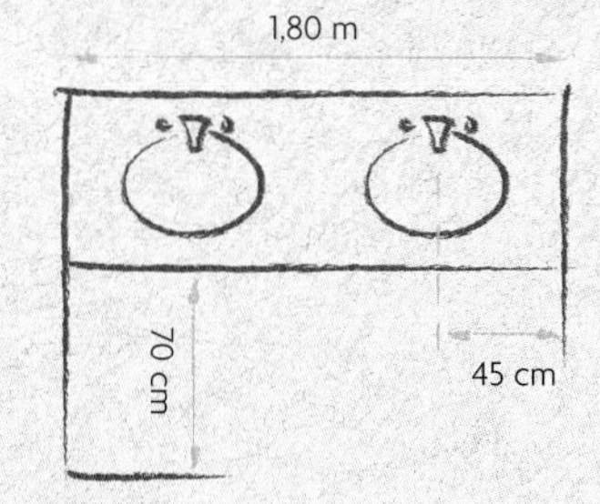

Lavabos
Comptez au moins 1,80 mètre pour un plan de toilette comportant deux lavabos. Le centre du lavabo doit être à 45 centimètres d'un mur adjacent. Comptez 70 centimètres d'espace libre devant le lavabo.

HOT

RAJEUNIR LA SALLE DE BAINS

DE NOUVEAUX ACCESSOIRES NE SONT QU'UN POINT DE DÉPART POUR RAJEUNIR LA SALLE DE BAINS. ACCORDEZ-LUI AUTANT D'ATTENTION QU'AUX AUTRES PIÈCES DE LA MAISON, LE CONFORT ÉTANT DEVENU LE MAÎTRE MOT.

La salle de bains est certainement la pièce de la maison qui a le plus évolué. Rappelez-vous, il y a quelques décennies, combien elle était minuscule et combien le choix restreint. Aujourd'hui, elle s'ouvre à la décoration, avec une grande variété d'accessoires et toutes sortes d'options pour organiser l'espace. Outre les éléments de base, vous pouvez maintenant disposer d'une douche double et d'une baignoire, d'un dressing, et même de matériel sportif. Vous pouvez avoir une « salle d'eau » où chaque surface est hydrofuge, ou une salle de bains élégante dont les meubles et les matériaux sont plus généralement associés aux autres pièces de la maison. Armoires et commodes en bois, beau parquet et fauteuils confortables y trouvent tout autant leur place que dans le séjour ou la chambre. Cet espace autrefois uniquement utilitaire devient sujet de décoration et se doit de refléter votre style et votre personnalité. La salle de bains se transforme en une extension naturelle du reste de l'habitation. Changeant totalement de définition, elle réclame le luxe et le confort devenus indispensables à l'art du bain.

UNE PIÈCE RÉUSSIE

Cette salle de bains lumineuse et spacieuse accueille aussi bien des meubles décoratifs que des objets fonctionnels.

■ LA COMMODE EN BOIS à dessus de marbre est typique de la nouvelle tendance de la salle de bains. Les meubles ajoutent de l'importance à l'espace tout en le personnalisant.

■ LA BAIGNOIRE À PATTES DE LION, pôle d'attraction spectaculaire, absorbe le soleil qui entre par l'immense fenêtre.

■ UNE CLOISON DE VERRE autour de la douche double augmente encore l'impression d'espace.

■ UN BANC ANCIEN EN BOIS et une table en zinc apportent personnalité et chaleur, en équilibrant les vastes proportions de la pièce.

RAJEUNIR LA SALLE DE BAINS CLASSIQUE

Une salle de bains spacieuse

Sortez la salle de bains de sa boîte traditionnelle en créant une pièce lumineuse, aux meubles originaux, riche en détails d'architecture.

La salle de bains devient plus grande et cette tendance montre l'importance que prend l'art du bain. Si la pièce est spacieuse et bien éclairée par des fenêtres, profitez de ces avantages en l'inondant de lumière naturelle, sans encombrer l'espace. Dans ce genre de pièce, la baignoire indépendante est de règle et, en la plaçant sous la fenêtre, vous profiterez au mieux de la lumière. Les grandes fenêtres, les ouvertures de toit et même les portes-fenêtres ouvrant sur un jardin deviennent de plus en plus courantes. La cabine de douche se fait plus vaste et plus luxueuse. Remplacez le rideau par des parois de verre qui créeront une impression d'espace, même dans une petite pièce. Profitez de la grande variété des accessoires disponibles, dont les douches « en pluie », les douches hammams et les douches doubles.

La salle d'eau

Reculez les limites de la salle de bains traditionnelle. Oubliez les cloisons et optez pour un espace ouvert qui célèbre les joies du bain.

Dans une vraie « salle d'eau », toutes les surfaces sont étanches et l'évacuation de l'eau se fait par un écoulement central, au milieu de la pièce, en supprimant cabine et bac à douche. Moins structurée que la salle de bains typique, la salle d'eau vous permet de barboter à votre aise. Vous pouvez aussi créer une salle d'eau partielle, en ne rendant étanche que la zone soumise aux jets de la douche. Dans un cas comme dans l'autre, le sol doit être en pente vers l'écoulement central pour empêcher les flaques, et réalisé en matériaux non lisses et plus souples qu'un carrelage, telle l'ardoise. La pièce doit également comporter une zone sèche pour les serviettes et les peignoirs.

UNE PIÈCE RÉUSSIE

Dans cette pièce belle et pratique, toutes les surfaces sont étanches. L'absence de cloisons ou de rideaux permet à l'eau de s'écouler librement, en décuplant le plaisir de la douche.

■ LES GRANDES FENÊTRES laissent entrer l'air et le soleil, qui sécheront les surfaces humides. Les voilages acryliques imperméables protègent l'intimité. Au-dessus du lavabo, les vitres sont équipées d'un indispensable miroir.

■ LA BAIGNOIRE installée sur une plate-forme laisse suffisamment de place pour permettre une douche indépendante. Priorité est donnée au confort, avec une robinetterie latérale au sol, libérant les deux extrémités de la baignoire.

■ L'ARDOISE RECOUVRE LE SOL de toute la pièce, pour son aspect naturel et sa résistance.

■ LES MURS EN STUC sont protégés par une peinture laquée.

■ DES GALETS DE RIVIÈRE et des étoiles de mer renforcent le thème aquatique.

UNE PIÈCE RÉUSSIE

Les meubles, inhabituels dans cette pièce mais ici parfaitement appropriés, créent une atmosphère rêveuse. Les murs recouverts de bois donnent à cette salle de bains d'une maison de vacances beaucoup de charme.

■ **LES ZONES HUMIDE ET SÈCHE** sont définies par les meubles habilement placés. Des tapis complètent les séparations, éponge sur bambou devant la baignoire, coton bouclé dans le coin repos.

■ **UN CIEL DE LIT** et des voilages romantiques au-dessus de la baignoire forment un pôle d'attraction.

■ **LA SALLE DE BAINS** reste sèche grâce à une bonne ventilation. Les tissus sont faciles à laver et les surfaces en bois rustique sont peintes et traitées contre l'humidité.

RAJEUNIR LA SALLE DE BAINS CLASSIQUE

Une salle de bains meublée

La salle de bains n'est pas seulement consacrée au bain. Donnez-lui le confort d'une chambre pour créer un espace romantique où vous relaxer.

Si votre salle de bains vous offre le luxe qu'est l'espace, transformez la pièce en une retraite intime avec des meubles, des étoffes et des accessoires qui donnent envie de paresser. Les meubles recouverts de housses offriront un endroit douillet pour lire ou se détendre (choisissez des tissus faciles à changer et à laver, comme le sergé, le denim, le chenillé, le tissu éponge ou le lin). Les tapis texturés ou à motifs sont doux sous les pieds nus et permettent de délimiter différentes zones. Une armoire ou une coiffeuse conçues pour la pièce offriront des espaces de rangement et leurs tons bois réchaufferont la froideur des teintes des autres matériaux. Les meubles en bois sont peints ou vernis au préalable. L'espace au sol doit être bien délimité. Le mieux est de définir les zones réservées au bain, au maquillage et au repos, en laissant assez d'espace pour que les éclaboussures de la zone bain ne puissent atteindre les autres.

UNE PIÈCE RÉUSSIE

Les matériaux traditionnels s'expriment différemment dans cette salle de bains. Mosaïque en pâte de verre, lavabos étonnants, plans inoxydables et bois naturel se conjuguent pour créer un décor moderne et raffiné.

- **LA MOSAÏQUE EN PÂTE** de verre offre des couleurs plus intenses que les matériaux habituels. Le carrelage est utilisé de façon nouvelle, du sol au plafond dans la douche, avec une bande décorative derrière les lavabos.
- **LES MEUBLES OUVERTS** remplacent élégamment les placards traditionnels.
- **LES ACCESSOIRES DE STYLE MODERNE,** tels ces lavabos à la forme superbe et les robinets à long col, renforcent encore le côté très tendance du décor.
- **LE BOIS NATUREL TRAITÉ** contre l'humidité offre un chaleureux contraste avec l'acier inoxydable et le carrelage, tout en gardant sa simplicité.

RAJEUNIR LA SALLE DE BAINS CLASSIQUE

Choix des matériaux

Il existe un grand choix de matériaux pour tous les goûts. Associez la chaleur du bois à la froide pureté du métal et de la faïence pour créer un décor net et frais.

Les matériaux de la salle de bains doivent avant tout être fonctionnels. Il en existe tellement que vous trouverez sans difficulté de nombreuses façons de les mettre en valeur et de les associer. Le carrelage existe depuis des siècles, et des innovations récentes dans son style et sa fabrication l'ont rendu encore plus polyvalent. Ainsi, la mosaïque, que l'on choisissait souvent pour donner à la salle de bains un petit air antique, devient tout à fait tendance si vous l'associez à un décor contemporain – meubles ouverts en bois, plans de toilette inoxydables, lavabos spectaculaires –, surtout si vous choisissez les matériaux modernes, en verre ou métalliques. Rappelez-vous que le carrelage au sol de la salle de bains doit être non glissant.

Lavabos et robinets

Le choix de lavabos proposé sur le marché va de la reproduction de styles classiques aux formes modernes les plus extravagantes. Le lavabo peut être fixé sur le mur ou encastré dans un meuble au-dessus d'espaces de rangement. Les vasques posées sur le plan de toilette sont en vogue, presque tous les récipients pouvant être utilisés à condition d'accepter une robinetterie. Les lavabos à colonnes de divers styles ont souvent un petit air rétro.

Les accessoires, robinets, poignées et autres quincailleries sont aussi variés que les lavabos. Chrome, nickel, étain et acier inoxydable, en finition brillante ou mate, en sont les principaux matériaux. Le cuivre, le laiton, le bronze aux tons chauds sont également utilisés. Quand vous choisissez un robinet, assurez-vous que le col est assez long pour que le jet tombe dans la bonde. Vous trouverez plus d'informations sur les lavabos dans la partie sur les matériaux, page 358.

Cette série de robinets montre l'étendue des styles disponibles (*dans le sens des aiguilles d'une montre, en commençant en haut à gauche*) : classique ; anglais avec deux robinets séparés ; à col de cygne ; monté sur le mur, à manette unique.

LEÇON DE DÉCORATION ÉCLAIRER LE VISAGE

L'éclairage du lavabo ou du miroir doit être suffisant pour que l'on puisse se maquiller ou se raser sans problème. Si vous choisissez un éclairage fluorescent, achetez-le en « lumière du jour », plus flatteur pour la peau. Les lampes halogènes donnent elles aussi une lumière blanche et nette. Dans tous les cas, ajoutez des abat-jour translucides, les modèles transparents étant souvent éblouissants et les opaques pas assez lumineux.

Emplacement des lampes

Pour éclairer le visage, fixez les lampes à hauteur des yeux, à environ 170 centimètres du sol en les écartant de 75 à 100 centimètres. L'éclairage bilatéral est préférable, la lumière venant d'en haut pouvant jeter des ombres peu flatteuses.

Lavabo colonne
Ce lavabo classique repose sur une colonne qui dissimule partiellement la tuyauterie. Ce genre de lavabo prend moins d'espace visuel que le lavabo encastré dans un meuble, mais il n'offre aucun volume de rangement et doit être complété par une commode à tiroirs, des étagères ou un placard indépendant.

Lavabo mural
Prenant peu de place, il convient pour les petites salles de bains dont il agrandit visuellement l'espace. Ce lavabo est un modèle dernier cri qui masque la tuyauterie et comprend des barres pour les serviettes. Si vous manquez d'étagères, choisissez un lavabo mural encastré dans une large tablette.

Lavabo vasque
Ce lavabo d'un nouveau style, aux allures d'objet décoratif, rappelle la cuvette en porcelaine ancienne, sur son support en bois. Le lavabo vasque offre une hauteur plus confortable pour se laver et il est généralement équipé d'une robinetterie murale. Il existe une large gamme de formes et de matériaux, dont la céramique, le métal et le verre.

Lavabo d'angle
Ce modèle est peu encombrant. Les petits lavabos d'angle comme celui-ci sont courants dans les toilettes. Formes et dimensions spéciales sont aussi proposées pour résoudre les problèmes de place. Ici, un bandeau décoratif permet au lavabo de se fondre dans le décor de la salle de bains.

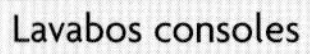

Lavabos consoles
Les consoles ont deux ou quatre pieds qui supportent un plan de toilette où sont encastrées une ou deux vasques, les modèles à deux pieds étant appuyés contre le mur. Conçus à l'origine comme des reproductions d'antiquités, ils existent aujourd'hui en styles contemporains et comprennent souvent des barres pour les serviettes.

Table de toilette
Une table de toilette ancienne, rajeunie par des robinets modernes, donne du cachet à une salle de bains. Cette table en chêne, à dessus et étagère de marbre accueille deux vasques. Les meubles en bois réchauffent la salle de bains mais ils doivent être traités contre l'humidité. Les vasques peuvent également être encastrées dans une commode.

Établir un horaire réaliste pour toute la famille, dans l'utilisation de la salle de bains, tenait autrefois du miracle. Partager l'espace aujourd'hui, même s'il est devenu plus vaste, pose encore quelques problèmes. Chacun voudrait une salle de bains qui corresponde exactement à ses désirs. Maman voit les choses d'une façon et papa d'une autre ; et les enfants, s'ils partagent également la pièce, ont leurs propres exigences. S'il est impossible d'attribuer à chacun un lavabo et un meuble

PARTAGER
LA SALLE DE BAINS

PARTAGER LA SALLE DE BAINS PEUT ÊTRE UN VRAI PLAISIR SI LES BESOINS DE CHACUN SONT RESPECTÉS. ORGANISEZ L'ESPACE POUR QUE CHAQUE MEMBRE DE LA FAMILLE, S'Y TROUVE À SON AISE.

personnels, il existe cependant des solutions pour que chaque membre de la famille se voie allouer un espace réservé. Les barres à serviettes étant faciles à installer, assignez-en une à chaque usager. Établissez des zones d'intimité et trouvez une place pour ranger séparément les objets de chacun. Les meubles éléments sont les plus faciles à compartimenter, du simple placard sous le lavabo comprenant deux tablettes à l'armoire colonne de luxe. Les étagères sont également polyvalentes. Gardez un stock des accessoires et des produits de base, comme les serviettes, le savon et les mouchoirs à jeter, en les faisant participer à la décoration.

UNE PIÈCE RÉUSSIE

Élégante et bien conçue, cette salle de bains lumineuse est un havre de paix utilisé sans heurts par deux personnes matin et soir.

- **LES FENÊTRES** encadrant la baignoire illuminent toute la pièce. Des abat-jour en lin atténuent la lumière.
- **D'ÉLÉGANTES APPLIQUES** en nickel donnent un éclairage équilibré.
- **UN MEUBLE ÉTROIT** offre des espaces de rangement utiles derrière les lavabos à colonnes. Sa profondeur de 30 centimètres est suffisante pour des tiroirs et autorise même une tablette pour les objets de toilette.
- **DES ÉTAGÈRES** au-dessus de la baignoire abritent un ensemble stéréo et un petit téléviseur.

PARTAGER LA SALLE DE BAINS

Côte à côte

Partager la même salle de bains peut être un choix désiré. Certains couples aiment commencer et terminer la journée ensemble dans un espace confortable.

Dans les maisonnées très actives, la salle de bains devient souvent un quartier général. Il vous faut une salle de bains vivifiante et gaie pour commencer la journée, mais douce et reposante pour la terminer. Équipez la pièce pour y passer du temps. De la musique, un petit téléviseur pour les nouvelles matinales et un fauteuil ou une chaise ajouteront au confort de cet espace partagé. Utilisez quotidiennement des bougies et des parfums d'ambiance apaisants. Rien ne vaut la lumière pour donner de l'énergie : laissez les fenêtres nues ou tout juste voilées et entourez les miroirs de lampes pour éclairer uniformément le visage au moment du rasage ou du maquillage. La lumière modulable peut également créer une atmosphère le soir : branchez les éclairages ponctuels sur un circuit différent et équipez toutes les lampes de variateurs.

Une salle de bains de luxe

Partagez votre salle de bains et appréciez la compagnie. Faites-en un espace élégant, à la fois convivial et intime.

Si vous partagez votre salle de bains mais désirez avant tout le confort d'un domaine privé, créez des espaces sur mesure pour chacun, avec des lavabos et des meubles de rangement individuels, mais aussi des zones distinctes pour se maquiller ou se raser et une tablette pour poser les objets personnels. Comme dans toute pièce, une continuité de style est nécessaire pour l'unité visuelle. Inspirez-vous du décor du reste de la maison pour faire de votre salle de bains une retraite aussi élégante que les autres pièces. Des sièges confortables et de beaux matériaux comme un parquet en bois noble et des panneaux décoratifs lui donneront une élégance raffinée.

UNE PIÈCE RÉUSSIE

Conçue pour un couple, cette généreuse et luxueuse salle de bains offre à chacun un espace distinct pour se laver et se préparer.

- **CHACUN DISPOSE D'UNE ZONE** personnelle : coiffeuse pour madame, commode pour monsieur.
- **LE SIÈGE SOUS LA FENÊTRE** est pratique pour s'habiller ou se reposer après le bain.
- **LA PROFONDE BAIGNOIRE** indépendante avec robinetterie sur le côté est assez grande pour accueillir deux personnes.
- **LA LUMIÈRE DU JOUR** apportée par la fenêtre au-dessus de la coiffeuse est idéale pour se maquiller.
- **DES MATÉRIAUX RAFFINÉS**, moulures décoratives, plans de toilette en bois sombre et parquets en bois dur, réchauffent la palette blanche de la pièce.
- **UNE CLOISON PARTIELLE** assure l'intimité des toilettes.

UNE PIÈCE RÉUSSIE

Chaque centimètre est utilisé dans cette salle de bains familiale. Une bonne organisation donne une place pour chaque chose, des serviettes et objets de toilette jusqu'aux jouets des enfants.

■ **UN MEUBLE À ACCÈS BILATÉRAL** protège l'intimité et sert de rangement. Des tablettes étroites sont consacrées aux objets de toilette, côté lavabo, et des étagères plus profondes accueillent les serviettes, côté baignoire.

■ **DES SEAUX EN PLASTIQUE** sont une solution de rangement pratique pour les jouets des enfants. Un petit tabouret aide les petits à rentrer dans la baignoire et permet à maman de s'asseoir.

■ **DÉTAIL ASTUCIEUX** : le placard à linge sale intégré évite le désordre.

■ **GRÂCE AUX PATÈRES** personnalisées, les serviettes retrouvent facilement leur place après le bain.

PARTAGER LA SALLE DE BAINS

Une salle de bains familiale

Une organisation attentive et de nombreux rangements facilitent le partage de la salle de bains par toute la famille.

Une salle de bains commune demande de l'organisation. Le meuble de rangement double usage, écran ou cloison partielle, est astucieux. L'accès bilatéral à ses étagères maximise sa capacité. Chaque membre de la famille peut atteindre facilement ses objets personnels, et il reste assez de place pour les serviettes et autres nécessités. Si la pièce est utilisée par de jeunes enfants, les systèmes de rangement doivent être simples et faciles à comprendre. Écrivez leur prénom sur les patères à serviettes et rangez les jouets dans de grands seaux ou des paniers. Vous pouvez fixer des étagères sur le mur nu au-dessus des toilettes, et le couloir à la sortie de la salle de bains peut accueillir une zone de rangement.

UNE PIÈCE RÉUSSIE

Une salle de bains anticipant tous les désirs des invités est une façon de leur souhaiter la bienvenue. Les lambris sur le mur et les robinets à l'ancienne évoquent le passé.

■ **UNE PETITE SALLE DE BAINS** attenante à la chambre d'amis est idéale, les visiteurs peuvent ainsi vivre à leur rythme.

■ **LES DÉTAILS « HÔTELIERS »**, produits de beauté et peignoir douillet, transforment la plus simple des pièces en lieu raffiné.

■ **DES FLACONS ANCIENS** contiennent du gel de douche et du shampoing ; les savons de qualité ajoutent une note luxueuse.

■ **UNE PILE DE SERVIETTES**, des mules toutes neuves, des bouquets du jardin sont des attentions personnelles qui renforcent la chaleur de l'accueil.

■ **LA PALETTE NEUTRE** forme une toile de fond reposante qui met en valeur les détails et vous permet d'adapter le décor aux saisons.

PARTAGER LA SALLE DE BAINS

La salle de bains des invités

Des détails bien pensés et des petites attentions sont un moyen facile de souhaiter la bienvenue quand vous préparez la salle de bains des invités.

Recevoir des amis pour quelques jours est un plaisir si vous vous êtes organisé. En soignant les détails, vous transformerez un petit espace en salle de bains raffinée : huiles essentielles, shampoings, sels de bain, savons parfumés et serviettes douillettes. Anticipez les désirs des invités en mettant à leur disposition un sèche-cheveux et un peignoir de bain. Rappelez-vous aussi qu'ils ont besoin d'espace pour poser leurs affaires et faites de la place dans l'armoire de toilette et sur les étagères. Pour finir, ajoutez des fleurs ou de la verdure afin de donner à la salle de bains le charme de la nature.

MASK

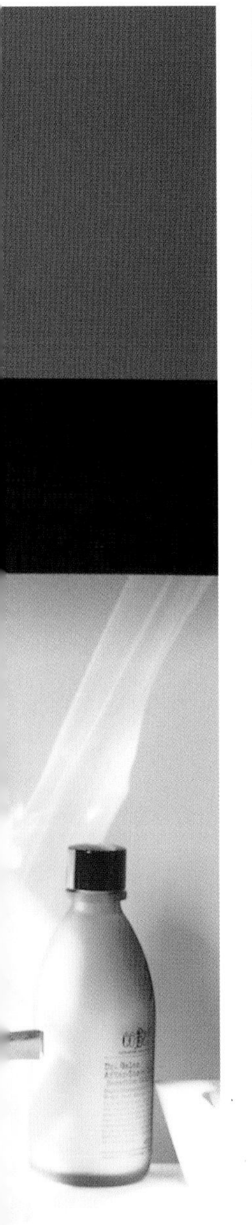

SOIGNEZ VOS INVITÉS AVEC DE PETITES ATTENTIONS ET DES LUXES SIMPLES QUI FERONT TOUTE LA DIFFÉRENCE.

Des jolis récipients, *à gauche*, quelques produits de beauté bien choisis et une simple orchidée évoquent les détails d'un hôtel de luxe. Ces attentions n'ont pas besoin d'être nombreuses pour que vos invités se sentent comblés.

Des présentoirs à cloche, *ci-dessus*, offrent toute une gamme de lotions, savons et eaux de toilette. Joliment présentés, ils donnent aux invités le plaisir d'essayer de nouveaux produits.

Des fleurs de gardénia, *ci-dessus à droite*, dans un panier en bois, exhalent leur douce fragrance et pourront être mises dans l'eau du bain pour la parfumer. Les fleurs fraîches sont toujours appréciées dans une chambre d'amis.

Des objets de toilette essentiels à la gent masculine, *à droite*, sont disposés sur un plateau ancien en étain, présentoir pratique qui permet de déplacer ou ranger facilement l'ensemble.

COLOGNE
GEL

RAFRAÎCHIR
LE CORPS ET L'ÂME

LE SPA EST UN LIEU MAGIQUE, DESTINÉ À REVIGORER LE CORPS ET L'ÂME. RECRÉEZ LE SPA CHEZ VOUS AVEC UNE SALLE DE BAINS CONÇUE POUR CHARMER TOUS LES SENS.

Peu de gens ont le loisir d'aller régulièrement au spa. Vous pouvez cependant le recréer dans votre salle de bains. Historiquement, le spa était un lieu de cure, où l'on allait « prendre les eaux » ; l'eau est restée, d'ailleurs, l'élément clé du spa moderne. Chez soi, certains appareils de luxe comme le jacuzzi, qui permet d'être totalement immergé, ressemblent aux baignoires de spa. La plupart des séances de balnéothérapie se terminant par un long moment de repos, une méridienne ou un fauteuil douillet seront les bienvenus dans votre salle de bains. Si vous n'avez pas assez de place, contentez-vous d'un banc où vous empilerez des coussins. L'important est de créer un environnement tranquille et qui plaise aux sens. Recherchez la simplicité et la sérénité. Ouvrez la pièce au soleil. Choisissez une palette de couleurs reposante, en vous inspirant de l'eau ou de la nature. Appréciez les bienfaits de l'aromathérapie avec des huiles de bain, des fleurs fraîches ou des bougies et gardez à portée de main des piles de serviettes moelleuses. Prenez plaisir à votre toilette en vous entourant de lotions apaisantes et autres produits de beauté.

Un spa à la maison

Poussez à l'extrême l'art du bain en transformant votre salle de bains en spa personnel avec une baignoire profonde.

Au Japon, le bain n'est pas seulement fait pour se laver. C'est un rituel vieux de centaines d'années, conçu pour régénérer le corps et l'âme. Une profonde cuve, appelée *ofuro,* est remplie d'eau très chaude pour délasser le corps que l'on a pris soin de laver et rincer au préalable. Les adeptes y passent au moins une demi-heure chaque soir, en songeant à la journée écoulée. Heureusement, vous n'avez pas besoin d'aller au Japon pour vous détendre ! On trouve aujourd'hui sur le marché ces cuves japonaises (voir pages 237 et 361). Il est possible de les faire fabriquer sur mesure, en cèdre, en séquoia ou en teck. Des modèles tout faits existent cependant en acrylique, fibre de verre, métal et bois.

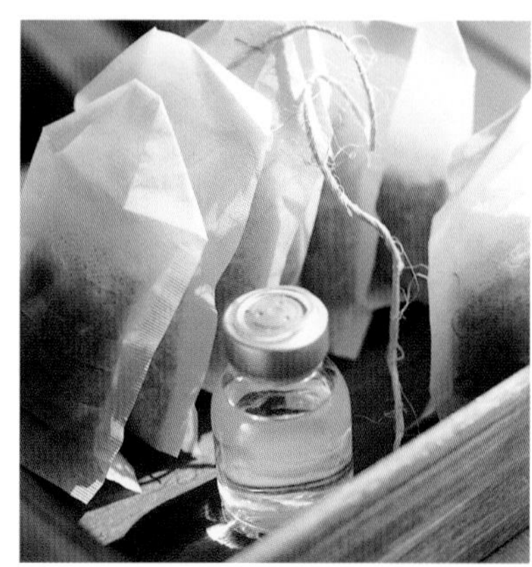

UNE PIÈCE RÉUSSIE

Tout aussi esthétique que confortable, ce spa paisible avec sa cuve japonaise traditionnelle apaise et réjouit tous les sens.

- **CETTE CUVE JAPONAISE EN CÈDRE** emplie d'eau chaude est assez grande pour accueillir plusieurs personnes. La pièce, conçue sur le plan japonais traditionnel, offre la chaleur du bois naturel.
- **DES BOUGIES ET DE L'ENCENS** parfument la pièce. Des infusions d'herbes apaisantes et des huiles essentielles ajoutent au confort.
- **UN REBORD INCORPORÉ** servant de banc et des quantités de coussins encouragent le repos, la conversation et la méditation.
- **LES MATÉRIAUX NATURELS** utilisés dans toute la pièce sont pratiques, confortables et d'entretien facile.
- **LES MURS FENÊTRES** intègrent la nature à l'espace intérieur.

La nature dans la salle de bains

Recréez l'atmosphère sereine du spa avec des formes simples et sculpturales, et une palette de couleurs et de matériaux naturels.

Pour transposer l'atmosphère du spa dans votre salle de bains, optez pour une approche minimaliste. Choisissez des accessoires simples et mariez-les avec des couleurs, des matériaux et des accents venus tout droit de la nature. Des meubles aux formes pures contribuent à donner une impression d'espace. Le lavabo mural est un gain de place ; les placards encastrés respectent la ligne droite du mur ; la baignoire indépendante paraît moins massive qu'une baignoire encastrée. Complétez cette approche simple avec des matériaux naturels, comme la terre cuite ou la pierre, et des accents de couleur avec des plantes en pot.

UNE PIÈCE RÉUSSIE

Ce sanctuaire citadin évoque la simplicité luxueuse d'un spa. Les accessoires d'un blanc pur et les accents de verdure se détachent contre une toile de fond apaisante, aux couleurs de terre.

- UNE CUVE JAPONAISE acrylique à la forme contemporaine originale constitue le pôle d'attraction.
- DES ACCESSOIRES ET DES MEUBLES aux formes simples, des placards encastrés, des toilettes à la ligne sculpturale et dépouillée contribuent au calme esthétique de la pièce.
- UNE MOSAÏQUE EN PÂTE DE VERRE sur les murs et le plafond apporte à la douche une qualité lumineuse.
- LE CARRELAGE DU SOL, doux et chaud sous les pieds nus, donne un caractère naturel à la pièce.
- LES PLANTES PROSPÈRENT dans ce milieu humide et contribuent à créer une ambiance de spa. Les fleurs parfumées sont particulièrement apaisantes.

Douche à main, *ci-contre*. La nostalgie des robinetteries du début du xxe siècle resurgit dans les reproductions modernes. Cet ensemble de style rétro associe un jet pour remplir la baignoire, une manette centrale et une douche classique branchée sur un tuyau apparent.

Les robinets montés sur le sol, *ci-contre à droite*, et au milieu du côté de la baignoire, permettent de s'installer confortablement à l'une ou l'autre de ses extrémités. Avec la nouvelle mode des baignoires à deux places, cette configuration devient plus courante.

Douche fixe, *ci-contre*. Cette pomme de douche fixe, ou douche en pluie, donne l'impression d'être sous une averse. Existant en diverses dimensions, elle permet de démarrer la journée le cœur en fête. Ce genre de douche consomme plus d'eau que le modèle classique.

Mélangeurs et mitigeurs thermostatiques, *à droite*. Les mitigeurs thermostatiques, comme ce modèle de style ancien, contrôlent la température de l'eau. Ils existent aussi en de nombreux styles contemporains.

Baignoires et accessoires

Le choix d'une baignoire pose un double dilemme, la baignoire devant être adaptée à l'espace dont vous disposez mais aussi aux dimensions de votre corps. Les baignoires standards mesurent 160 centimètres de long sur 80 centimètres de large, mais il existe d'autres dimensions et toutes sortes de styles. Si la place disponible est le premier critère de choix, vos préférences en matière de style sont également importantes. La baignoire indépendante, comme l'éternelle pattes de lion, demande plus d'espace mais peut être placée n'importe où dans la pièce. La baignoire encastrée est également classique et la tendance est de l'entourer de bois, carrelage ou pierre pour qu'elle ressemble à un meuble. Les accessoires (page opposée) doivent s'harmoniser avec votre baignoire, sans pour cela offrir obligatoirement le même style. Pour plus d'informations sur les baignoires, voir les matériaux, page 361.

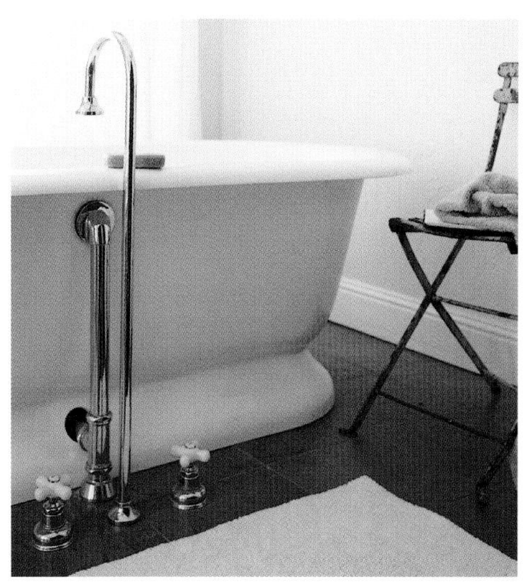

Styles de baignoire *(dans le sens des aiguilles d'une montre, en commençant en haut à gauche)* : baignoire classique encastrée avec des lambris de bois et un dessus de marbre ; baignoire indépendante de style Empire, robinetterie fixée au sol ; baignoire à jets à entourage de ciment teinté ; baignoire rétro à pattes de lion.

LEÇON DE DÉCORATION AJOUTER UNE CUVE JAPONAISE

Le spa a offert un nouveau style de baignoire à la salle de bains privée : la cuve japonaise. Ces cuves, plus profondes que la baignoire conventionnelle, permettent d'être totalement immergé, favorisant ainsi la relaxation. Comme les autres baignoires, elles existent en plusieurs formes, tailles et matériaux – fonte émaillée, acrylique, cuivre, bois. Ce qui importe c'est la profondeur. La plupart font 50 à 55 centimètres de profondeur, contre 35 à 40 centimètres pour la baignoire classique. Certains modèles, du style de l'*ofuro* japonais (voir page 232), permettent de s'asseoir dans l'eau en étant immergé et peuvent aller jusqu'à 85 centimètres de profondeur. De nombreux modèles sont équipés de jets.

Plusieurs facteurs sont à prendre en compte si vous voulez installer une cuve japonaise.

■ QUANTITÉ D'EAU : il faut 225 à 280 litres d'eau pour remplir une cuve japonaise standard (environ 160 litres pour une baignoire ordinaire). Vous devez donc vérifier que votre ballon d'eau chaude est doté d'une capacité suffisante.

■ POIDS : 280 litres d'eau pèsent 280 kilos. La cuve elle-même pèse de 55 kilos (cuve acrylique) à 225 kilos (cuve en fonte émaillée). Assurez-vous que le sol peut supporter un tel poids.

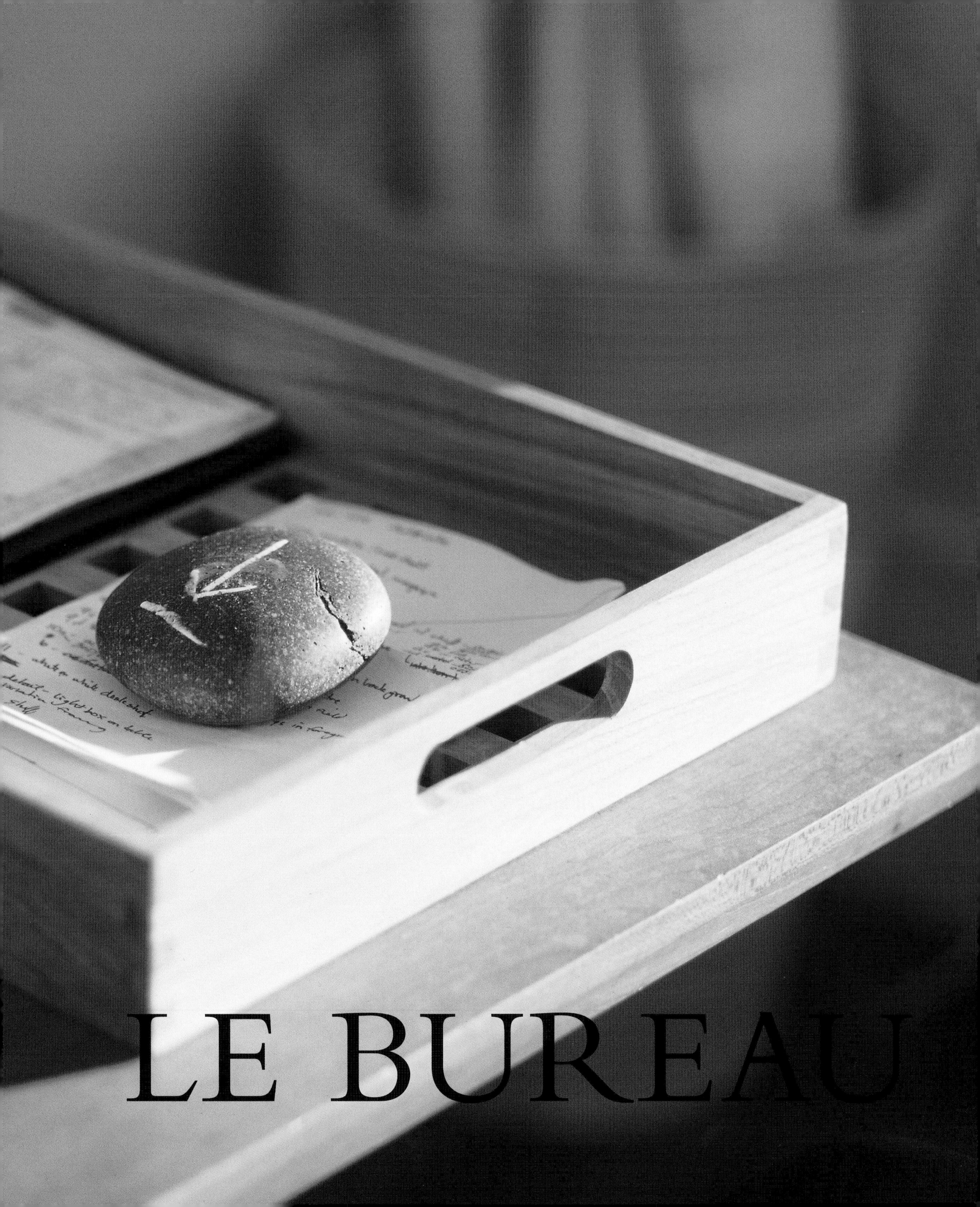

LE BUREAU

« MON BUREAU DOIT ÊTRE CRÉATIF AUTANT QUE FONCTIONNEL. JE VEUX QUE CET ESPACE SOIT SOURCE D'INSPIRATION ET D'IDÉES NOUVELLES POUR CHAQUE PROJET. »

COMMENT RÉUSSIR

LE BUREAU

Autrefois, le bureau et la maison étaient deux concepts totalement différents et séparés, acceptés comme tels. Aujourd'hui, la séparation est moins distincte et beaucoup d'entre nous travaillent chez eux au moins une partie du temps. Vous avez tout à gagner à installer un espace bureau qui fasse partie intégrante de votre maison, en harmonie avec son décor et son atmosphère familiale. Dans ce chapitre, nous avons choisi plusieurs espaces pour vous montrer qu'il est possible de créer chez vous le bureau de vos rêves.

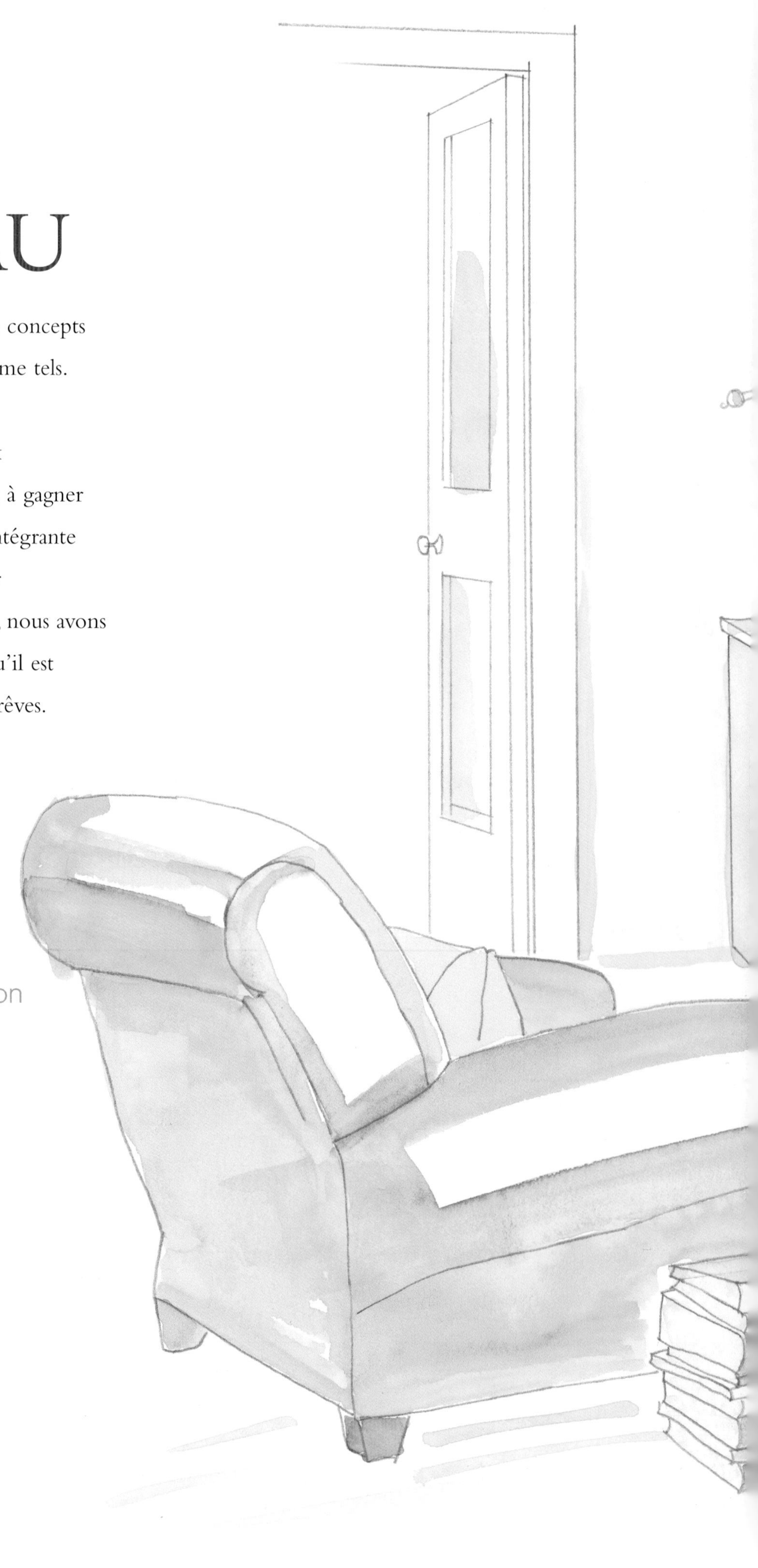

247 Organiser un bureau à la maison

255 Travailler avec style

263 Partager l'espace de travail

JEANNE
DR. MATHESON
4:00
UPPY TRAINING
(SAT)
SHOP FOR
B.B.Q

Comment organiser un bureau à la maison

Pour établir le plan de votre bureau, empruntez à la cuisine le concept du triangle de travail. En adoptant une disposition en L, en U ou parallèle, tout sera à portée de main.

Où que se trouve votre bureau, il sera plus facile à organiser si vous disposez de deux zones de travail principales : une devant l'ordinateur et l'autre pour téléphoner et pour écrire. N'oubliez pas aussi l'accès aux classeurs, à votre imprimante-fax-photocopieur et aux fournitures de bureau. Un plan compact en L ou en U permet de pivoter facilement d'une zone à l'autre, de même que le plan du type bateau, où vous êtes assis entre des surfaces de travail parallèles. Ce que voient les visiteurs quand ils pénètrent dans votre bureau peut aussi avoir une importance. Ainsi, avec un plan en L, vous êtes complètement exposé à leurs regards, mais avec un plan du type bateau, vous pouvez dissimuler le travail en cours dans un meuble derrière vous. Gardez sous la main les objets que vous utilisez quotidiennement (téléphone, dossiers, fournitures de bureau…) à moins de 90 centimètres de chaque côté de votre siège. Les articles moins souvent utilisés et les archives seront rangés plus à l'écart.

Faites une place aux objets familiers qui vous inspirent, photographies de famille mais aussi objets décoratifs. Le « tableau d'inspiration » peut agir sur votre énergie créatrice ; garnissez-le de cartes postales, coupures de magazines, notes diverses ou photos favorites. N'oubliez pas d'ajouter aussi un fauteuil pour consulter confortablement votre courrier ou simplement faire une pause et vous relaxer.

UN BUREAU EN L BIEN CONÇU

Ce bureau (ci-dessus et page précédente) peu encombrant définit les espaces de travail avec des rangements linéaires. Ce plan compact pourrait trouver sa place sur un palier ou autre petit espace.

■ DES MEUBLES DE BUREAU DE MÊME STYLE donnent une impression d'ordre tout en offrant des rangements fonctionnels. Un espace en angle est réservé à l'ordinateur et un autre au courrier.

■ LE TABLEAU À PENSE-BÊTE devient un espace d'information. Il accueille un calendrier, les notes importantes et vos images favorites.

■ TOUS LES BUREAUX gagnent à être éclairés par la lumière du jour, mais elle doit se trouver sur le côté de l'ordinateur afin de ne pas générer de reflets gênants.

DANS UNE CHAMBRE D'AMIS

La chambre d'amis n'étant utilisée qu'occasionnellement, elle est tout indiquée pour servir de bureau. Dissimulez quelques casiers de rangement qui vous permettront de faire rapidement place nette.

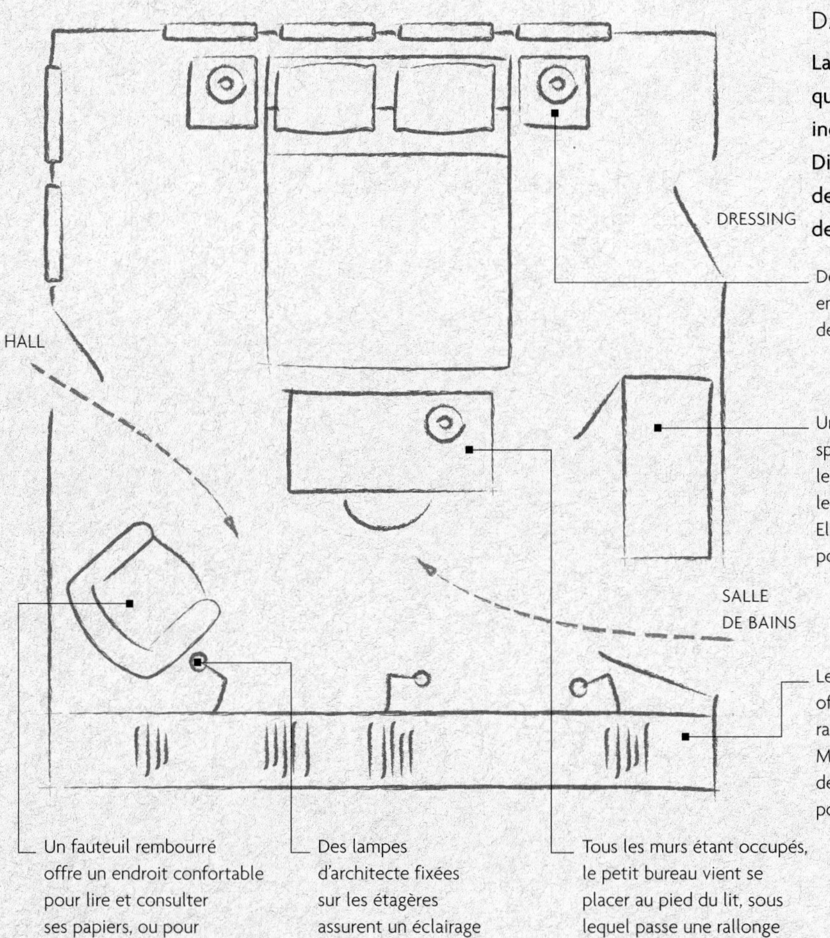

Deux jolis meubles de rangement en bois servent de tables de chevet double usage.

Une armoire peut être aménagée spécialement pour accueillir le matériel de bureau, en le mettant à l'abri des regards. Elle offre aussi de la place pour les affaires des invités.

Le mur recouvert d'étagères offre un généreux espace pour ranger livres et dossiers. Mettez les petits objets dans des paniers ou des boîtes pour garder l'aspect ordonné.

Un fauteuil rembourré offre un endroit confortable pour lire et consulter ses papiers, ou pour accueillir les visiteurs.

Des lampes d'architecte fixées sur les étagères assurent un éclairage ponctuel.

Tous les murs étant occupés, le petit bureau vient se placer au pied du lit, sous lequel passe une rallonge électrique qui alimente une lampe de bureau.

UN ESPACE BIEN ORDONNÉ

Une pièce inutilisée convient parfaitement pour être transformée en bureau, tout un mur étant consacré aux rangements. Choisissez un bureau et des chaises confortables dans un magasin de meubles plutôt que de matériel de bureau, afin de garder le style « maison ».

ENTRÉE

Optez pour des caissons range-dossiers d'une profondeur de 50 centimètres au plus, qui se glissent aisément dans une armoire.

Une table de travail séparée dont le dessous est occupé par des étagères offre de la place pour abriter les dossiers et autres nécessités journalières.

Des fauteuils confortables sont indispensables pour accueillir les visiteurs et pour vous permettre de faire une pause.

UN BUREAU CONFORTABLE

Si vous êtes installé confortablement, vous serez plus productif. Tout ici a de l'importance, de la hauteur de l'ordinateur à l'éclairage (voir page 351). Cette liste vous permettra de bien placer les meubles de bureau.

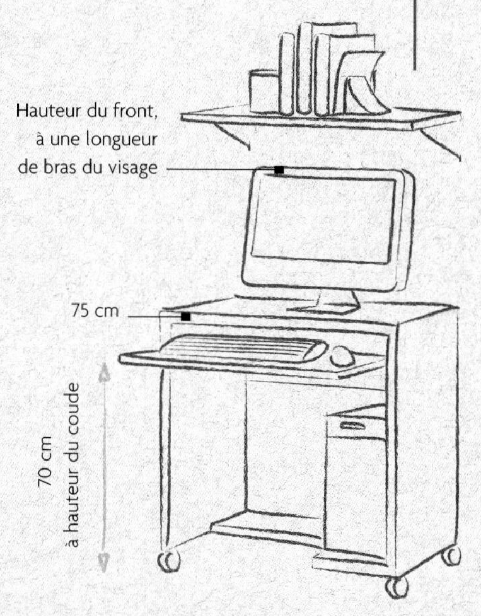

Écran de l'ordinateur
Le moniteur doit être juste devant vous, l'écran à longueur de bras et le haut de l'écran à hauteur du front.

Clavier
Bien que la hauteur de bureau standard soit de 75 centimètres, la plupart des gens se sentent plus à leur aise si leurs mains se trouvent à 70 centimètres. Pour déterminer votre hauteur idéale, asseyez-vous sur votre chaise de bureau, les bras pliés de chaque côté : le clavier doit se trouver à la hauteur de vos coudes.

Bureau
Un espace minimal de 75 centimètres est nécessaire pour le travail de bureau, un écran d'ordinateur, le téléphone et le courrier. Comptez au moins 90 centimètres d'espace libre derrière le bureau, pour une chaise.

Table de travail
La petite table à roulettes, d'une hauteur de 65 centimètres environ, accueille le courrier et les dossiers du jour, ou même l'ordinateur si vous voulez libérer votre bureau.

Lorsque vous avez trouvé le futur espace bureau de votre maison, il vous faut le rendre utilisable pour vous. Certaines règles de base sont applicables à toutes les pièces, bien sûr, et concernent l'organisation, l'éclairage et les rangements. Mais quels sont les choix qui en feront un espace à la fois fonctionnel et inspirant votre créativité ? Il vous faut tout d'abord trouver le bon endroit dans la maison, le grenier peut-être ou, pourquoi pas, un coin de la cuisine. Puis organisez-le efficacement

ORGANISER UN BUREAU À LA MAISON

POUR CRÉER UN ESPACE BUREAU IDÉAL, FIEZ-VOUS À VOTRE INTUITION. TROUVEZ LES COULEURS, LES MEUBLES ET LE TYPE D'ESPACE QUI VOUS PLAISENT, ET LAISSEZ-LES GUIDER VOTRE DÉCOR.

et meublez-le confortablement. Mobilier traditionnel ou planche sur des caissons à dossiers ? Réfléchissez aux couleurs qui vous inspirent, à la quantité de lumière qu'il vous faut, aux petits extras qui donneront une impression de confort, et laissez ces détails guider vos choix. Les rangements sont ici de première importance et l'absence de désordre est l'une des clés d'un bureau élégant. Rappelez-vous cependant que vous êtes chez vous : voyez plus loin que le meuble à dossiers et trouvez des variantes créatives aux meubles de bureau standards.

UNE PIÈCE RÉUSSIE

Autrefois grenier sombre et poussiéreux, le bureau lumineux de deux architectes a été créé autour de la toile vierge des murs et du plafond blanc.

- **TROIS TABLES ADJACENTES** au centre de l'espace de travail forment un bureau pour deux personnes, plus une grande surface faisant office de présentoir, accessible de tous côtés.
- **LA CAGE D'ESCALIER CENTRALE** divise le grenier en un espace de travail et un espace de rangement.
- **UNE FENÊTRE DE TOIT** laisse entrer la lumière du jour.
- **DES SPOTS SONT DISSIMULÉS** au milieu des poutres apparentes.
- **DES TABLES AU PLATEAU DE PLEXIGLAS** abritent des photographies et des dessins.

ORGANISER UN BUREAU À LA MAISON

Le grenier bureau

S'il vous faut de la place pour votre bureau, un grenier convient parfaitement. Aménagez un espace loin de l'agitation de la maison.

Un grenier inutilisé peut se révéler un trésor caché. Les greniers offrent souvent des espaces faciles à transformer en bureau et donnent l'impression romantique d'une source de créativité inépuisable.

Si votre grenier n'a jamais été terminé, quelques travaux indispensables seront nécessaires. Assurez-vous que la hauteur de toit et la solidité du sol sont suffisantes et que l'installation électrique est adéquate. Consultez également un professionnel, pour l'isolation et l'aération, la température du grenier pouvant avoir une influence sur votre confort et sur le matériel de bureau, plus ou moins fragile.

Ensuite, rappelez-vous qu'un petit espace réclame une approche minimaliste. Inondez la pièce de lumière (les fenêtres de toit sont idéales) et utilisez une palette de couleurs neutres pour mettre en valeur le côté aérien du grenier. Quelques petits meubles légers pouvant se glisser dans les soupentes lui conserveront sa clarté.

THE WOODBOOK

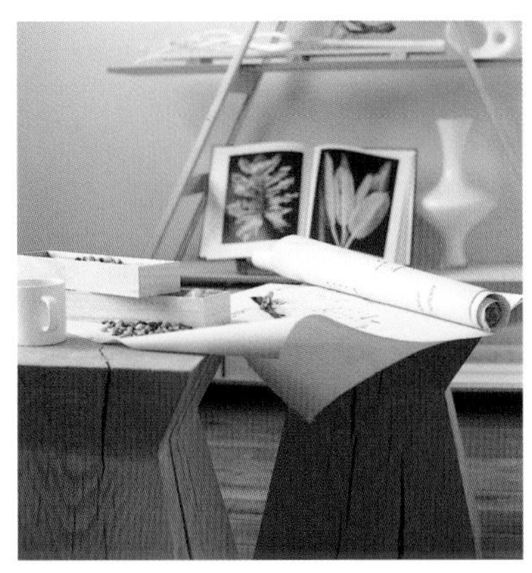

Votre style personnel

Une approche créative est toujours positive, quelle que soit la pièce. Votre bureau à la maison sera particulièrement intéressant s'il reflète votre personnalité.

Des idées créatrices peuvent déboucher sur un style original. Même si votre budget est restreint, il existe de nombreuses façons de personnaliser une pièce. Le mobilier de bureau peut être composé avec des éléments de base. Les modules tout faits offrent une grande flexibilité, mais vous pouvez créer un bureau avec une planche posée sur deux petits meubles ou sur des tréteaux et fabriquer une bibliothèque avec des planches reposant sur des caissons de rangement ou sur un escabeau. Assemblez des objets décoratifs sur le thème de votre travail et faites de nécessité vertu en exposant vos outils de travail et le fruit de votre labeur.

UNE PIÈCE RÉUSSIE

Un paysagiste travaille dans ce décor serein qui ressemble à un jardin avec sa fraîche palette de couleurs, ses meubles originaux et l'étalage décoratif des œuvres de l'artiste.

- UN BUREAU COMPOSÉ D'UNE PLANCHE sur deux tréteaux se fond dans le décor et crée, à peu de frais, un vaste plan de travail.
- LES MEUBLES ÉTAGÈRES EN BOIS sont simples, solides et peu coûteux.
- LA COULEUR LUMINEUSE ET DOUCE des murs forme une toile de fond idéale pour les plantes exotiques et les planches botaniques.
- LES PRÉSENTATIONS de jardin et les livres de travail contribuent au décor.
- LES TABOURETS MODULES EN BOIS évoquant des troncs d'arbre font entrer la nature dans la pièce.
- LES FAUTEUILS SANS ACCOUDOIRS se déplacent pour créer un coin réunion.
- LES PERSIENNES AJOURÉES atténuent le soleil mais laissent entrer la lumière.

Un lieu de réunion

Le décor doit créer un espace qui convienne à tous ceux qui l'utilisent. Un bureau doit être un lieu qui vous plaise, à vous et à vos clients.

Recevoir chez soi clients et associés est l'un des plaisirs du travail à la maison. Vous pouvez recevoir ainsi d'une manière informelle, ce qui ne serait guère possible au bureau. La pièce doit être aussi confortable que le reste de la maison tout en gardant un aspect professionnel. Le mobilier de bureau, uniquement fonctionnel, n'est pas nécessaire pour cela, des meubles aux lignes nettes mais confortables pouvant très bien suggérer une ambiance de travail. Choisissez des tapis, tables d'appoint, lampadaires et accessoires qui créeront une atmosphère détendue. Ajoutez des objets personnels : un panneau avec vos photos favorites ou une collection donnera au visiteur un aperçu de votre personnalité.

UNE PIÈCE RÉUSSIE

Bien que ne comportant pas de meubles de bureau traditionnels, cette pièce mansardée chaleureuse et inondée de lumière offre un aspect professionnel, créé par le mélange éclectique des meubles.

- **LE MÉLANGE DE STYLES** crée une ambiance plus personnelle qu'une série de meubles de bureau : la chaise contemporaine est associée à des lampes du milieu du XXe siècle et à un canapé ancien rajeuni.
- **LE BUREAU MOBILE** est une table de bibliothèque en chêne sur roulettes. Il peut être placé sous la fenêtre pour profiter de la lumière du jour ou contre le mur pour faire de la place.
- **UNE ÉTAGÈRE HAUTE** fixée en soupente accueille des dossiers plats.
- **UNE TABLE D'APPOINT AVEC TABLEAU NOIR** ajoute une touche de fantaisie et permet de prendre des notes tout en téléphonant.
- **LA SIMPLE PALETTE** des murs blancs et des meubles bruns et noirs donne un aspect professionnel à l'ensemble.

SWEET RICE
糯 米
KING
DREAMCATCHER
LASHER
TALTOS

8
3
5
2

M

Nous passons tant d'heures à travailler que cela vaut la peine de créer un espace de travail qui soit à la fois beau et fonctionnel, aussi agréable que votre salle de séjour ou votre chambre à coucher. Avant d'en choisir le décor, regardez d'abord les couleurs et le style des autres pièces. Si votre bureau se trouve au beau milieu de la maison, il est essentiel de le fondre dans l'environnement, et vous devrez opter pour une palette de couleurs, des meubles et des accessoires qui se marient

TRAVAILLER AVEC STYLE

CHEZ VOUS, LE BUREAU DOIT ÊTRE UN REFLET DE VOTRE PERSONNALITÉ. CRÉEZ UN ENVIRONNEMENT QUI VOUS STIMULE ET VOUS INSPIRE DANS VOTRE TRAVAIL.

harmonieusement avec le décor des pièces adjacentes. Si votre bureau partage une pièce, il est encore plus important d'être cohérent. Enfin, si vous avez la chance de disposer d'un espace indépendant, accordez-vous un peu de luxe. Il s'agit de votre propre bureau directorial, après tout, et vous pouvez investir dans des meubles ou accessoires de qualité, une superbe lampe de bureau, par exemple. Soyez créatif, vous révélerez davantage votre personnalité en exposant les tableaux et les collections personnelles que vous aimez.

TRAVAILLER AVEC STYLE

Chaque chose à sa place

Un bureau ouvert aux regards exige un sens aigu de l'ordre pour garder son élégance. Un mur entier de rangements accueillera tout ce qui traîne.

L'ordre est indispensable pour créer une atmosphère de calme – d'autant plus si votre bureau est utilisé par d'autres membres de la famille. Si chaque chose retrouve sa place, vous aurez un espace harmonieux pour les différentes activités. L'un des meilleurs moyens de limiter le désordre est d'utiliser l'espace offert par les murs. Les modules de rangement et les étagères sont une excellente solution, en particulier ces dernières, qui peuvent accueillir aussi bien des livres que des paniers à courrier bien organisés ou les objets et collections. Les éléments fermés ou les caissons à couvercle dissimulent tous les petits objets qui pourraient créer du désordre sur une surface de travail. En peignant les étagères ou les modules de la couleur des murs, vous les intégrerez au décor.

UNE PIÈCE RÉUSSIE

Avec son grand plan de travail et ses rangements modulaires sur les murs, ce bureau sert aussi pour les enfants. Les étagères symétriques et les cubes de rangement muraux laissent peu de place au désordre.

- **LES MODULES FIXÉS SUR LE MUR** et artistiquement disposés donnent un important volume de rangement.
- **LES ÉTAGÈRES INTÉGRÉES** abritent de la documentation pour le travail et des livres pour toute la famille.
- **L'ÉTAGÈRE SUPÉRIEURE** reste libre, et donne une impression d'espace que livres ou collections feraient disparaître.
- **UN THÈME DE COULEUR BLANC** agrandit l'espace. La surface de travail blanche et les modules paraissent s'enfoncer dans les murs.
- **UN CANAPÉ CONTEMPORAIN** ajoute un énergique accent de couleur. Son style longiligne convient parfaitement à l'atmosphère ordonnée de la pièce.

RISD
1978

LENIN
CLEOPATRA
NERO
Patrick
ELIZABETH I

UNE PIÈCE RÉUSSIE

Le palier d'un escalier forme un bureau compact ouvert sur la vue extérieure. Une bibliothèque coulissante évite le désordre et donne un espace largement dégagé.

- **UNE TABLE BUREAU EN L** se glisse dans l'angle formé par la balustrade ; son plateau de verre et ses lignes dépouillées n'enferment pas l'espace.
- **UN MUR D'ÉTAGÈRES COULISSANT** sépare le bureau d'une chambre voisine, qu'il peut fermer complètement.
- **DES PANNEAUX AIMANTÉS**, utiles dans cette pièce qui offre peu de surface murale, s'insèrent entre les étagères pour accueillir notes et mémos.
- **UN CANAPÉ MOELLEUX** offre un coin confortable pour lire, se réunir ou se relaxer.

TRAVAILLER AVEC STYLE

Un bureau sur un palier

Dans un espace ouvert, il est important de créer une unité de style entre le bureau et le reste de la maison.

Si vous cherchez un endroit pour votre bureau et qu'aucune pièce n'est disponible, pensez à une autre possibilité. Il suffit de trouver un espace où existe au moins une cloison partielle qui puisse accueillir des étagères, et offrant assez de place pour un bureau et une chaise. Un large palier, un couloir, une alcôve, une véranda ou une fenêtre en renfoncement peuvent convenir avec un peu d'organisation.

Vous devez avant tout garder une unité de style pour conserver l'harmonie de la maison, les meubles du bureau faisant écho au décor environnant ou adjacent. Avec un bureau ouvert, il vaut mieux choisir des meubles qui occupent peu d'espace visuel. Évitez le lourd mobilier de bureau et optez plutôt pour des éléments graciles à plateau de verre. Trouvez aussi un moyen pour ne pas être dérangé. Des portes coulissantes, rideaux ou paravents fermeront l'espace, si nécessaire, sans nuire à l'impression de fluidité.

Dooble.
AERO

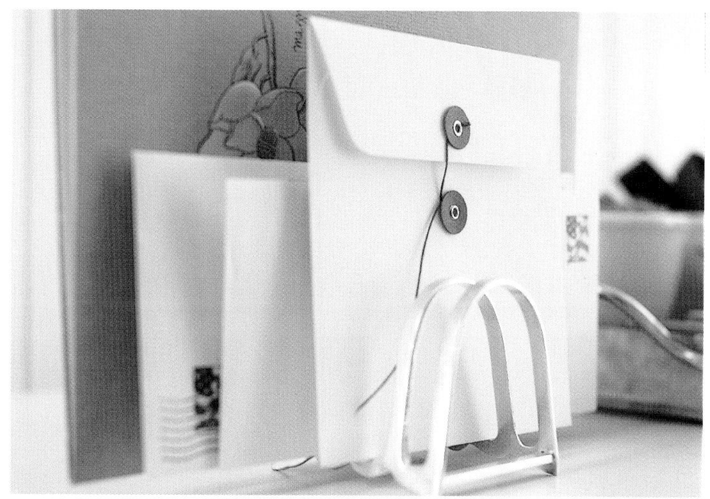

AJOUTEZ DE L'ÉLÉGANCE ET DE L'HUMOUR À VOTRE ESPACE DE TRAVAIL AVEC DES TRÉSORS RECONVERTIS EN ACCESSOIRES.

Une antique boîte à lettres d'hôtel, *page opposée en haut*, installée sur un mur, sert à trier les factures.

Un U métallique, *page opposée en bas*, autrefois sur l'enseigne d'une boutique, devient un tableau pense-bête. Aimants, pinces et plots magnétiques maintiennent fermement les cartes de visite, les notes, les cartes postales et les coupures de journaux.

Un cadre doré, *à gauche*, muni d'une vitre, sert de panneau d'affichage. Les documents sont scotchés sur la vitre, et un marqueur permet d'écrire sur le verre.

Les trieurs à courrier, *ci-dessus*, sont personnalisés ou réinventés. Deux ressorts tendus (en haut) deviennent un trieur à lettres ; un ancien porte-toasts se transforme en classeur pour les enveloppes de grande taille.

PARTAGER
L'ESPACE DE TRAVAIL

Le seul moyen de trouver de l'espace pour un bureau est parfois de s'imposer dans une pièce déjà utilisée. Cuisine, chambre des parents, chambre d'amis et séjour peuvent convenir, au moins à temps partiel, sans pour cela sacrifier leur fonction et leur atmosphère. Avant de vous décider, voyez comment l'espace de ces pièces est généralement utilisé. Si une pièce est libre pendant la journée, vous pouvez probablement consacrer au moins un de ses murs à un espace bureau. Prenez aussi votre décision en fonction du genre et de la somme de travail que vous effectuez. La cuisine est mieux adaptée à un travail rapide, tel que faire des devis ou établir un emploi du temps ; la chambre convient mieux pour lire ou écrire mais n'aime guère le matériel informatique ou les piles de papiers. La chambre des parents ou la chambre d'amis, peu utilisée, convient si vous installez un bureau à plein temps. Quel que soit votre choix, créez un bureau confortable et élégant, dont les meubles et les accessoires sont en harmonie avec le reste de la pièce et respectent son atmosphère.

CHAQUE PIÈCE SUSCEPTIBLE DE DEVENIR UN ESPACE DE TRAVAIL POSSÈDE SES PROPRES AVANTAGES, MAIS AVEC UN PEU D'HABILETÉ, VOUS POUVEZ CRÉER UN MÉLANGE HARMONIEUX BUREAU-MAISON DANS PRESQUE TOUTES LES PIÈCES.

UNE PIÈCE RÉUSSIE

Cette pièce commune toute blanche abrite un bureau spacieux, derrière un grand canapé. Couleurs et tissus suivent le même thème, la zone de travail devenant une extension naturelle du séjour.

- UN CANAPÉ INTÉGRÉ fait office de cloison partielle. Pour utiliser au mieux l'espace, sa structure incorpore un étroit plan de travail prolongeant le dossier.
- DES TIROIRS DE RANGEMENT glissés sous le canapé abritent le matériel de bureau ; des étagères accueillent livres et lampes.
- LES SPOTS HALOGÈNES peuvent être orientés vers le haut pour donner une lumière d'ambiance ou vers le bas pour un éclairage ponctuel, en soulignant ainsi la zone de travail.

PARTAGER L'ESPACE DE TRAVAIL

Un coin bureau

Profitez des grandes pièces existant dans les maisons contemporaines pour annexer un coin qui vous permettra de travailler au calme mais aussi de vous détendre et de vous reposer.

La plupart des maisons possèdent une pièce à vivre multi-usages. Ce lieu, souvent libre dans la journée quand les enfants sont à l'école, convient parfaitement pour créer un coin bureau.

Pour que la famille ne vienne pas vous déranger lorsque vous travaillez, définissez les limites de votre bureau : un grand meuble, canapé ou bibliothèque, peut former un « mur » délimitant votre espace de travail. Dans l'atmosphère décontractée d'une pièce familiale où une vraie barrière ne serait pas de mise, une séparation subtile est suffisante. Servez-vous de l'éclairage pour renforcer la séparation entre les zones séjour et bureau. Spots, appliques, lustres et lampes orientés sur l'espace de travail vous permettent « d'éteindre » le bureau quand il est l'heure de rejoindre la famille. Comme dans toute pièce à double usage, gardez une unité de style entre les deux zones.

HOUSE BOOK
SIGNATURE STYLE
The Ultimate Book of Historic Barns
FARM
HOUSES
New York Interiors
BERNARD MAYBECK
FAY JONES
LUIS BARRAGAN
HOUSE BOOK
GREAT ESCAPES

Zona Home
ANDY GOLDSWORTHY
GREAT ESCAPES
THE GARDENS OF FLORENCE
Paris Interiors
North Carolina Architecture

La chambre bureau

Apporter du travail dans la chambre à coucher peut être un plaisir si l'espace bureau se fond harmonieusement dans le reste de la pièce.

Installer une zone travail dans une pièce consacrée au repos peut sembler un défi, mais en choisissant soigneusement les meubles, vous pouvez fondre la zone de travail dans l'ensemble de la pièce. Dans une chambre bureau bien pensée, le travail ne vous empêche pas de vous coucher, ni le lit de travailler.

Étant donné la vaste gamme de meubles de bureau disponible sur le marché, vous n'aurez aucune difficulté à assortir l'espace bureau au décor de la chambre. Vous pouvez aussi choisir des meubles non spécialisés mais qui s'adaptent facilement, telles les tables de salle à manger, les consoles ou les chaises tapissées.

D'autres astuces vous aideront à incorporer l'espace travail au décor. Les meubles à double usage, comme un petit bureau servant de table de chevet, n'encombrent pas. Les meubles de rangement décoratifs évitent le désordre sans nuire à la quiétude de la pièce.

UNE PIÈCE RÉUSSIE

Tout un espace bureau s'intègre paisiblement dans l'alcôve de cette chambre. L'architecture définit subtilement la zone de travail et les meubles se fondent dans l'atmosphère sereine.

- LA CHAISE TAPISSÉE ET LA LAMPE à poser s'intègrent parfaitement au décor de la chambre.
- LA TABLE DE SALLE À MANGER est adaptée au grand espace vitré. De style simple, elle reste discrète.
- UN BANC EN BOIS accessible de tous côtés joue le rôle de séparation entre les zones sommeil et travail.
- DES PILES DE LIVRES couronnés par des galets forment un plaisant arrangement, tout en renforçant la séparation.

L'ESPACE LOISIRS

« DANS LA MAISON
DE MES RÊVES, JE PEUX
ME RELAXER, CHAQUE
ESPACE M'OFFRANT
DES RAISONS DE M'ARRÊTER,
DE PARESSER, AUXQUELLES
JE NE PEUX RÉSISTER. »

COMMENT RÉUSSIR

L'ESPACE LOISIRS

Se reposer est une nécessité. À l'intérieur comme à l'extérieur de la maison, sachez créer des espaces apaisants et si attirants que vous ne pourrez vous empêcher de vous y arrêter pour vous relaxer.

Les loisirs varient selon les personnes et ils englobent diverses activités, individuelles ou partagées. Faites en sorte que le coin télévision, l'atelier, le patio, la véranda ou la salle de jeux des enfants soient aussi attrayants que votre living ou votre chambre. Dans les pages suivantes, nous vous indiquons comment procéder pour apporter élégance et confort aux espaces réservés à la détente de chaque membre de la famille.

277 Le coin multimédia

283 Inspirer la créativité

291 Les joies du plein air

Comment organiser l'espace loisirs

Le meilleur moyen de gérer le stress est de prévoir du temps libre dans votre emploi du temps : si vous laissez ce soin au hasard, vous n'en aurez jamais. La même démarche s'applique à votre famille. Si vous créez un espace loisirs, elle l'utilisera.

Les exigences des activités communes diffèrent de celles des activités individuelles, mais toutes deux doivent trouver leur place dans la maison. Vous avez ainsi l'occasion d'encourager les talents et intérêts de vos enfants, qui doivent pour cela disposer d'un espace réservé. En aménageant un espace consacré à la créativité, vous lui donnez ses lettres de noblesse. Il est également important que vous disposiez de votre propre espace (une pièce inutilisée ou simplement une petite partie d'une pièce, ou même un meuble, bureau ou espace de rangement), qui vous permettra de vous livrer à votre activité sans avoir à tout réorganiser à chaque séance, qu'il s'agisse de couture ou de calligraphie, de modelage ou de sculpture sur bois.

Installer un espace multimédia est un moyen de rassembler toute la famille. Aujourd'hui souvent comprise dans les nouvelles constructions, la pièce multimédia est facile à ajouter dans une maison existante. Étant généralement peu éclairés, les sous-sols et les greniers inutilisés conviennent parfaitement pour le home-cinéma. Autre possibilité, la chambre d'amis, qu'il suffira d'assombrir avec des stores ou des rideaux occultants. Les placards forment un excellent espace de rangement pour les CD, le lecteur DVD, la télévision, la chaîne hi-fi.

UN COIN MULTIMÉDIA COMPACT

Un coin multimédia (ci-dessus et page précédente) occupe le large palier d'un escalier. L'absence de fenêtres permet d'éviter les reflets gênants.

■ LES SIÈGES SONT ADAPTÉS aux spectateurs de tous âges. Un pouf sur roulettes sert de repose-pieds, de table d'appoint ou de siège.

■ TÉLÉVISION ET HAUT-PARLEURS seront moins en évidence dans un meuble de télévision noir.

■ LES NOMBREUX ACCESSOIRES qui accompagnent la télévision, le home-cinéma et la musique réclament des espaces de rangement. Groupez-les par catégories afin que tout soit en ordre.

UNE PIÈCE POUR LA COUTURE ET L'ARTISANAT

Pour tous ceux qui se sentent une vocation irrésistible, installer un atelier à la maison peut suffire à épanouir leur créativité. Cependant, même si vous disposez d'un espace bien à vous, vous devez l'organiser pour exercer votre activité.

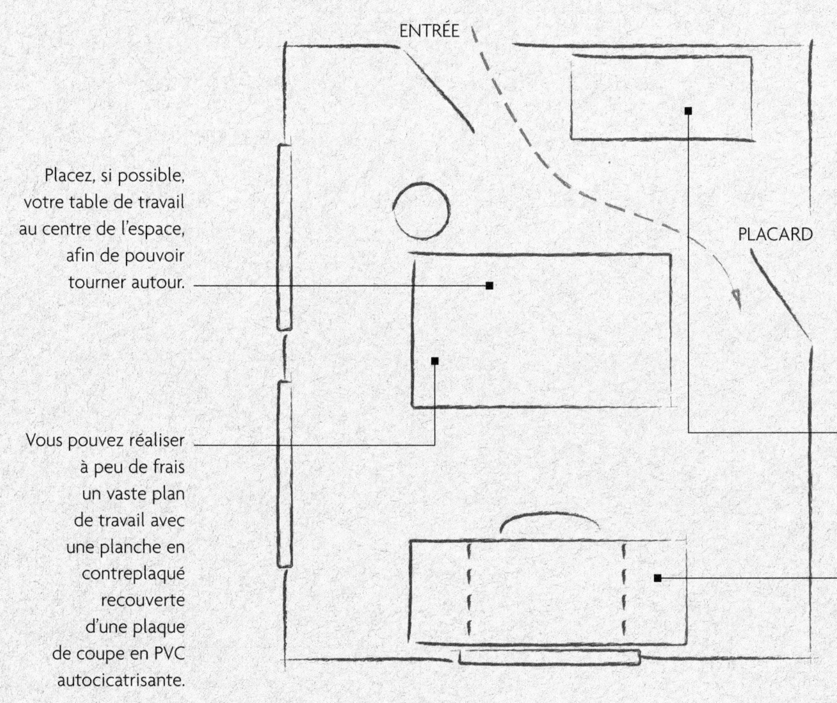

Placez, si possible, votre table de travail au centre de l'espace, afin de pouvoir tourner autour.

Vous pouvez réaliser à peu de frais un vaste plan de travail avec une planche en contreplaqué recouverte d'une plaque de coupe en PVC autocicatrisante.

Une série d'étagères offre des rangements verticaux sans prendre trop de place au sol. Garnissez-les de paniers qui accueilleront les divers outils de travail.

Les modules pour dossiers, les tiroirs empilés et autres systèmes de rangement forment un support pour une table ou un bureau, en utilisant efficacement l'espace.

SALLE DE JEUX FAMILIALE

Si vous avez la chance d'avoir une pièce inutilisée dans votre maison, faites-en un lieu où chacun vient se détendre. Cet espace est conçu pour les parents et les enfants de tous âges : du tout-petit à l'étudiant.

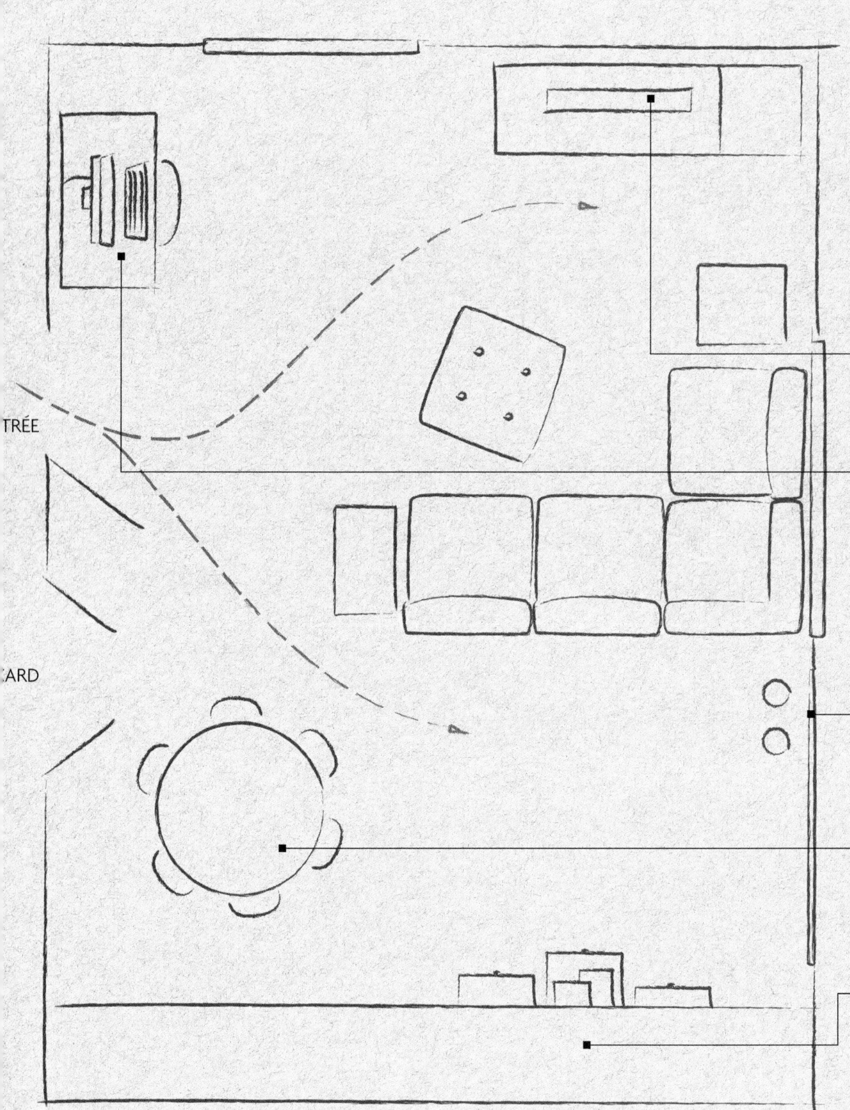

Le meuble-support de télévision accepte les plus grands écrans. Un élément latéral abrite l'ensemble stéréo, les CD et les DVD, et autre matériel audiovisuel.

Les adultes peuvent utiliser l'ordinateur tout en surveillant les enfants.

Les enfants adorent écrire sur le mur-tableau. Laissez craies et chiffons à proximité, dans des corbeilles.

La table de jeux, à surface lavable, doit être assez basse pour les enfants mais suffisamment grande pour leurs projets.

Transformez l'espace en soupente d'un grenier en rangements pour les plus jeunes enfants, avec des caissons ouverts qui abriteront leurs jouets et seront faciles à ranger.

UN ESPACE MULTIMÉDIA

Un espace multimédia peut être une pièce luxueuse ou bien ne comporter que quelques modules encadrant un écran.

Emplacement des sièges

Considérez l'espace dont vous disposez avant de vous précipiter pour acheter un home-cinéma. La qualité de l'image dépend autant de la distance de l'écran par rapport aux sièges que de sa taille. Pour calculer la bonne distance, multipliez la diagonale de l'écran par 2-2,5. Par exemple, si celle-ci est de 75 centimètres, l'écran devra être éloigné des sièges de 1,50 à 1,90 mètre. Si elle est de 145 centimètres, l'écran sera placé à une distance de 3 à 3,50 mètres.

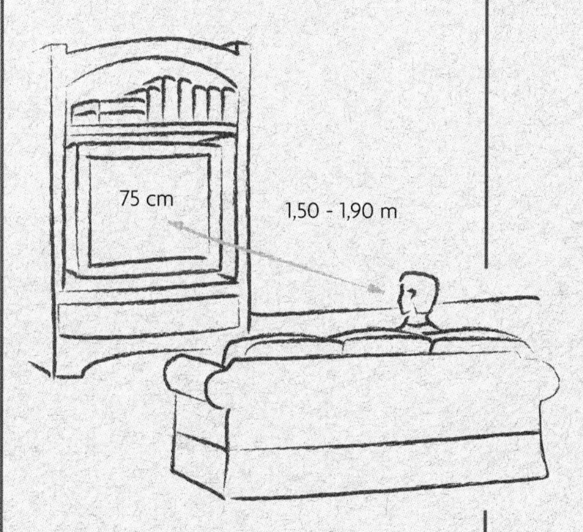

Meuble multimédia

Vérifiez bien la largeur et la hauteur de votre téléviseur avant de choisir un meuble spécifique.

Haut-parleurs

Pour un home-cinéma à multiples haut-parleurs, suivez les indications données par le fabricant quant à leur emplacement. En règle générale, placez les baffles en les espaçant bien et en les éloignant des murs, la distance entre vous et chaque baffle devant être supérieure à la distance entre les baffles.

Sièges

Un canapé modulable peut accueillir confortablement plusieurs personnes, mais prévoyez aussi des fauteuils à roulettes ou autres sièges mobiles.

Isolation

Une moquette ou de grands tapis et des doubles rideaux sont indispensables dans cette pièce, les surfaces dures affectant la qualité du son.

funk & soul
YOGA
flexibility
YOGA
flexibility
JONAH
JONES

Les multimédias ont considérablement évolué au cours de ces trente dernières années, en même temps que notre mode de vie. Musique au son de qualité que l'on peut écouter dans chaque pièce de la maison, films apparaissant à la demande sur nos écrans plats, bibliothèques de CD et de DVD aux choix multiples, tous ces plaisirs ont non seulement transformé la façon dont nous abordons nos loisirs, mais ils ont aussi révolutionné la manière dont nous organisons notre maison. Que vous disposiez d'une

LE COIN MULTIMÉDIA

LES MEUBLES MULTIMÉDIAS BIEN CONÇUS SONT L'IMAGE DE L'ORDRE : TOUT EST À PORTÉE DE MAIN ET L'ENSEMBLE FORME UN ÉLÉMENT DÉCORATIF À PART ENTIÈRE.

pièce séparée consacrée aux loisirs ou d'un grand espace multimédia au sein d'une autre pièce de la maison, l'ordre doit régner si vous voulez que ces activités s'intègrent sans heurts à votre maison. Heureusement, on trouve aujourd'hui des meubles spécialement conçus pour abriter le matériel vidéo, et dont le style peut s'intégrer au décor de n'importe quelle pièce. La plupart d'entre eux comportent des rangements pour les accessoires, avec des espaces pour la vidéo ou les consoles de jeux et des tiroirs pour les télécommandes. Vous pouvez aussi opter pour des meubles anciens et décoratifs. Vous aménagerez sans peine des rangements élégants et raffinés.

Une place pour chaque chose

Si une pièce consacrée aux loisirs est organisée logiquement, tout doit facilement trouver sa place.

Les médias sont de plus en plus nombreux pour une place de plus en plus restreinte. Les rangements adaptés sont le meilleur moyen de maximiser l'espace disponible. Comme pour toute pièce, ranger est affaire de bon sens et de simplicité. Les choses se rangeront d'elles-mêmes si vous leur assignez une place bien précise. Laissez ce qui est très souvent utilisé à portée de main et des yeux, mettez les DVD favoris des enfants dans une caisse près du lecteur, par exemple, et les autres cachés dans un placard ou un meuble. Pour faciliter le rangement, réglez la hauteur des étagères en fonction de ce qui doit s'y trouver.

UNE PIÈCE RÉUSSIE

Une pièce ordonnée commence par un système de rangement personnalisé, chaque utilisateur connaissant exactement la place de chaque objet.

- DES ÉTAGÈRES RÉGLABLES transforment un placard en rangements pour CD, DVD, cassettes vidéo, albums de photos. Pour utiliser au mieux l'espace, la hauteur des étagères est réglée en fonction des objets qui doivent y trouver place.
- LES DOSSIERS contenant des photographies, lettres et souvenirs ajoutent à l'impression d'ordre par leurs format et couleur assortis.
- DES BOÎTES EN PLASTIQUE TRANSPARENT laissent à portée de main les CD favoris du moment sans qu'il soit besoin de les chercher longtemps.
- LES OBJETS SOUVENT UTILISÉS sont rangés de façon décorative sur des étagères ouvertes.
- LES TÉLÉCOMMANDES, placées en évidence, attendent bien sagement.

pop hits
lounge
classical

MADRID
SEVILLE
TOLEDO

UNE PIÈCE RÉUSSIE

Cette pièce familiale raffinée minimise son rôle d'espace multimédia et invite aussi à la lecture ou aux jeux de société.

■ **DANS CETTE PIÈCE MULTIMÉDIA,** un ensemble de modules en forme de cube fait de chaque étagère un présentoir indépendant.

■ **LE MEUBLE DE TÉLÉVISION** indépendant, intégré dans l'ensemble des modules, présente des tiroirs de rangement empilés. Des portes cachent le tout quand le téléviseur est éteint.

■ **LES FAUTEUILS** recouverts d'alcantara et les poufs en cuir foncé sont d'entretien facile.

■ **UNE PALETTE DE COULEURS DOUCES** met en valeur le mur présentoir.

LE COIN MULTIMÉDIA

Un ensemble équilibré

Les modules personnalisés de ce bel ensemble intègrent la télévision, en l'entourant d'objets divers et de collections.

Intégrer le téléviseur dans un ensemble de modules présentant des objets et différents bibelots constitue une solution de rangement aussi efficace qu'élégante. En entourant l'écran d'une série d'étagères, il perd sa place prépondérante et l'ensemble reste attrayant, que les portes du module télévision soient ouvertes ou fermées. Le procédé est intéressant pour les pièces à double usage telles que le séjour, la chambre ou le bureau. Les accessoires multimédias devant être rangés le plus près possible du téléviseur, prévoyez des tiroirs et des étagères à l'intérieur du module télévision. Les portes escamotables sont particulièrement astucieuses.

Si vous partagez cet espace avec les enfants, choisissez des tissus faciles à nettoyer : textiles légèrement texturés, en coton notamment. Le cuir ou l'alcantara lavables habillent les sièges avec élégance.

INSPIRER LA CRÉATIVITÉ

Chacun de nous ressent un jour ou l'autre des élans de créativité. Mais celle-ci ne pourra s'exprimer concrètement que si vous disposez d'un espace bien à vous. Quel que soit votre hobby – art tranquille ne nécessitant que papier et crayon, ou plus encombrant, tel que tissage ou poterie –, il est important que vous disposiez d'un espace réservé. Les espaces créatifs les plus efficaces sont faits d'un mélange d'organisation et d'inspiration. Commencez par déterminer l'espace approprié à vos ambitions. Créez une impression d'ordre avec des meubles, un éclairage et des rangements bien conçus. Puis concentrez-vous sur les détails. Entourez-vous des objets que vous aimez et qui vous inspirent. Faites de la place sur les étagères pour les livres de référence et les magazines. Ajoutez un fauteuil qui vous incitera à la réflexion.

L'ESPACE OÙ VOUS PRATIQUEZ VOS PASSE-TEMPS FAVORIS DOIT VOUS INSPIRER PERSONNELLEMENT. ORGANISEZ-LE AVEC SOIN, MEUBLEZ-LE CONFORTABLEMENT ET DONNEZ-LUI DU CARACTÈRE.

Un atelier ensoleillé

Les peintres recherchent la pureté de la lumière du jour pour pratiquer leur art. Les espaces créatifs les plus efficaces célèbrent l'ordre et la lumière.

Le peintre recherche avant tout la lumière naturelle. Si vous faites de même dans votre propre espace, vous déborderez d'énergie et votre inspiration sera décuplée.

Que votre espace créatif comporte un chevalet, un bureau, un établi d'ébéniste ou une table de coupe, tout doit être conçu simplement. Placez votre surface de travail de façon à profiter largement de la lumière du jour. Car la lumière naturelle – idéalement celle du nord – stimule la créativité et met de bonne humeur. Pour qu'elle traverse librement vos fenêtres, choisissez de simples voilages ou des stores (si vous n'avez pas de vis-à-vis, laissez-les nues).

UNE PIÈCE RÉUSSIE

Inondé de lumière et meublé simplement, cet atelier de calligraphe donne la première place aux outils quotidiens et au travail en cours.

- **SUR LES DEUX CÔTÉS DE LA PIÈCE,** les fenêtres nues baignent le plan de travail de lumière naturelle.
- **UN SECRÉTAIRE EN BOIS** dont la petite taille est adaptée à la pièce sert de présentoir et de rangements pour les dessins terminés et les fournitures.
- **DES ÉCHANTILLONS DU TRAVAIL DE L'ARTISTE,** suspendus à une simple ficelle et bien éclairés, forment en eux-mêmes des objets décoratifs.
- **DES LIVRES EMPILÉS** sur le sol contribuent à l'atmosphère décontractée et apportent une note colorée, sans encombrer les murs.
- **UNE LAMPE D'ARCHITECTE** fixée sur la table à dessin donne un éclairage d'ambiance ou ponctuel.

COLOR

Décor écologiste

Cet abri de jardin rustique mais ordonné offre une véritable leçon d'organisation applicable à toutes sortes d'espaces créatifs.

« Chaque chose à sa place » est plus qu'un simple dicton. C'est une philosophie dont toute personne créative peut profiter. Chaque activité ayant un ordre naturel, tenez compte des étapes de votre travail pour installer votre espace.

Cet abri de jardin bien organisé constitue un parfait exemple. Il alloue différentes zones à des activités spécifiques : repiquer les jeunes plants, rempoter, étudier les manuels d'horticulture… Il comprend des rangements soigneusement conçus pour le terreau, l'engrais, les graines, les outils, avec un endroit pour les nettoyer. Et même, petite touche personnelle, une place pour épingler des notes de travail et aligner des collections.

UNE PIÈCE RÉUSSIE

Cet abri de jardin équipé d'étagères, de seaux et de plans de travail galvanisés offre un endroit plaisant et efficace aussi bien pour jardiner que pour s'organiser.

- **LES ZONES DE TRAVAIL** sont aussi organisées que dans une cuisine. Les parties humides, où le terreau s'éparpille, sont séparées des surfaces sèches, consacrées à la lecture.
- **LES OUTILS À MAIN** sont nettoyés dans un seau de sable sec puis rangés dans le même sable, ce qui leur évite de rouiller.
- **LES TIROIRS EN BOIS** sont cloisonnés pour séparer les liens, étiquettes et paquets de graines et les empêcher de s'égarer.
- **LES MATÉRIAUX DE RÉCUPÉRATION,** unifiés par une peinture blanche, conviennent bien à cet abri rustique.
- **UNE COLLECTION DE CADENAS** ajoute une note humoristique et personnelle à l'espace.

UNE PIÈCE RÉUSSIE

L'utilisation de la couleur, l'étalage des outils et des fournitures ainsi que l'emploi intelligent de l'espace créent une atmosphère aussi attirante qu'une galerie de peinture.

- UNE PLAQUE DE PLEXIGLAS sur le plateau du bureau constitue un beau présentoir pour les petits outils et les fournitures.
- LA POSITION DE LA TABLE CENTRALE formée de modules ouverts laisse toute la place nécessaire pour tourner autour et facilite l'accès aux rangements sur les quatre côtés.
- DE MULTIPLES CONTENANTS aussi astucieux que plaisants – boîtes de conserve, bocaux, tiroirs et même une boîte à outils – limitent le désordre.

INSPIRER LA CRÉATIVITÉ

L'œil du peintre

Quand vous installez un atelier, regardez-le avec l'œil du peintre. Donnez-lui de la personnalité en laissant libre cours à votre imagination.

Les artistes savent trouver l'ordre dans le chaos, talent qui s'étend parfois à leur environnement tout autant qu'à leur œuvre. L'imagination du créateur fera de l'atelier une pièce aussi personnelle qu'une œuvre d'art.

Pour rendre votre espace harmonieux, trouvez des moyens créatifs et astucieux pour ranger vos outils, vos matériaux ou le travail inachevé. Cherchez des idées neuves et amusantes – des boîtes de peinture vides fixées sur le mur pour le courrier, par exemple, ou des rangements inattendus, comme une chaise d'enfant où vous empilerez le matériel fréquemment utilisé. Les rangements muraux vous laisseront toute liberté pour occuper le centre de l'espace, et les rangements pratiqués sous une table de travail seront faciles d'accès, vous permettant de circuler librement tout autour.

HANDMADE
DON'T
BE
TOO
CAREFUL

SUMMER BODY SPECIAL

LES JOIES DU PLEIN AIR

QUOI DE PLUS NATUREL QUE SORTIR EN PLEIN AIR QUAND IL FAIT BEAU ? PROFITEZ DE LA BELLE SAISON POUR CRÉER DANS VOTRE JARDIN DES ESPACES RÉSERVÉS À LA RELAXATION.

Il n'est pas indispensable de faire une promenade dans les bois ou sur la plage pour profiter du plein air. Le patio, la cour ou tout simplement la terrasse peut devenir un lieu propice aux joies du plein air et à la détente. L'espace extérieur est souvent négligé au profit de l'intérieur, ce qui est dommage. Transformez le vôtre en un lieu de vie aussi confortable que le reste de votre maison, en choisissant avec soin les meubles de jardin, dans la simplicité du style campagnard, l'élégance du style paquebot ou la fraîcheur du style cabine de plage. Les tissus résistants à l'humidité vous permettent de coordonner les accessoires, tout comme au salon. Organisez des espaces qui facilitent vos activités (ou non-activités !) de plein air favorites. Recherchez le confort avec des sièges moelleux, de nombreuses surfaces où pouvoir poser un verre, des coussins rebondis encourageant la paresse. Quelques nappes et napperons, bougies, lanternes et accessoires personnalisés, tels que jetés de lit et oreillers, mettront la dernière touche à votre havre de paix.

Style cabine de plage

Bien meublé, un cabanon près de la piscine peut devenir la pièce favorite de la maison pendant toute la belle saison.

Profitez des joies du plein air en associant la beauté et le confort à un entretien facile. Prévoyez suffisamment de sièges pour chacun et des tissus résistants qui supportent les caprices de la météo. Choisissez un mobilier pratique, en bois dur traité contre l'humidité. Ajoutez matelas et coussins aux couleurs vives, qui rappellent celles de la nature, en tissus lavables pour qu'ils restent impeccables pendant toute la belle saison. Protégez-vous du soleil avec des stores ou des parasols en toile. Achetez de la vaisselle solide et ajoutez quelques touches personnelles, comme des serviettes de bain roulées, des bougies, de petites tables d'appoint et des bouteilles d'eau fraîche.

UNE PIÈCE RÉUSSIE

Sur deux côtés de la piscine, un coin repos invite irrésistiblement à se prélasser au soleil ou à se détendre à l'ombre.

- LES CHAISES LONGUES EN BOIS traité, aux matelas houssés de tissu éponge de couleurs vives, sont équipées de plateaux intégrés. Un porte-bouteilles garni de tongs invite chacun à se servir.
- DES PARASOLS offrent leur ombre près de la piscine. Un store et des rideaux en toile au-dessus de sièges confortables forment un endroit agréable pour se détendre et déjeuner à l'abri du soleil.
- DES BANCS EN TECK servant également de tables basses peuvent être apportés près de la piscine.
- LES PLATEAUX EN PLASTIQUE COLORÉ ne redoutent pas les éclaboussures. Des quartiers de citron congelés remplacent les glaçons.

Un paradis citadin

Un petit balcon peut être aussi relaxant qu'une grande terrasse. Même un espace étroit peut abriter un coin de paradis.

Les citadins aiment tout autant se relaxer que leurs concitoyens habitant à la campagne. Il est heureusement facile d'aménager un espace vert paisible dans un patio ou sur un balcon. Commencez par en évaluer la taille et choisissez mobilier et plantes en conséquence. Quelques petits meubles bien pensés occuperont l'espace, qu'une simple rangée de plantes persistantes suffira à enclore. Choisissez des matériaux résistants et légers ; les contenants en plastique montés sur roulettes facilitent la rotation des plantes pour que chacune bénéficie du soleil. Enfin, n'oubliez pas l'éclairage : plusieurs lampes solaires piquées dans les pots créeront le soir une ambiance théâtrale.

UNE PIÈCE RÉUSSIE

Grâce à un remarquable sens des proportions, ce petit balcon citadin offre l'impact d'un grand jardin, plantes et meubles remplissant l'espace sans le surcharger.

- **DES PLANTES OPULENTES** disposées dans des pots légers en plastique adoucissent les bords du balcon en donnant l'aspect d'une bordure de jardin.
- **LES PLANCHES VIEILLIES**, simplement posées sur le ciment, ajoutent à l'aspect naturel et rustique du balcon.
- **DES LAMPES SOLAIRES** jettent le soir une douce lueur. Aussi écologiques que belles à regarder, elles ne demandent que six heures de soleil pour se recharger.
- **LA TABLE À PLATEAU MÉTALLIQUE**, proportionnée à ce petit espace, résiste aux intempéries. Un fauteuil rustique apporté sur le balcon quand il fait beau offre un siège confortable à qui veut se détendre.

UNE PIÈCE RÉUSSIE

Le charme de ce hangar à bateau est rehaussé par des meubles confortables mais faciles à entretenir, et des accents personnels déclinés sur le thème nautique.

■ **UN LAVIS DE PEINTURE CLAIRE** sur les simples murs de contreplaqué unifie et agrandit l'espace, en formant une toile de fond parfaite pour des accents de couleur vive.

■ **UN PANNEAU ÉQUIPÉ DE CROCHETS** définit un espace de rangement pour le matériel nautique et les affaires personnelles des membres de la famille.

■ **DES PHOTOS ET AUTRES IMAGES** donnent à l'espace la personnalité et le style d'une pièce de la maison.

■ **DES TAQUETS DE BATEAU** servent d'accroche-serviettes et même de poignées sur un plateau improvisé.

LES JOIES DU PLEIN AIR

Une pièce familiale dans un hangar à bateau

Meublé avec tout le confort d'un salon, ce hangar à bateau forme une parfaite retraite au bord de l'eau.

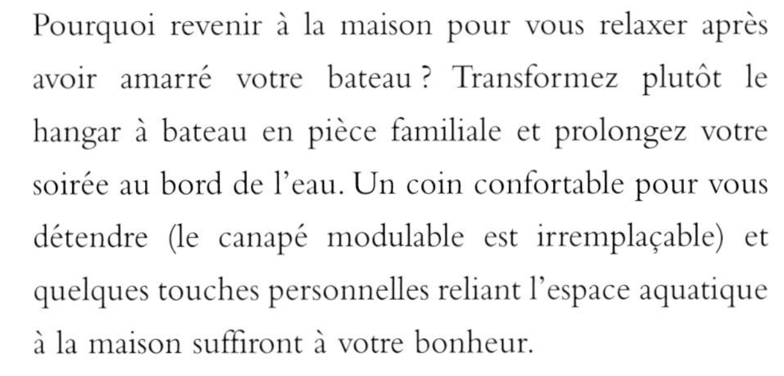

Pourquoi revenir à la maison pour vous relaxer après avoir amarré votre bateau ? Transformez plutôt le hangar à bateau en pièce familiale et prolongez votre soirée au bord de l'eau. Un coin confortable pour vous détendre (le canapé modulable est irremplaçable) et quelques touches personnelles reliant l'espace aquatique à la maison suffiront à votre bonheur.

Laissez les couleurs vives et les formes du matériel nautique guider le décor. Choisissez des meubles légers, faciles à ranger ou à rapporter dans la maison en fin de saison et recouvrez les sièges de tissus résistants, ne craignant pas les moisissures. Aménagez un endroit pour le matériel nautique, mais sans vouloir à tout prix le cacher ; la nature reste omniprésente.

SUMMER CHALLENGE
HATS
NO HATS

Un coin ombragé

Ce coin ombragé, parfait pour les déjeuners en plein air, les réunions et les jeux, s'intègre agréablement à une cour spacieuse.

Vous pouvez créer dans votre jardin, ou même dans une simple cour, l'atmosphère décontractée d'un déjeuner sur l'herbe à l'ombre des feuillages, suivi d'une partie de pétanque. Des arbres à croissance rapide, plantés en rangées, formeront bientôt un coin ombragé que les générations à venir apprécieront encore.

Le plan de ce salon de plein air, doublé d'un terrain de jeux, est simple et spectaculaire. Trouvez le lieu propice et plantez des rangées d'égale longueur d'arbres à croissance rapide, comme les peupliers ou les trembles. Pour compléter l'aménagement, étalez sur le sol une simple couche de gravillons, ne craignant ni l'ombre, ni les jeux, ni le passage.

UNE PIÈCE RÉUSSIE

Quelques touches de finition transforment ce décor simple en un lieu idéal pour les réunions de famille et les longs après-midi autour de la table ou sur le terrain de jeux.

- UNE NAPPE EN LIN FRAIS et des coussins moelleux sur les bancs de bois contribuent à l'atmosphère de fête, en donnant un aspect luxueux à cette simple table rustique.
- DES ASSIETTES EN FAÏENCE, et non en carton, et de « vrais » couverts sont des petits détails qui plaisent toujours.
- DES FAUTEUILS SUPPLÉMENTAIRES, disposés par deux ou groupés, encouragent les conversations et peuvent être placés en bout de table.
- DES LAMPES TEMPÊTES enfoncées fermement dans le sol et des lampes suspendues aux branches des arbres illuminent les soirées en plein air.
- DES CHAPEAUX DE PAILLE attendent d'être distribués pour des jeux à l'ancienne.

FAIRE UNE PETITE SIESTE À L'OMBRE, EN PLEIN AIR, EST L'UN DES PLAISIRS DES BEAUX JOURS. TROUVEZ LE LIEU IDÉAL ET INSTALLEZ UNE RETRAITE DOUILLETTE OÙ VOUS OUBLIEREZ TOUS VOS SOUCIS.

La chaise longue, insensible aux intempéries, *ci-dessus à gauche*, est toujours bien accueillie par les nageurs qui veulent se reposer et se détendre. Placez-la sous le store d'un patio et habillez-la de coussins, d'oreillers et d'une couverture légère.

Une tente en toile, *ci-contre*, forme une pièce en plein air. Pour qu'elle soit confortable tout l'été, meublez-la d'un lit de camp, d'un poêle portable et de nombreux coussins.

Ce coin de repos, *ci-dessus à droite*, s'installe en quelques minutes. Il vous suffit d'attraper un lit pliant, un oreiller et une couverture et de vous diriger vers le coin ombragé le plus proche.

Un hamac classique, *page opposée*, est une tentation estivale à laquelle il est difficile de résister. Au début de la saison, accrochez-le entre deux arbres feuillus, et vous aurez créé le coin idéal pour faire la sieste dans le vent léger.

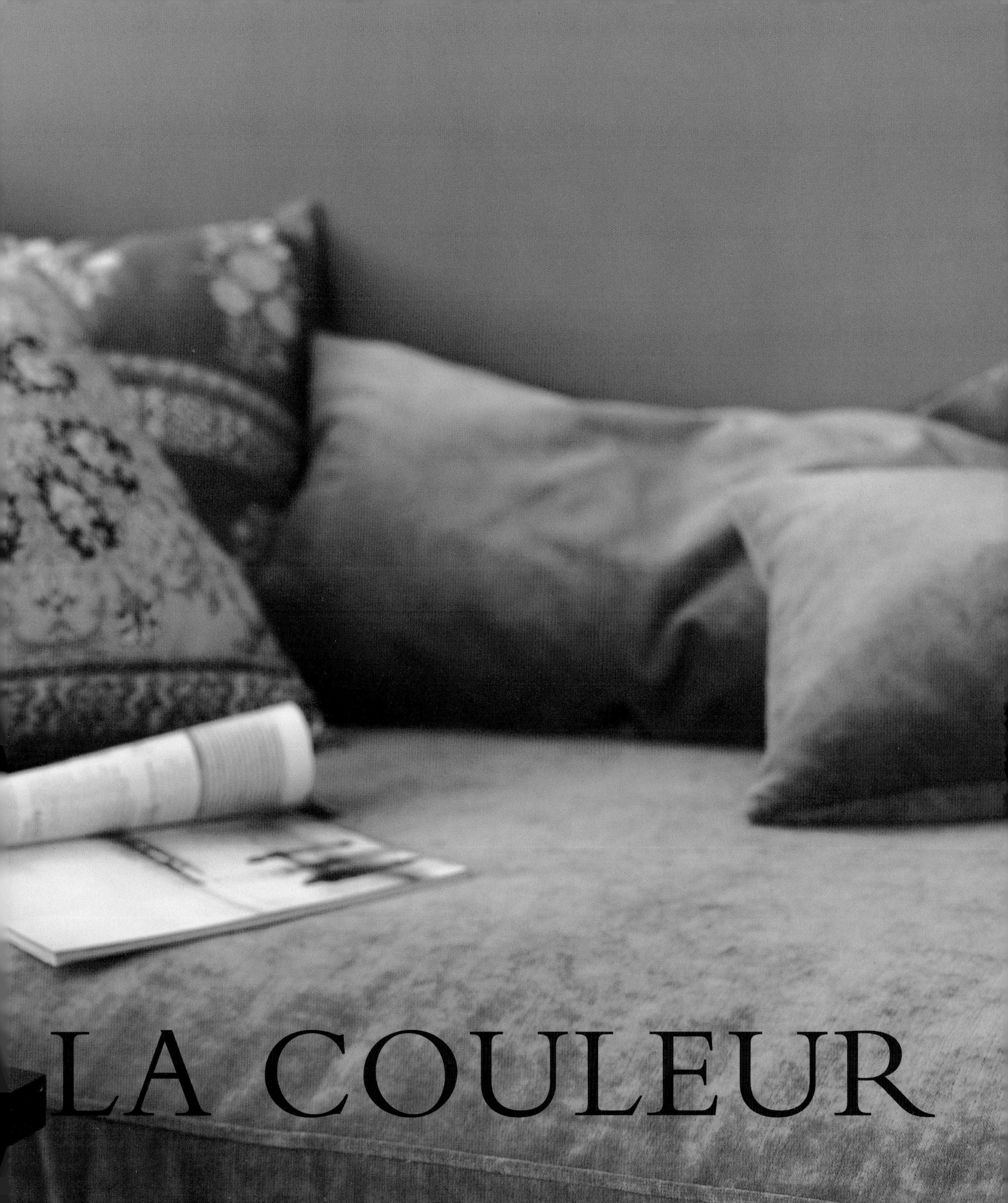

LA COULEUR

« LA COULEUR A LE POUVOIR DE CALMER, RÉCONFORTER, DONNER DE L'ÉNERGIE ET DE L'INSPIRATION. JE VEUX METTRE DE LA COULEUR DANS CHAQUE PIÈCE ET QU'ELLE Y JOUE SON RÔLE À LA PERFECTION. »

La couleur

Si vous avez envie de changer votre décor, commencez par identifier votre gamme de couleurs favorite. Vous n'aurez ensuite aucune difficulté pour harmoniser les couleurs de toute la maison.

Nous vous présentons dans les pages qui suivent nos couleurs préférées, en expliquant les raisons de notre choix. Le classement que nous avons établi se répartit entre deux catégories générales, avec d'un côté les couleurs neutres et les couleurs de terre, et de l'autre les couleurs saturées et les couleurs douces. À l'intérieur de chaque catégorie, nos palettes favorites sont plutôt feutrées : plus poudreuses que vives, chaudes sans être éclatantes, confortables plutôt que spectaculaires. Ce sont des teintes qui résonnent mais ne se font jamais criardes, reflétant ainsi notre approche. Pour nous, en effet, les couleurs doivent mettre en valeur et non dominer le mobilier d'une pièce.

Même si vous ne repeignez qu'une seule pièce, il est conseillé de concevoir au préalable un plan de couleurs pour la maison tout entière. En créant une suite fluide de couleurs de pièce en pièce, vous obtiendrez un ensemble harmonieux et vous simplifierez le choix des coloris pour chaque espace. Prenez les exemples ci-après comme point de départ. Les reproductions sur papier pouvant être légèrement différentes des teintes en pot, faites un test sur le ou les murs concernés avant de vous décider.

LUMIÈRE ET VALEUR

Une couleur peut offrir toute une gamme de tons, du plus clair au plus foncé, qui varient selon l'éclairage.

■ LA LUMIÈRE NATURELLE ET L'OMBRE transforment l'aspect de la couleur d'une peinture en valeurs dégradées de l'original qui, comme on le voit ci-dessus, paraissent presque des couleurs différentes. Faites un test à la lumière du jour et à la lumière artificielle, pour vérifier la gamme.

■ LA VALEUR indique la caractéristique claire ou foncée de la couleur. Ci-dessus, les valeurs vont du plus clair, en haut, au plus foncé, en bas. Le choix de différentes valeurs d'une même teinte permet de coordonner efficacement les couleurs de chaque pièce.

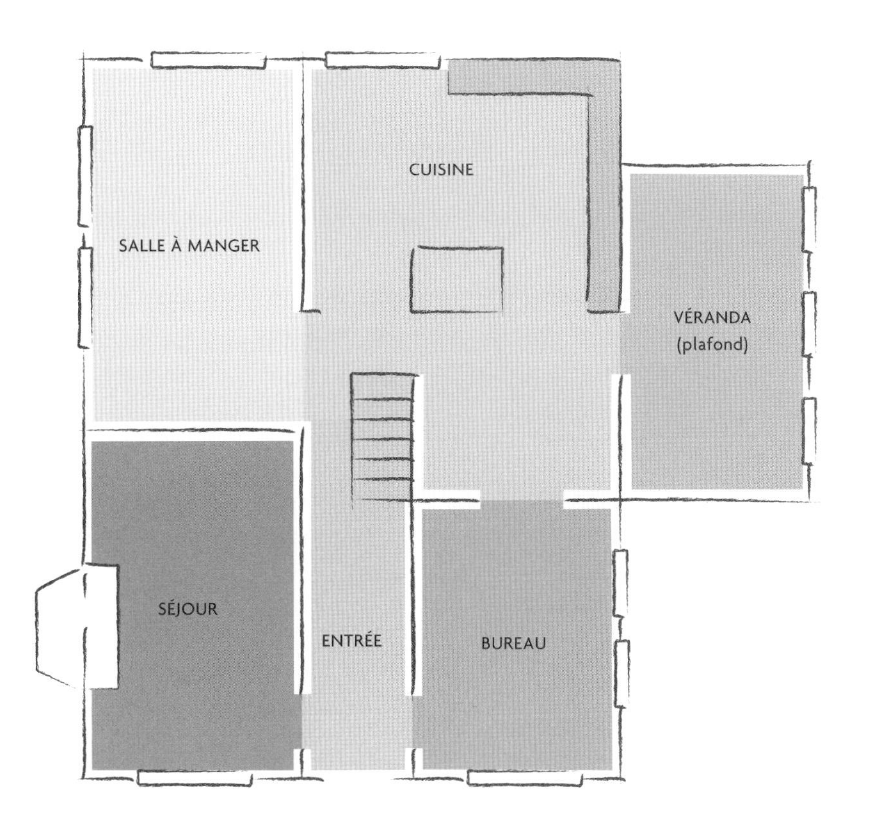

ÉTABLIR UN PLAN DE COULEURS

En établissant un plan de couleurs pour toute la maison, vous aurez une palette cohérente, chaque teinte étant soutenue par les autres.

- DES TONS DE MÊME VALEUR permettent d'unifier les différentes couleurs des murs qui s'offrent à la vue ensemble, comme dans le séjour, le bureau et l'entrée.
- DANS L'ENTRÉE, choisissez une couleur qui se marie avec les teintes des pièces adjacentes.
- LE GRIS TAUPE CHAUD du bureau appelle un gris complémentaire plus clair dans la cuisine.
- LES MURS DE LA VÉRANDA sont de la même couleur que la cuisine. Pour relier les espaces, la teinte des éléments de cuisine est reprise sur le plafond de la véranda.
- LA SALLE À MANGER adopte des tons neutres chauds, mais plus beiges que gris.
- LA BORDURE PEINTE dans toutes les pièces est d'un blanc un peu plus chaud que du blanc pur.

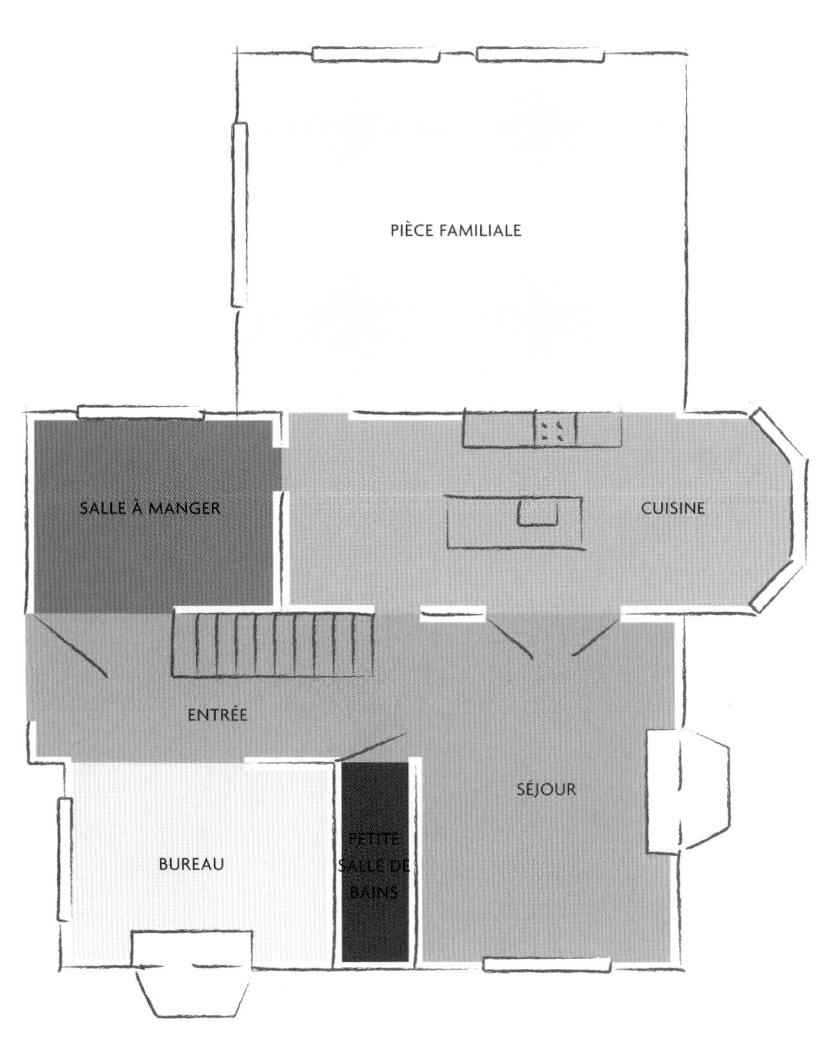

UN ESPACE DÉCLOISONNÉ

Quand plusieurs pièces s'offrent ensemble au regard, il est indispensable de coordonner la palette de toute la maison.

- COMMENCEZ PAR UNE COULEUR que vous aimez. Ce plan, par exemple, part du ton rouille foncé de la salle à manger. Une valeur plus claire est utilisée dans le bureau, de l'autre côté de l'entrée, pour tempérer la force de la couleur de la salle à manger.
- IL VAUT MIEUX RÉSERVER LES COULEURS SATURÉES, comme le rouille et le brun foncé de la petite salle de bains, à des espaces utilisés occasionnellement et non tous les jours.
- CONTINUEZ LE TON DE L'ENTRÉE dans le séjour, qui va dicter la couleur des autres pièces. Ici, un taupe moyen se marie avec les pièces adjacentes.
- CHOISISSEZ UN TON NEUTRE pour un espace central et partez de cette couleur. Un ton pierre clair ancre la cuisine, le taupe donne un peu plus de poids au séjour et le crème de la pièce familiale met en valeur ses dimensions.
- LES BORDURES SONT BLANCHES, un blanc très pur qui donne un aspect net.

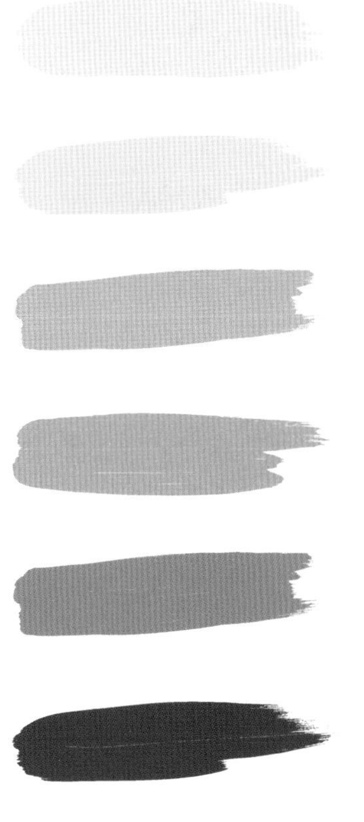

Les tons neutres et les couleurs de terre, que l'on trouve dans la nature, donnent un sentiment de bien-être : pierre, crème, ciel, jade, terre cuite et moutarde en sont de bons exemples. Nos couleurs neutres préférées se trouvent à l'extrémité claire du groupe, et nos tons de terre à l'extrémité foncée (voir palettes individuelles pages suivantes). Les couleurs neutres sont apaisantes et forment une excellente base pour des tons plus intenses. Des touches de couleur chaude apportent de la

COULEURS NEUTRES ET COULEURS DE TERRE

PLAISANTS ET FACILES À VIVRE, CES TONS FORMENT UNE PALETTE TRÈS POLYVALENTE, POUR UNE MAISON ACCUEILLANTE ET CONFORTABLE OÙ VOUS POURREZ APPRÉCIER LEUR EFFET RELAXANT.

profondeur à une pièce ; en général, les tons neutres chauds, tels que le crème ou le fauve, s'harmonisent avec les accents rouges et jaunes. Les tons neutres plus froids comme les gris et les blancs préfèrent les accents bleu frais et les tons froids de la palette. Les couleurs de terre sont une extension naturelle des tons neutres, mais sont plus riches et plus chaudes. Leur intensité peut être augmentée ou diminuée. Pour créer une atmosphère calme ou si la pièce est assez sombre, peignez un seul mur en couleur de terre forte, par exemple. Pour une atmosphère contemporaine, ajoutez aux tons de terre quelques éclats de couleurs claires et vives, comme le chartreuse ou le jaune soleil.

Choisir une palette de couleurs neutres

Les neutres englobent toute une gamme de variations subtiles, et des couleurs proches utilisées ensemble donnent de l'élégance à une pièce.

Les tons neutres sont les caméléons du monde de la couleur, une gamme presque infinie de blancs, gris et fauves, qui vont du chaud au froid et changent selon les variations subtiles de la lumière. Selon sa valeur (plus ou moins foncée), une couleur neutre peut servir de couleur dominante ou de toile de fond. Utilisés ensemble dans diverses valeurs, les tons neutres donnent une impression de texture. Leur fluidité en fait également un choix naturel pour les espaces décloisonnés. Les peintures neutres sont faites à partir d'une base incorporant des tons sous-jacents de rouge, jaune, vert ou bleu ; ce ton sera plus apparent quand la peinture est sur les murs. Ainsi, un fauve vrai est nuancé de rouge, le kaki de vert, et un autre fauve peut avoir des rehauts jaunes. De même, le gris devient chaud ou froid selon la quantité de rouge et de bleu de sa base. Il est difficile de voir la différence quand vous regardez une seule couleur, mais cela devient évident si plusieurs sont côte à côte. Quand vous choisissez des couleurs, examinez l'environnement, la couleur des sols – carrelage, moquette, bois – et tenez compte des caractéristiques architecturales comme la pierre ou la brique (le chêne, par exemple, est mis en valeur par des tons chauds). Choisissez pour les murs une couleur qui s'harmonise avec les tons sous-jacents des matériaux de la pièce, ou une teinte contrastante qui rehausse leurs couleurs.

UN TABLEAU D'AMBIANCE NEUTRE

Rassemblez des couleurs et des objets à votre goût et créez un « tableau d'ambiance » pour vous aider à choisir vos couleurs.

- UNE PALETTE SOURDE demande un mélange de textures particulièrement animé. Optez pour des velours, lins et autres textures qui donneront de la variété.
- CHOISISSEZ DES ÉLÉMENTS NATURELS, pierres, coquillages, paille ou bois vieilli, les textures rustiques donnant une ambiance décontractée à un espace neutre.
- CRÉEZ DES CONTRASTES en juxtaposant les tons chauds et froids. Vous n'avez pas besoin de couleurs vives pour animer ces accords : un bleu lavande pâle peut contraster avec un gris chaud ou un fauve, par exemple.

Blanc pur, *à gauche*
Les blancs sont des tons neutres absolus. Ici, un mur blanc crème est coordonné avec la gamme de tons blancs chauds des meubles et des accessoires, que complètent les bruns du bois sombre et du cuir souple. Bien que la pièce soit essentiellement monochrome, elle dégage une atmosphère chaleureuse et confortable due à l'équilibre entre les accents de couleur et les tons sous-jacents.

Couleurs sœurs, *page opposée*
Le mur fauve chaud de cette chambre est bien coordonné avec le jaune pâle du couloir qui reprend ses tons sous-jacents. Quand vous choisissez vos couleurs, considérez toujours l'enchaînement des pièces. Les tons dorés du parquet et de la curieuse table de chevet se marient bien aussi avec la couleur des peintures. Le blanc riche de la peinture des moulures et du meuble, ajouté au linge de lit en soie blanche et en coton, offre aux couleurs chaudes la fraîcheur d'un contrepoint.

Élégance discrète, *à gauche*
Le gris chaud n'est jamais terne quand il est utilisé en un mélange raffiné. Accompagnée par le brun profond du meuble de rangement, la pierre des plans de toilette et les bordures blanches des fenêtres, la couleur des murs de cette salle de bains est feutrée et reposante, ce qui convient à une pièce conçue pour la détente. La simplicité de l'espace est joliment équilibrée par une riche gamme de textures, tissu-éponge sur le lit de repos, piles de serviettes, tapis tressé et collection d'éponges naturelles.

Choisir une palette de couleurs de terre

Introduire les couleurs de terre dans votre maison est un moyen simple de lui donner une atmosphère chaleureuse et naturelle. Les belles et profondes couleurs de la nature procurent toujours le même plaisir.

Les couleurs de terre se trouvent dans la nature : charbon de bois, châtaigne, ocre, prune, terre cuite. Elles sont élémentaires, familières et rassurantes. Bien que les tons de terre que nous avons choisis soient plus foncés que notre sélection de tons neutres et plus présents visuellement, ils partagent la même qualité feutrée. Nous les aimons pour l'impression de confort qu'ils apportent à une pièce, mais aussi pour leur polyvalence, les tons de terre n'étant ni masculins ni féminins. Ces couleurs complètent les pièces rustiques, mais conviennent aussi aux séjours raffinés et forment une toile de fond parfaite pour les meubles aux tons de pierres précieuses. Les couleurs de terre accompagnent les matériaux naturels, tels que poutres, cheminées en pierre ou en brique. Elles habillent les espaces d'usage quotidien, comme les pièces communes ou les chambres, où l'impression chaleureuse produite par les couleurs foncées est toujours appréciée. Dans une pièce multimédia, une couleur de terre foncée supprime les reflets gênants. Malgré leur richesse, les tons de terre se marient bien avec une large gamme d'accents de couleur. Associés à une bordure blanc crème, ils sont raffinés, frais et élégants. Pour créer une atmosphère plus naturelle, utilisez pour les moulures ou les accents une nuance assourdie de la teinte principale de la pièce, ou un autre ton de terre.

INSPIREZ-VOUS DE LA NATURE

Quand vous rassemblez des échantillons pour une palette de terre, explorez une large gamme de couleurs. Ne vous limitez pas aux bruns et aux terres cuites.

■ OBSERVEZ VOTRE ENVIRONNEMENT. Même un champ nu peut offrir des accents vibrants d'une couleur vigoureuse. Ajoutez quelques couleurs fortes à votre palette.

■ PENSEZ À LA TEXTURE quand vous choisissez une couleur. Le même ton crème donne une impression différente sur du cuir, sur du lin ou sur du chenillé, dont la texture réchauffe la couleur.

■ N'OUBLIEZ PAS LES MOTIFS. Tressage d'un panier en osier coloré ou fleurs d'un tissu imprimé, les motifs sont un élément important de tout thème de couleurs.

FLORILEGIUM
LANGUEDOC ROMAN
Marx-Engels
GENET

Couleurs fortes et bien ancrées, *page opposée*
On croit souvent que seuls les bruns et les rouges sont des couleurs de terre, mais les bleus et les verts existent aussi dans la nature et sont des couleurs essentielles de la palette de terre. Ici, un bleu-gris profond complète harmonieusement les tons rouges du bois, repris dans les coussins et les kilims. La valeur relativement foncée de la couleur du mur est parfaite pour créer une atmosphère calmante et sécurisante dans ce coin lecture, qui fait partie d'un vaste espace décloisonné.

Calme et sobre, *à droite*
L'équilibre bien pensé des couleurs fait de cet élégant bureau un espace animé mais cependant discret. Le ton fauve des murs, accentué par une fraîche bordure blanche et des stores bateau aux lignes nettes, agrandit l'espace. Les tons plus soutenus prédominent sur le sol et dans les meubles, créant un jeu dynamique entre les murs clairs et l'espace central plus sombre ; les tons de terre brun foncé structurent l'espace alors que les murs fauve et blanc l'allègent et l'agrandissent.

Naturellement raffiné, *à droite*
Une palette de terre donne à cet espace sophistiqué un charme naturel. Les murs café au lait de ce living élégant et décontracté, avec leur fraîche bordure blanche, sont raffinés. Des matériaux naturels et des accents colorés apportent des tons de terre complémentaires et ajoutent diverses textures : chenillé, suédine, cuir, bois et osier. Un éclat rouge sur le canapé ponctue la palette et anime l'assortiment de couleurs.

Si vous cherchez une teinte qui s'impose, le rouge est indiqué et illustre l'impact que peut produire une couleur saturée dans un espace. Cette couleur forte réveille, attire l'attention et répond exactement à ce qu'on attendait d'elle. Le principe est identique pour le violet foncé, l'émeraude, l'indigo ou le mandarine. Deux facteurs sont essentiels si vous aimez les couleurs saturées : la force et la netteté de la couleur ainsi que la confiance avec laquelle vous l'affirmez.

COULEURS
DOUCES ET SATURÉES

SI VOUS VOULEZ INTRODUIRE DES COULEURS FORTES DANS VOTRE MAISON, CHOISISSEZ DES TEINTES VIGOUREUSES ET APPLIQUEZ-LES AVEC CONFIANCE : VOUS OBTIENDREZ UN RÉSULTAT HARMONIEUX.

Les teintes que nous avons choisies d'appeler « douces » ne sont pas exactement à l'opposé des couleurs saturées, mais plutôt des parents proches. Les couleurs douces sont romantiques, flatteuses et durables. Elles comprennent la gamme des couleurs tendres de la nature : céruléen, lavande, citron, pervenche, rose. Elles se marient bien avec les tons neutres ou avec d'autres couleurs douces de même valeur. Les teintes claires ont toujours constitué un choix évident pour la salle de bains et les chambres, mais elles sont tout aussi flatteuses dans le séjour, la salle à manger ou la cuisine.

Choisir une palette de couleurs saturées

Deux courants s'opposent quand il s'agit des couleurs saturées : soit on les refuse en bloc soit on ne peut s'en passer. Les couleurs saturées sont une aventure qui vaut la peine d'être explorée, mais qui demande au préalable de la réflexion.

Si vous recherchez le spectaculaire, recouvrez tous les murs de la pièce d'une riche couleur saturée. Avant de vous lancer, cependant, faites ce test simple : délimitez une surface de 30 à 120 cm² et peignez un échantillon de couleur sur votre mur (idéalement sur deux murs), afin de pouvoir vérifier son aspect sous différents éclairages, dont l'éclairage artificiel. Si vous hésitez entre deux couleurs ou plus, peignez un échantillon de chaque couleur. Vivez avec ces couleurs pendant au moins une semaine et voyez le résultat. La mise en valeur d'un seul mur, d'un couloir ou d'un détail d'architecture par une couleur forte devient un procédé de plus en plus utilisé, même dans les intérieurs les plus classiques. C'est une manière d'apporter instantanément de l'énergie à une pièce. Une autre possibilité est de commencer par un espace moins utilisé, comme une salle à manger, où l'intensité de la couleur aura moins d'impact que dans une pièce très fréquentée.

Quelle que soit la taille de la pièce que vous voulez peindre, équilibrez la couleur forte avec des éléments clairs – bordure blanche ou accents pâles ou neutres, tapis ou parquets de couleur claire, teintes sourdes des sièges tapissés. Avant tout, soyez économe en tons saturés. Tenez-vous à une seule couleur vibrante par pièce et tenez compte du décor des pièces adjacentes.

COULEURS SATURÉES

Vous n'allez pas utiliser toute une gamme de couleurs fortes dans une même pièce. Cherchez des échantillons qui vous plaisent et qui soient coordonnés avec les autres tons de votre futur décor.

■ DÉTERMINEZ SOIGNEUSEMENT L'ESPACE (une pièce entière ou un seul mur) que vous désirez peindre d'une couleur saturée. Réfléchissez à l'impact produit par la présence de cette couleur.

■ POUR LES ACCENTS, choisissez des couleurs qui animeront le reste de la pièce. Coussins, jetés et petits accessoires, unis ou à motifs, forment une partie essentielle de la palette de couleurs.

■ PENSEZ À LA FINITION DES MEUBLES : les bois clairs font ressortir les couleurs saturées, les bois sombres en intensifient l'effet.

Mise en scène spectaculaire, *à gauche*
Une couleur saturée est tout indiquée pour cette cloison partielle, qui cache la partie cuisine d'un espace repas. En soulignant un seul mur avec une teinte forte, vous apprécierez sa vigueur sans être écrasé par sa présence. Incorporez des taches de couleur dans la pièce avec des accessoires décoratifs comme les coussins, sets de table ou autres objets. Le rouge est toujours apprécié pour son charme vibrant.

Pur et vibrant, *page opposée*
Les jaunes sont fréquemment utilisés pour leur côté chaleureux, mais une teinte saturée comme le jaune souci représenté ici peut évoquer une ambiance plus cosmopolite. Si vous choisissez une couleur forte pour tous les murs d'une pièce, en particulier un séjour, il est souvent préférable de délaisser les valeurs extrêmes et d'opter pour un ton moyen qui produira un impact certain, tout en mettant les meubles en valeur sans les écraser.

Douillet et élégant, *à gauche*
Les couleurs saturées conviennent aussi bien à un petit espace qu'à de vastes pièces, surtout pour aménager un coin tranquille pour travailler, lire ou se reposer. Ce bureau réalisé dans un grenier offre une atmosphère agréable et douillette, avec ses murs prune et ses meubles en bois chaud. Le bois de la charpente lasuré en blanc équilibre avec élégance les couleurs fortes et les tons foncés. L'importance de la lumière naturelle se fait particulièrement sentir dans une pièce riche en teintes saturées.

„ZORA"
NONINO
GRAPPA

Choisir une palette de couleurs douces

Les couleurs douces, qui ne doivent pas être confondues avec les tons pastel, ont un charme frais qui leur est propre. Elles sont polyvalentes et se marient aussi bien avec l'acier inoxydable qu'avec des lambris blancs.

Autrefois reléguées dans la chambre et la salle de bains, les couleurs douces sont utilisées aujourd'hui dans le salon, la salle à manger et la cuisine. La manière de les employer est également rajeunie. Les mariages de couleurs douces et de tissus floraux ont toujours existé, mais ces mêmes couleurs rehaussées par des sièges tapissés en lin blanc produiront un effet chaleureux. Pour une harmonie réussie, choisissez des tons légèrement plus gris que les tons pastel, qui pourraient se révéler trop doux ou trop vifs.

Comme les couleurs saturées, les couleurs douces sont mises en valeur par des bordures blanc pur. Vous pouvez, pour peindre les bordures ou le plafond, teinter de la peinture blanche avec la couleur murale, ce qui créera une version plus pâle du ton primaire. Les valeurs dégradées d'une couleur que vous aimez peuvent vous aider à coordonner les surfaces adjacentes. Par exemple, ajoutez du blanc à la couleur que vous avez choisie pour la chambre et utilisez-la pour les murs de la salle de bains ou choisissez une nuance un peu plus foncée pour le couloir attenant. Les couleurs douces se marient bien avec les accessoires argentés, de l'argenterie de votre grand-mère au cadre moderne des photos. Elles forment une superbe toile de fond pour les photographies en noir et blanc, les objets d'art de teintes vives ou contrastées.

COULEURS DOUCES ET INSPIRATION

Pour choisir des couleurs douces, pensez « frais » plutôt que « délicat » : elles rappellent le printemps, les matins d'été et les longues soirées.

■ LA COULEUR DES MEUBLES sera inspirée de celle des murs, avec d'intéressantes variantes.

■ LES MATÉRIAUX NATURELS comme l'osier, le raphia, le lin et le sisal sont particulièrement plaisants dans une pièce peinte en couleurs douces.

■ CONSIDÉREZ LA VALEUR DE LA COULEUR. Trouvez une couleur pour les murs, puis choisissez des nuances de cette teinte pour les bordures, accents et tissus. Pour contraster, si la couleur murale est chaude, ajoutez quelques teintes froides complémentaires.

BENJAMIN
ATLANTIC

As

Plaisir simple, *page opposée*
Les murs ensoleillés se marient bien avec les bordures blanc crème et le ton chaleureux des meubles en pin pour donner un mélange de couleurs dont on ne se lasse pas. Les couleurs douces gagnent de plus en plus aujourd'hui les salons et les salles à manger. Elles apportent énergie et couleur à l'espace mais sont assez calmes pour former une toile de fond flexible pour votre décor. La simplicité de cette palette de couleurs est complétée par des meubles tout aussi sobres.

Net et propre, *à droite*
Le bleu ciel et le blanc s'associent pour donner à cette petite lingerie un charme aérien. La palette rafraîchissante et calme accueille sans heurts des taches d'autres couleurs douces complémentaires, vert bouteille et vert printemps, bleu-gris pâle, beige crème ainsi que des matériaux comme l'osier chaleureux et le métal froid.

Charme et fraîcheur, *à droite*
Les tons vert tendre comme ce vert céleri offrent une gamme de couleurs animées se mariant aisément à d'autres teintes. Le vert apaise, mais associé aux finitions et aux meubles blancs, il apporte aussi une énergie douce. Dans cette pièce familiale, la palette est réchauffée par le bois naturel, l'osier, le sisal, le coton sergé, et est ponctuée de quelques accents de couleur forte, dans les coussins, par exemple.

MOTIFS
ET TEXTURES

Il est bien connu que les motifs donnent du caractère à une pièce et en définissent le style général. Ils existent en infinies variétés, pois, fleurs, dessins abstraits, cachemire, rayures de toutes tailles, et l'effet qu'ils produisent se multiplie sans peine quand ils sont associés en un mélange artistique. Comme ils peuvent être utilisés en petite quantité, ils sont aussi extrêmement pratiques. Leur impact est tel qu'ils vous laissent libre de choisir des tissus unis pour les fauteuils et les rideaux, et se contentent des coussins, jetés ou tapis aux dessins vigoureux. Les textures, proches parentes des motifs, soulignent le charme visuel d'un espace, auquel elles ajoutent leur touche de luxe avec la toile, la fourrure, la soie et le velours, à moins qu'elles ne donnent un aspect décontracté à des étoffes plus cérémonieuses, par le contraste avec un panier rustique, un tapis tissé à la main ou une coupe en pierre. Introduire des textures dans une pièce, c'est créer une atmosphère à la fois belle et intrigante.

LES MOTIFS ET LES TEXTURES SONT SOUVENT DÉLAISSÉS DANS LE DÉCOR DE LA MAISON, ET POURTANT ILS LUI DONNENT DE L'INTÉRÊT ET DE LA PERSONNALITÉ SANS JAMAIS LUI VOLER LA VEDETTE.

Ajouter des motifs et des textures

Les motifs et les textures vous laissent toute liberté de satisfaire votre fantaisie et vos envies de variété, sans détruire l'harmonie du décor.

Comme pour tant d'effets apparemment faciles à obtenir, le secret d'un mélange réussi de motifs et de textures se trouve dans quelques principes de base. Les échantillons ci-après illustrent une méthode simple mais presque infaillible pour apprendre à mélanger les motifs. Groupez vos tissus par catégories : unis, motifs, rayures, dessins géométriques et imprimés inspirés de la nature (ici à dominantes jaune, bleue et rouge). Cherchez tout d'abord les tissus qui partagent une couleur commune et choisissez un modèle de chaque catégorie. Pour un effet plus animé, vous pouvez vous écarter de la gamme de couleurs, mais il faut alors trouver des motifs dont les tailles sont très proches. Les tissus unis à motifs intégrés, tels que brocarts, damas, chevrons, s'harmonisent aisément. Les étoffes froncées, ruchées, plissées ou les tissus rebrodés sont considérées comme des tissus à motifs et faciles à inclure dans un mélange.

Appliquez ces principes à la pièce entière. Par exemple, vous pouvez avoir des sièges unis, des tapis géométriques et des rideaux aux rayures légères. Vous pouvez ajouter des sièges d'appoint tapissés de petits motifs sur tout le tissu et des coussins fleuris.

Quand vos meubles sont en place, explorez des textures variées qui ajouteront un intérêt visuel. Commencez par les contrastes, soie luisante et velours mat, chenillé et cuir lisse, porcelaine brillante et bois rustique. Essayez différents motifs et textures, en ajoutant ou soustrayant un objet à la fois jusqu'à ce que vous ayez obtenu le mélange parfait.

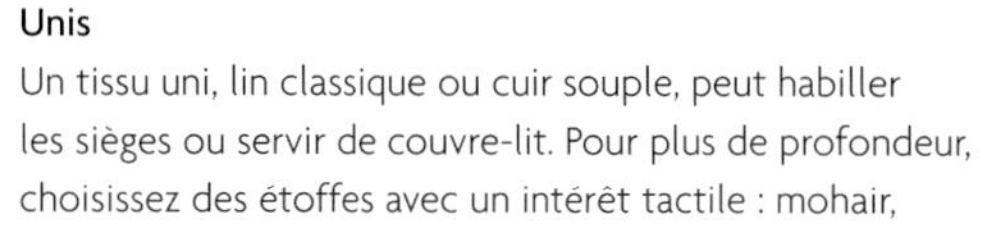

Unis
Un tissu uni, lin classique ou cuir souple, peut habiller les sièges ou servir de couvre-lit. Pour plus de profondeur, choisissez des étoffes avec un intérêt tactile : mohair, chenillé, matelassé, tissus ruchés ou plissés.

Motifs
Ce sont des motifs répétés sur toute la surface du tissu et qui, utilisés en mélange, sont curieusement polyvalents. Les tissus aux dessins matelassés et brodés laissent apercevoir leurs motifs par leur texture.

Rayures
Peut-être les plus polyvalents des motifs, les rayures se conjuguent dans une vaste gamme de largeurs et de couleurs, des plus fines aux plus larges, et se marient sans problème avec de nombreux autres tissus.

Dessins géométriques
Également très faciles à inclure dans un mélange, ils comprennent une immense gamme de motifs, des simples carreaux et des écossais aux motifs angulaires intriqués des kilims et des tissus d'ameublement.

Imprimés inspirés de la nature
Lianes souples, fleurs et feuillages inspirés de la nature se conjuguent aisément avec les autres types de motifs en apportant leur vitalité aux mélanges. Ces imprimés donnent une note romantique au décor.

Tout confort, *à gauche*
Ce riche mélange de motifs et de textures évoque l'atmosphère d'un hammam. En juxtaposant avec habileté les surfaces lisses et polies et les textures rustiques, un tel décor montre bien comment la texture et les motifs se mettent en valeur mutuellement : la géométrie des kilims est équilibrée par le dessin de la grille en fer forgé, le voile aérien de la fenêtre contraste avec la pierre rugueuse et les murs en terre cuite. L'harmonie des tissus provient des couleurs de terre et de pierres précieuses.

Motifs sages, *page opposée*
Une subtile association de motifs donne à ce décor une élégance raffinée. Les coussins, avec leurs petits motifs répétés, sont unifiés par leurs couleurs semblables ; le tapis reprend les mêmes tons avec un motif plus grand. Le tissage irrégulier du jeté de lit, qui forme également un motif, crée une autre sorte de texture. Les contrastes de texture ajoutent aussi au charme de l'ensemble, soyeux des coussins contre tissage régulier des fauteuils.

Confort chaleureux, *à gauche*
Un mélange de textures peut faire de la plus simple pièce un décor chaleureux. Ici, une palette crème, bleu et brun forme un ensemble élégant et accueillant. Le tissage régulier du tissu du canapé contraste avec la couverture douillette et le plaid moelleux. Les coussins obéissent aux règles établies avec un assortiment d'uni, de rayures et de motifs venant tous de la même palette.

L'ECLAIRAGE

« LA LUMIÈRE NATURELLE CHANGE L'ATMOSPHÈRE DE MA MAISON. J'AIME LE MÉLANGE ÉQUILIBRÉ DE DIVERSES SOURCES DE LUMIÈRE QUI CRÉE DES AMBIANCES VARIÉES. »

LA LUMIÈRE NATURELLE

LA LUMIÈRE NATURELLE DONNE DE LA VIE AUX ESPACES. EMPLOYEZ CET OUTIL PRÉCIEUX POUR TRANSFORMER LES COULEURS, RÉCHAUFFER L'ATMOSPHÈRE ET ILLUMINER LES CŒURS.

La lumière naturelle est toujours bien accueillie dans notre vie quotidienne. Nous changeons d'heure en été pour profiter encore un peu du soleil. Les fenêtres, fenêtres de toit, portes-fenêtres et portes vitrées sont les principales sources de lumière naturelle et le meilleur point de départ pour réaliser le plan d'éclairage de votre maison. En choisissant l'habillage des fenêtres, pensez non seulement à l'aspect décoratif mais aussi à la façon dont il laisse passer la lumière. Le soleil se glissant à travers les stores vénitiens imprime des motifs en pointillés sur les meubles, tandis que les fins voilages filtrent les rayons du soleil tout en laissant apercevoir la vue au-delà. Et les lourds rideaux doublés ou les stores épais occulteront votre chambre les matins où vous refusez de laisser entrer le soleil. Les rideaux contrôlent non seulement la lumière, mais ils adoucissent les pièces aux surfaces dures, comme la salle à manger. Pour une pièce au caractère strict, les stores, persiennes et volets offrent des possibilités sur mesure.

Les fenêtres et le tissu

Des rideaux bien choisis seront comme un foulard sur une tenue. Vous ajouterez ainsi de la texture et de la couleur à une pièce.

De simples panneaux de tissu suspendus à des tringles en bois ou en fer forment l'habillage classique des fenêtres. Non seulement ils sont plus simples à fabriquer que les lambrequins et les festons, mais ils sont aussi moins coûteux. Il existe une large gamme de panneaux tout faits. N'hésitez pas à les employer pour apporter dans la pièce de la couleur et de l'intérêt textural. Les rideaux peuvent être doublés ou non, associés ou non à des voilages. Les rideaux non doublés tombent naturellement et laissent filtrer le soleil. En associant des panneaux de voile ou d'organdi à des doubles rideaux opaques, vous protégez votre intimité et vous pouvez contrôler la quantité de lumière entrant dans la pièce. Les étoffes translucides comme le lin, l'organdi et le voile filtrent la lumière sans cacher la vue. Les tissus lourds, comme le velours, ont un aspect plus formel, mais protègent du soleil en été et des courants d'air en hiver. Les doubles rideaux de couleur unie ou aux rayures discrètes forment une toile de fond plus durable que des étoffes à l'imprimé agressif. Choisir une nuance proche de celle des murs est une façon raffinée d'habiller une pièce. Les damas de couleur unie ou les soies sauvages donneront un intérêt textural et une élégance naturelle à un décor par ailleurs un peu trop sobre. Quel que soit votre choix de tissu, en accrochant des draperies dans le haut d'un mur, vous ajouterez de la hauteur et de la grâce à la pièce.

MESURES POUR DES RIDEAUX

En règle générale, la tringle est fixée à 10 centimètres du haut de l'encadrement de la fenêtre. En la fixant en dessous du plafond ou de la moulure, vous donnez de la hauteur à la pièce. On peut aussi placer la tringle à mi-hauteur entre le plafond et la fenêtre.

■ **LONGUEUR DE LA TRINGLE.** La barre doit dépasser de 8 à 15 centimètres des deux côtés de l'encadrement si vous voulez ouvrir complètement les rideaux. Déterminez toujours la hauteur de la tringle avant de l'acheter, et la méthode d'accrochage (voir page opposée) avant de prendre les mesures des rideaux.

■ **HAUTEUR DES RIDEAUX.** Mesurez la distance de la tringle au sol (B). Les rideaux longs restent à 2 ou 3 centimètres au-dessus du sol. Pour des rideaux balayant le sol, ajoutez 15 à 20 centimètres. Pour des rideaux qui se cassent en formant un pli sur le sol, ajoutez 8 à 10 centimètres. Prenez en compte la taille de la tringle et des anneaux, qui peut ajouter 3 centimètres ou plus à la hauteur des rideaux.

■ **LARGEUR DES RIDEAUX.** Mesurez la largeur de la fenêtre en comptant l'encadrement (A) et multipliez par 1 pour un aspect strict, par 1,5 pour des rideaux standards et par 3 pour des rideaux amples.

Les panneaux de voile, *à gauche,* sont rassemblés dans le bas et fixés au centre avec un ruban, une façon simple d'habiller des rideaux légers.

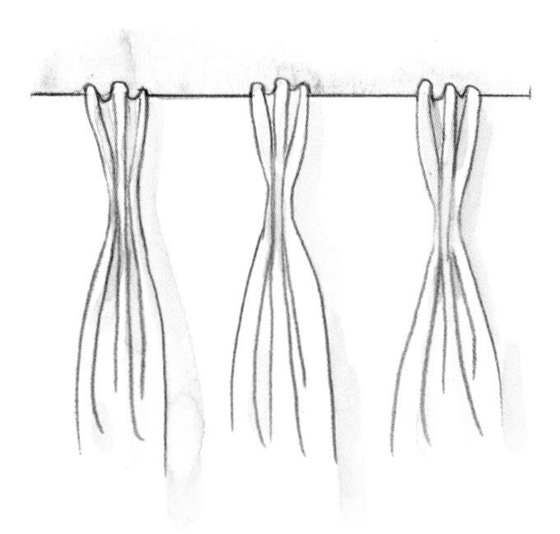

Tringle rail
La tringle rail permet de tirer facilement les rideaux avec des cordons sur le côté. D'aspect utilitaire, elle est cachée par la tête de rideau (ici, triple pli).

Tête à glissière
Un ourlet dans le haut du panneau crée une glissière dans laquelle est insérée la barre. Ce système réclame des rideaux amples et convient mieux aux voilages, les rideaux étant difficiles à tirer.

Anneaux et barre
Ce style est parfait pour un aspect décontracté et pour la facilité avec laquelle on peut tirer les rideaux. Il convient à presque tous les types de tissus.

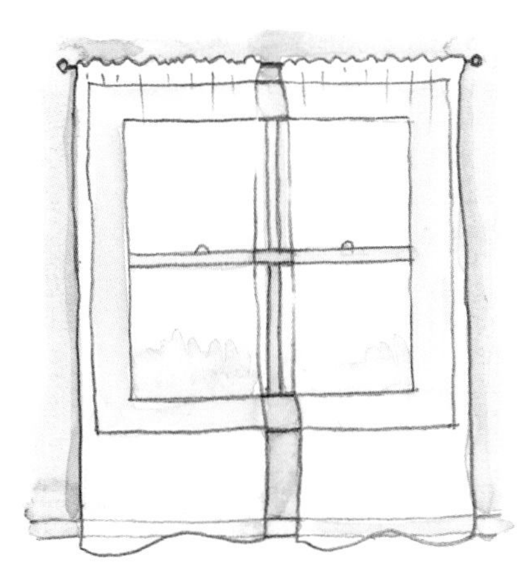

Voilages
Les tissus d'une légèreté aérienne comme le voile, l'organdi et le lin fin filtrent le soleil sans obscurcir la vue, mais ne protègent pas l'intimité quand la nuit tombe.

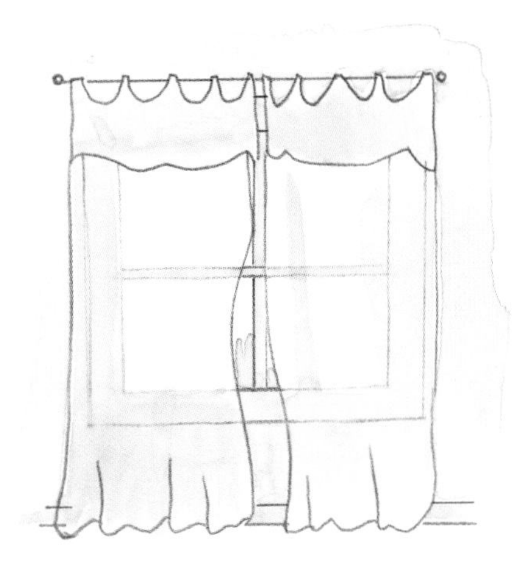

Tissus non doublés
Les tissus mi-lourds comme le lin ou le coton ne réclament pas obligatoirement une doublure. Les cotons et les lins non doublés laissent passer la lumière tout en préservant l'intimité et ils conviennent pour un décor décontracté.

Tissus doublés
Les tissus lourds comme la soie sauvage et le velours sont traditionnellement doublés pour absorber la lumière et le bruit. Comptez un dépassement de 10 centimètres au milieu pour ne pas laisser d'espace entre les rideaux.

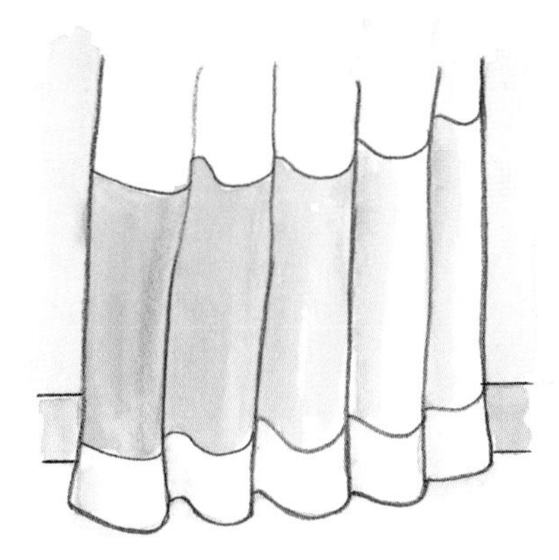

Bordure personnalisée
Les rideaux tout faits peuvent être personnalisés avec une bordure cousue sur le tissu. La bordure peut être en tissu contrastant uni ou imprimé et sa hauteur ne doit pas dépasser le tiers de celle du rideau.

Doublure contrastante
Une doublure imprimée ou de couleur contrastante donne de l'élégance à des rideaux de couleur unie. Ne doublez pas tout le rideau, une bande de 50 centimètres sur les bords suffit à donner l'aspect d'une doublure complète.

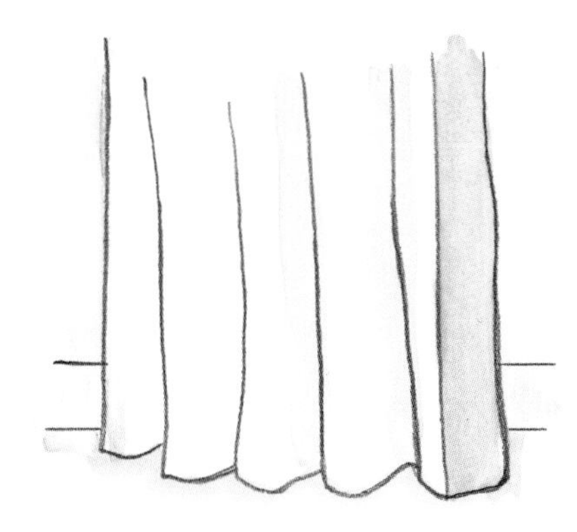

Bordure latérale contrastante
Un large ruban ou une bande de tissu de couleur contrastante peut être cousu sur les côtés des panneaux pour donner une finition élégante et ajouter un accent de couleur.

Stores, persiennes et volets

En général plus décontractés que les rideaux, les stores peuvent y être associés pour mieux contrôler la lumière et préserver l'intimité.

Il arrive que même les rideaux les plus simples ne conviennent pas à telle ou telle pièce ou fenêtre, parfois à cause d'un élément d'architecture – siège existant dans le renfoncement d'une fenêtre ou radiateur gênant – ou bien à cause de considérations pratiques ou esthétiques. Pour les chambres d'enfants, les stores occultants sont bien pratiques (choisissez un modèle sans cordon de tirage, plus sécurisant pour les enfants et les animaux familiers). Quant au style, les stores sont d'autant plus indiqués que la pièce est simple et décontractée.

Dans la vaste famille des stores, des persiennes et des volets, choisissez un style et des matériaux qui se marient avec les autres éléments de la pièce et répondent à vos exigences en matière de lumière et d'intimité (voir l'encadré et page opposée). Vous pouvez choisir du tissu pour adoucir le décor ou pour rappeler les autres étoffes de la pièce. Les stores vénitiens ou les volets ajoutent un intérêt architectural à un espace nu. Les habillages naturels – bois tissé, roseau ou bambou – apportent un contraste et conviennent même aux décors élégants. Ils ajoutent une double texture, par leurs matériaux mais aussi par leur tissage. Les stores sur tringles, disponibles en divers tissus et matériaux, nets et élégants, respectent l'intimité et occultent efficacement la lumière.

MESURES POUR DES STORES

La précision est essentielle quand vous commandez des stores, des persiennes ou des volets. Mesurez séparément avec un mètre métallique chacune des fenêtres, les dimensions pouvant varier légèrement.

■ MONTAGE À L'INTÉRIEUR DU RENFONCEMENT. Montage net et élégant mais qui n'est possible que si le renfoncement est suffisant pour accepter le store ou le volet. Sa profondeur doit être de 5 centimètres au moins pour un store et parfois plus selon l'épaisseur de ce dernier. La plupart des volets intérieurs réclament un renfoncement de 6 centimètres. Les fenêtres doivent aussi être d'équerre. Pour le vérifier, mesurez les diagonales à l'intérieur de la fenêtre. S'il existe une différence de plus de 1,3 centimètre entre ces mesures, la fenêtre n'est pas d'équerre et le montage doit se faire à l'extérieur du renfoncement.

Si votre fenêtre accepte un montage à l'intérieur, mesurez la largeur (A) en plusieurs endroits. Faites de même avec la hauteur (B), en mesurant de chaque côté et au milieu. Utilisez toujours les mesures les plus petites pour que le store soit bien ajusté.

■ MONTAGE À L'EXTÉRIEUR DU RENFONCEMENT. Pour des fenêtres abîmées ou banales, ou dont le renfoncement est insuffisant pour un montage intérieur, il vaut mieux réaliser un montage extérieur. Mesurez la largeur (C) et la hauteur (D) comme indiqué ci-dessus et ajoutez 8 centimètres à ces deux mesures. Une surface murale plate d'une largeur d'au moins 4 centimètres est nécessaire pour un montage extérieur.

Un gracieux store bateau, *à gauche*, habille élégamment cette fenêtre en renfoncement. Vous pouvez parfaitement associer rideaux et stores dans une même pièce.

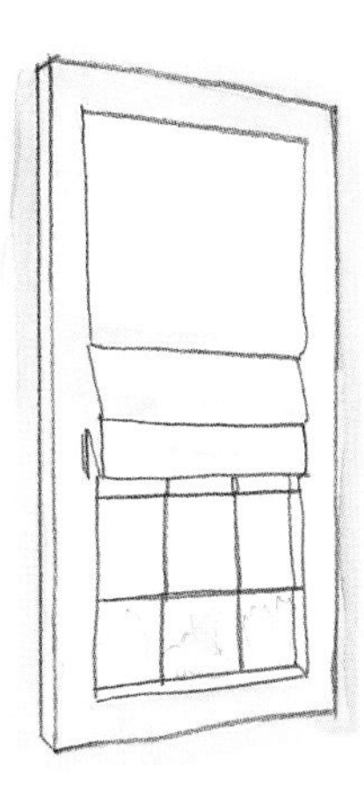

Store bateau
Formant un habillage net, le store bateau se relève en plis plats. Il peut se fixer à l'intérieur comme à l'extérieur d'un renfoncement et convient à toutes sortes de tissus, du lin le plus fin à la lourde toile.

Store à enrouleur
Le plus simple des stores en tissu occultant, il existe tout fait dans le commerce en couleurs de base, ou peut être fait sur commande et coordonné à la couleur de vos murs ou de vos sièges.

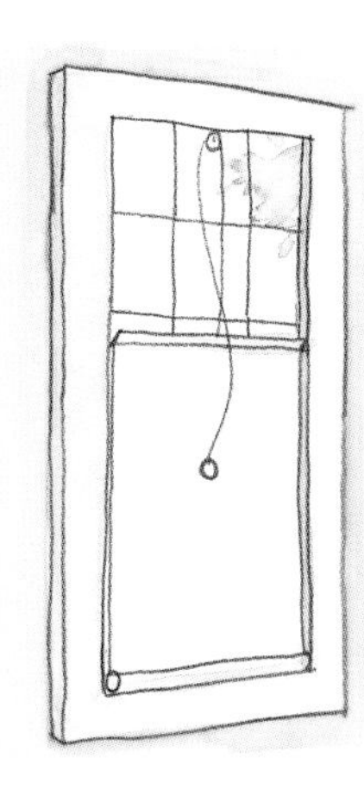

Store enrouleur inversé
Style populaire chez les citadins, ces stores assurent l'intimité tout en laissant pénétrer la lumière par la partie haute de la fenêtre. Vous pouvez les faire confectionner avec le tissu de votre choix.

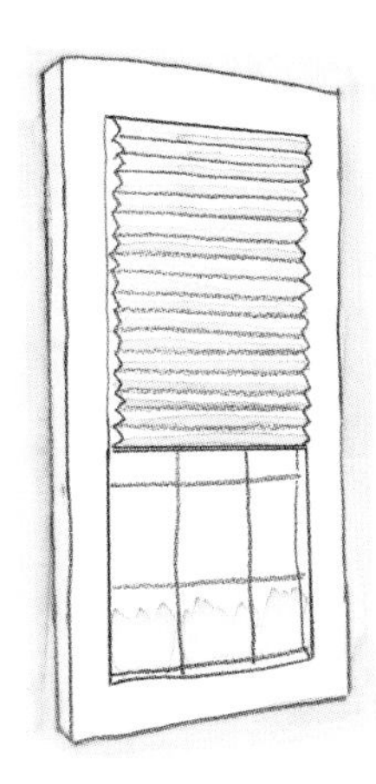

Stores plissés
Ces stores à petits plis séduisent par leurs matériaux et tissus aux plis permanents. Plus doux que les stores standards, ils laissent filtrer la lumière à travers leurs matériaux translucides.

Stores vénitiens
Style classique toujours populaire par sa polyvalence, les stores vénitiens respectent l'intimité et forment de jolis jeux d'ombre et de lumière. Ils permettent de contrôler efficacement la lumière.

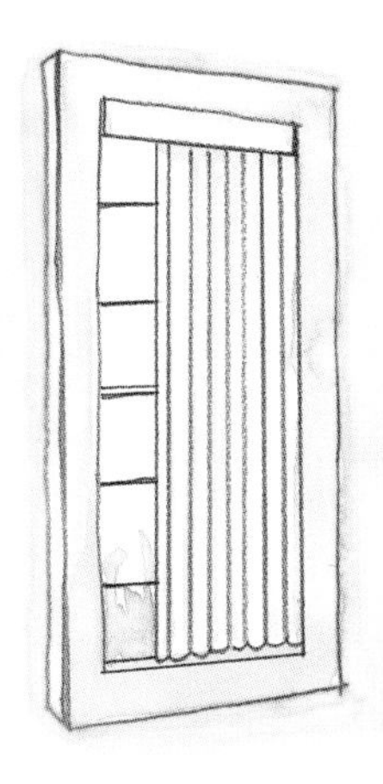

Stores à bandes verticales
Des bandes de 8 centimètres de large glissent sur un rail et se replient sur les côtés. Bonne solution pour les grandes fenêtres et les portes coulissantes, ils existent en diverses longueurs.

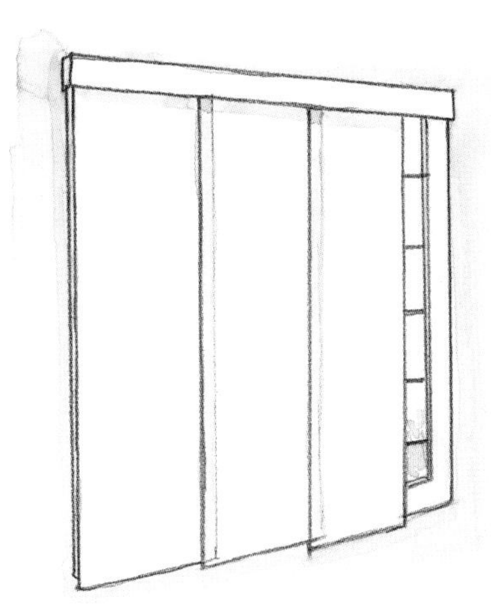

Stores sur rail
Utiles pour les ouvertures coulissantes, ces panneaux de 20 à 45 centimètres de large, en tissu ou en matériaux naturels tissés, glissent sur un rail et se replient sur le côté.

Persiennes intérieures
Ces persiennes laissent entrer plus ou moins de lumière mais ne sont jamais totalement occultantes. En bois ou en matériaux synthétiques, elles peuvent être peintes ou teintées.

Volets à panneaux
Les volets intérieurs permettent de s'isoler du bruit. Ils sont parfaits pour les chambres d'enfants, qu'ils protègent à la fois du bruit et de la lumière.

Élégance asymétrique, *à gauche*
Un habillage de fenêtre cérémonieux, comme ce velours associé à un voile brodé, peut cependant prendre un aspect inattendu et décontracté s'il est traité asymétriquement. Ici, les deux panneaux de velours sont tirés sur un seul côté et relevés avec une embrasse de petites perles. La lumière est filtrée par un unique panneau de voile, enfilé sur une seconde barre et tiré sur toute la largeur de la fenêtre.

Simple et spectaculaire, *page opposée*
Si vous voulez préserver l'atmosphère légère et aérienne d'une pièce, les stores bateau sont parfaits. Ils offrent un aspect net et contrôlent efficacement la lumière, tout en respectant les moulures et les murs. Les stores bateau existent dans une large gamme de matériaux et de tissus, tout faits ou sur commande, si vous voulez les coordonner à la couleur des murs ou des sièges. Ici, les rayures donnent de la vigueur à cette pièce blanche.

FLORAL HOUSE
market decorating
Western Garden Book

JOUER AVEC L'ÉCLAIRAGE

La façon dont nous percevons l'atmosphère d'une pièce, reposante, romantique, accueillante ou froide, dépend en grande partie de son éclairage. Il est important de comprendre les trois principaux types d'éclairage – d'ambiance, de travail et ponctuel – afin de les utiliser au mieux. Pendant la journée, la lumière naturelle sert d'éclairage d'ambiance ; le soir, l'éclairage provient généralement d'un élément central en hauteur, lampes ou groupe de spots encastrés qui illuminent uniformément toute la pièce. L'éclairage de travail, comme son nom l'indique, dirige la lumière sur une tâche spécifique. L'éclairage ponctuel, fait pour souligner, est donné par les spots, bougies et rampes à tableaux. Une lampe à poser, à l'abat-jour opaque, jette une tache de lumière intense sur la table en attirant l'attention sur l'objet qu'elle éclaire et souligne. Les spots encastrés peuvent mettre en valeur des éléments d'architecture, une œuvre d'art ou toute une bibliothèque. Un petit lustre peut servir à la fois de lumière d'ambiance et de pôle d'attraction. Pour obtenir le meilleur effet, associez la fonction et le style.

L'ÉCLAIRAGE ARTIFICIEL ALLONGE NOS JOURNÉES, VIENT EN AIDE À NOS YEUX ET INFLUENCE NOTRE HUMEUR. AUCUNE SOURCE DE LUMIÈRE N'ÉTANT SUFFISANTE EN ELLE-MÊME, CRÉEZ PLUTÔT UN MÉLANGE ÉQUILIBRÉ D'ÉCLAIRAGES PONCTUEL ET D'AMBIANCE.

Du matin au soir

La lumière n'est jamais la même. Elle change en l'espace d'un instant, transformant l'atmosphère et notre humeur. Le soir, vous êtes le chef d'orchestre.

Un espace ouvert et lumineux dans la journée peut paraître intime et clos le soir par la simple magie d'un interrupteur. Il est normal d'être attiré par la lumière quand le ciel s'obscurcit et que les pièces s'assombrissent au coucher du soleil. En hiver, nous nous rassemblons autour de la cheminée pour y chercher lumière et chaleur. Et pendant les mois d'été, nous apprécions les flammes dansantes des bougies, qui attirent tout autant que le feu dans la cheminée. Renforcez ce pouvoir magique en disposant des bougies sur la table du dîner ou créez une atmosphère théâtrale avec de hauts cierges dans leurs chandeliers, sur la tablette de la cheminée. Pour compléter le charme de cette lumière en mouvement, ajoutez un éclairage d'ambiance discret mais suffisant afin de créer un équilibre confortable dans la pièce et empêcher les invités de trébucher dans l'ombre.

Cet espace décloisonné, *à droite et page opposée*, est éclairé, le jour, par un puits de lumière et par des fenêtres allant du sol au plafond. Le soir, un lampadaire et un spot encastré illuminent la pièce ; des petites bougies chauffe-plats se reflétant dans les surfaces luisantes donnent un air de fête.

LEÇON DE DÉCORATION LA COULEUR DE LA LUMIÈRE

Il existe des ampoules qui colorent légèrement la lumière. Celles qui donnent une lumière de couleur chaude mettent le teint en valeur et flattent vos invités. La lumière blanche convient mieux pour le travail, la lecture et pour illuminer les œuvres d'art. La lumière plein spectre ressemble à la lumière naturelle et, comme elle, est polyvalente. La peinture des murs est particulièrement influencée par la couleur de la lumière, et il est important de vérifier les échantillons de peinture avec un éclairage artificiel, notamment pour les salles à manger et les chambres à coucher, plus utilisées le soir.

- **LA LUMIÈRE INCANDESCENTE** est chaude et flatteuse pour le teint. Facile à contrôler avec un variateur, elle est assez polyvalente pour servir de lumière d'ambiance, de travail ou pour souligner un détail.
- **LES AMPOULES HALOGÈNES** produisent la lumière la plus blanche, qui ne change pas les couleurs des meubles ou des tableaux. Elles sont parfaites pour travailler.
- **LA LUMIÈRE FLUORESCENTE**, autrefois de mauvaise réputation, reproduit aujourd'hui la lumière naturelle tout en économisant l'énergie. Les lampes fluorescentes existent en tubes standards et en ampoules à visser.

Les lampes à poser

Les lampes à poser sont indispensables dans une pièce parce qu'elles sont mobiles et complètent les installations fixes.

Les pièces les plus confortables sont celles dont la lumière s'équilibre entre diverses sources. Dans l'idéal, les sources de lumière devraient être réparties sur plusieurs niveaux. La lumière d'ambiance vient plutôt du plafond ; les lampadaires jettent des îlots de lumière au centre de l'espace en la laissant se disperser dans toute la pièce ; l'éclairage conçu pour souligner un objet est presque toujours dirigé sur un mur, un élément d'architecture, un tableau ou une sculpture. Les abat-jour jouent également un rôle dans un éclairage harmonieux. Un abat-jour opaque ou semi-opaque n'est pas seulement un accessoire esthétique, il est aussi recommandé pour lire parce qu'il concentre la lumière. Les lampes disposées autour d'un lieu de détente pouvant répandre une lumière plus diffuse, choisissez-leur un abat-jour en conséquence. Le vélin translucide donne une douce lumière dorée et les abat-jour en soie doublés de tissu une lumière particulièrement flatteuse et intime. Il n'est pas nécessaire de coordonner les lampes dans une pièce, mais leur style doit être semblable. Des abat-jour choisis dans la même palette donneront une unité à un groupe de lampes. Si vous voulez mettre en valeur une lampe et en faire un pôle d'attraction, choisissez des styles plus discrets pour les autres sources d'éclairage. Une lampe avec abat-jour, posée au centre de la pièce, peut parfois servir de cloison visuelle, alors qu'une lampe haute et étroite ouvrira plutôt l'espace.

DE PIÈCE EN PIÈCE

Les plans d'éclairage les plus harmonieux comprennent différentes sources de lumière, telles qu'une suspension centrale ou des spots encastrés dans le plafond, des lampes à poser partout dans la pièce et des spots orientables sur les murs. Placer des lampes à différents niveaux permet de disperser uniformément la lumière. En général, plus les sources de lumière sont nombreuses, moins il y a de contraste, et plus il est facile de répartir également la lumière dans la pièce.

■ SALON. Les suspensions centrales sont moins courantes aujourd'hui, la lumière d'ambiance étant fournie par des spots encastrés dont certains, orientables, peuvent souligner un objet bien précis. S'il est impossible d'installer des spots, pensez aux barres de spots. Ajoutez des lampes à hauteur de table et du sol. Les lampes directionnelles participent également à la lumière d'ambiance.

■ SALLE À MANGER. Un lustre contrôlé par un variateur peut être la pièce centrale mais non unique du plan d'éclairage. Des bougies et des appliques murales ou des lampes à poser sur un buffet équilibreront les sources d'éclairage. Un spot halogène encastré, basse tension, dirigé sur une œuvre d'art, produit un effet théâtral.

■ CUISINE. Cet espace demande beaucoup de lumière, à la fois d'ambiance et ponctuelle. Les plans de travail doivent être bien éclairés sans être éblouissants ; les spots encastrés sous les placards hauts, à 30 centimètres du bord, sont efficaces pour éclairer la façade des placards bas. Les spots encastrés dans le plafond éclaireront efficacement un îlot central sauf si le plafond fait plus de 3 mètres de hauteur ; les suspensions qui rapprochent la lumière de la surface de travail sont conseillées pour les plafonds hauts ou voûtés. Dans une cuisine décloisonnée, installez un variateur sur toutes les sources d'éclairage, afin de baisser la lumière pendant le repas.

■ CHAMBRE À COUCHER. Ce lieu de repos demande une douce lumière d'ambiance au plafond, associée à un éclairage ponctuel, en particulier pour lire. Des lampes bien placées créent une atmosphère romantique. N'oubliez pas d'éclairer le dressing.

■ SALLE DE BAINS. Ne négligez pas l'éclairage de la salle de bains. Installez une lumière d'ambiance douce et flatteuse et réservez l'éclairage ponctuel à la baignoire ou à la douche.

Un abat-jour opaque, *à gauche*, transforme une lampe décorative en source d'éclairage ponctuel, sa lumière illuminant les accessoires posés sur la table.

Lampe de bureau
La lampe d'architecte est toujours appréciée pour sa lumière ponctuelle, qui éclaire exactement l'endroit de votre choix. Pour être à la bonne hauteur, le bas de l'abat-jour doit se trouver au niveau des yeux.

Lampe de chevet
Pour que la lampe soit à la bonne hauteur, le bas de l'abat-jour doit se trouver à 50 centimètres de votre oreiller. Un abat-jour relativement opaque concentre la lumière sur la page. (Voir plus loin pour d'autres choix.)

Lampadaire
La lumière du lampadaire ne doit pas être arrêtée par votre épaule. S'il est placé à côté d'un fauteuil, le bas de l'abat-jour doit se trouver à 100-105 centimètres du sol ou à hauteur de regard.

Lampe de bureau de style rétro
La lampe de bureau à tige arrondie et abat-jour en métal remplace élégamment la lampe d'architecte, mais son champ d'action étant plus limité, elle doit être accompagnée d'une bonne lumière d'ambiance.

Applique murale orientable
La lampe de chevet peut être remplacée par l'applique murale orientable qui offre plus de flexibilité et libère la table de nuit. L'installation électrique est généralement fixe.

Lampe à poser
Le bas de l'abat-jour doit être à environ 40 centimètres de la surface du bureau afin de diffuser suffisamment de lumière pour lire. Un abat-jour translucide élimine l'éblouissement et contribue à la lumière d'ambiance.

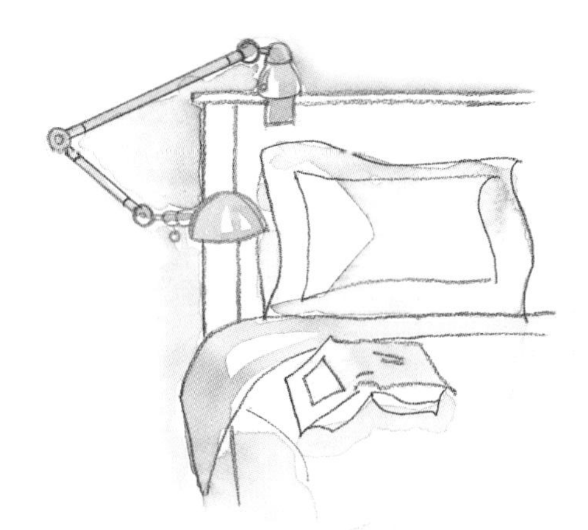

Lampe-pince orientable
Fixée sur la tête de lit ou la table de nuit, cette lampe-pince orientable donne une lampe de chevet à la fois élégante et bon marché. Vous pouvez la régler horizontalement et verticalement.

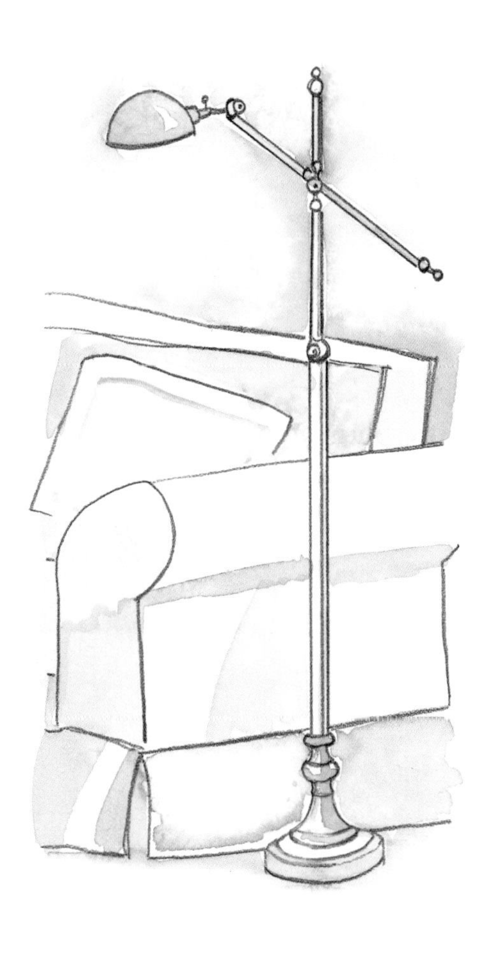

Lampadaire à bras réglable et orientable
Ce lampadaire adaptable et peu encombrant peut être réglé pour la lecture, à hauteur des yeux des adultes ou de ceux des enfants. En tournant l'abat-jour vers le plafond ou un mur, vous obtiendrez un éclairage d'ambiance.

Mélange équilibré, *à gauche*
Un dégradé de lumière donne de la profondeur à la pièce. Ici, les multiples sources de lumière sont bien équilibrées : des suspensions à abat-jour en forme de tambour, des bougies chauffe-plats rassemblées sur la table et des bougies droites sur le linteau de la cheminée. Le soir, quand la nuit tombe et qu'arrivent les invités, l'effet est encore plus spectaculaire. La lumière attirant toujours l'attention, choisissez soigneusement l'emplacement des sources d'éclairage pour créer une pièce confortable et gaie.

Chaleureuse et accueillante, *page opposée*
La lumière électrique et celle des bougies s'associent pour donner à ce séjour sobre une atmosphère chaleureuse. L'abat-jour translucide du lampadaire jette une lueur chaude et celui, opaque, de l'applique murale concentre la lumière sur le mur et le linteau de la cheminée. Un vase, parmi les objets posés sur le linteau, abrite une bougie chauffe-plat formant un joli contrepoint à l'applique. Sur la table basse au centre de la pièce, les bougies hautes font danser leur flamme.

Éclairage polyvalent, *à gauche*
Cet espace bureau, au sein d'une pièce familiale, bénéficie d'un éclairage sur mesure. Les appliques murales halogènes à variateur peuvent être tournées vers le plafond pour donner un éclairage d'ambiance, ou vers le bas pour illuminer les photographies, le bureau et le canapé. La lampe de bureau articulée éclaire le canapé ou le bureau. Ce schéma montre qu'il est possible de transformer un éclairage ponctuel en éclairage d'ambiance.

LES MATÉRIAUX

kona, bois dur massif pour parquet

parquet stratifié en noyer

parquet contrecollé lamellé teinté chêne

parquet en bambou

Guide des matériaux

Qu'il s'agisse de la décoration de toute la maison ou de la rénovation d'une seule pièce, le choix des matériaux fait partie des étapes les plus importantes. Le bon matériau doit répondre à votre attente et être adapté à l'usage que vous allez en faire pour un coût raisonnable.

Revêtements de sol

Le parquet en bois massif (*photo ci-dessus*) existe en différentes sortes : chêne rustique traditionnel, châtaignier, pin des Landes... Les prix varient considérablement, du chêne et de l'érable (moins coûteux) aux essences exotiques et hors de prix. Le bois peut être teinté en n'importe quelle couleur. Il peut être poncé et recevoir une nouvelle finition quand il commence à s'user. Les bois clairs conviennent aux styles décontractés, et les bois sombres aux intérieurs plus ceremonieux. Les lames de parquet sont de diverses largeurs, à partir de 6 centimètres. On trouve aussi des lames extralarges, plus coûteuses. Les lames peuvent recevoir leur finition avant ou après la pose (*voir Finitions pour les revêtements en bois, page 358*).

Le parquet stratifié (*photo ci-dessus*) ressemble au parquet en bois massif, mais c'est en fait un mariage high-tech de fibre de bois et de résine. Il est souvent utilisé dans les halls d'entrée et dans les locaux commerciaux. Moins cher que le bois massif, il est fabriqué couramment et facile à trouver dans les magasins de bricolage. Vous pouvez l'installer vous-même sans l'aide d'un professionnel. Les dernières versions offrent divers tons de bois et sont garanties jusqu'à 25 ans. Contrairement au bois massif, la finition du parquet stratifié ne peut être renouvelée.

Le parquet contrecollé lamellé (*photo ci-dessus*) est composé de plusieurs minces couches de bois collées ensemble. Il peut être utilisé lorsque le bois massif ne convient pas, dans un sous-sol par exemple, où on le pose directement sur le ciment. La couche de parement peut être d'une autre essence que la sous-couche, les fabricants en proposant une large gamme. La plupart des contrecollés lamellés reçoivent leur finition en usine et quelques marques proposent un parement assez épais pour être poncé comme du bois massif. Les plus beaux parquets contrecollés sont aussi coûteux que ceux en bois massif.

Le bambou (*photo ci-dessus*), bien que difficile à trouver, est agréable par sa texture plaisante, naturelle, de couleur claire. Formant un revêtement écologique, le bambou est une plante à croissance rapide qui se renouvelle en quatre ans. Après la récolte, les cannes de bambou sont coupées en lamelles puis contrecollées en lames de parquet aussi durables que le chêne. Le bambou peut être livré brut ou recevoir une finition en usine. Comme il se dilate et joue moins qu'un parquet en bois massif, il s'adapte au chauffage au sol. Le bambou peut être utilisé dans toutes les pièces de la maison sauf dans la salle de bains, car comme tous les revêtements en bois massif, il craint l'humidité.

Plus souvent destinés aux locaux commerciaux et industriels, **les revêtements en caoutchouc** sont parfois utilisés dans les cuisines, les salles de jeux ou de sport pour leur solidité, leur souplesse et leur facilité d'entretien. Les revêtements en caoutchouc existent en rouleaux et en dalles. Les variétés à surface texturée sont moins glissantes et souvent conseillées dans les cuisines contemporaines pour leur élégance et leur souplesse. Le choix est assez restreint. Les sols en caoutchouc ont un coût comparable à celui du vinyle de bonne qualité, et sont moins chers que les parquets massifs ou lamellés et autres types de dallages.

Les revêtements en liège redeviennent à la mode, en partie parce qu'il s'agit d'un produit naturel provenant d'une source renouvelable, et parce que les finitions modernes en facilitent l'entretien. Disponible en dalles et en lames, le liège forme un parquet souple, chaud et confortable. Il peut recevoir une finition après la pose, qui doit être régulièrement entretenue. Il existe en plusieurs densités, les plus hautes étant les plus résistantes. Comme le bois, le liège se dilate et se contracte sous l'influence de l'humidité et ne convient pas pour la salle de bains ou les toilettes. Les prix sont comparables à ceux du bois de qualité moyenne.

Le linoléum est un revêtement ancien toujours très apprécié, provenant de sources renouvelables, dont la sciure de bois, l'huile de lin et le calcaire broyé. Durable, souple et confortable, il existe en nombreuses couleurs et motifs variés, en rouleaux et en dalles. Le vinyle l'avait largement remplacé en raison de son entretien plus facile, mais les dernières versions du linoléum ne demandent pas à être cirées. Le linoléum est plus cher que la plupart des vinyles et doit être posé par un professionnel.

Les revêtements de sol plastiques restent populaires pour leur souplesse et leur facilité d'entretien. Les motifs sont imprimés dans l'épaisseur et ne s'usent pas. Les plus coûteux présentent une couche d'usure, faite avec des matériaux extrêmement durs comme l'oxyde d'aluminium, pour résister à un trafic intense. Les prix varient considérablement, les variétés économiques formant les moins chers des revêtements de sol.

Les dalles de pierre naturelle sont de diverses sortes : calcaire, ardoise, marbre, granit. La pierre forme un revêtement de sol durable, naturellement beau et qui demande peu d'entretien. En raison de sa densité, elle convient pour les chauffages par le sol et elle reste fraîche en été.

pavés de terre

lavabo encastré sans rebord

lavabo à colonne

évier à bandeau frontal

Tous les types de pierre naturelle doivent être traités régulièrement contre les taches. Si le sol est inégal, il devra être nivelé avant la pose. Un sol en pierre naturelle est plus coûteux qu'un carrelage, et même parfois très onéreux.

Le grès cérame existe en nombreuses couleurs, textures et tailles, des petites mosaïques aux dalles de 50 cm². Il remplace agréablement la pierre naturelle et est moins coûteux. Le grès cérame vitrifié ne réclame aucun entretien, excepté un balayage régulier. Les surfaces texturées sont moins glissantes que les surfaces lisses. Pour les pièces humides comme la salle de bains, choisissez un matériau non glissant. Le carrelage absorbe la chaleur et constitue un bon choix en cas de chauffage par le sol.

Les pavés de terre, aux tons naturels caractéristiques, sont séchés à l'air puis cuits à basse température. Ils présentent une plaisante diversité dans l'épaisseur, la couleur et l'aspect de leur surface. Comme ils sont poreux, ces carrelages doivent être imperméabilisés et ne conviennent pas pour les endroits humides. Les pavés de terre (*photo ci-dessus*) sont composés d'un mélange de terre, d'eau et de ciment versé dans des moules et constituent un matériau particulièrement isolant.

Le ciment, utilisé depuis toujours dans les garages et les sous-sols, connaît un regain de popularité dans le reste de la maison. Aussi résistant qu'un carrelage de grès cérame, il peut être coloré, avec une gamme de finitions surprenante. Le ciment, naturellement poreux, doit être hydrofugé pour résister aux taches, mais il peut aussi être réveillé par des incrustations décoratives, en métal, en bois et même en coquillages. Comme les sols en pierre naturelle, il convient aux chauffages par le sol. Mais il est lourd aussi, ce qui doit être pris en compte au moment du choix. Les sols en ciment sont plus ou moins coûteux, selon la finition, mais toujours moins chers que la pierre.

La brique forme un revêtement de sol extrêmement durable, aux couleurs solides. Les dallages en brique conçus pour l'intérieur se posent comme le grès et il en existe une douzaine de couleurs. La surface est non glissante et les dalles peuvent être disposées en suivant des motifs variés. Les formes étant parfois irrégulières, il vaut mieux prévoir un large joint. En hydrofugeant la brique, vous en faciliterez l'entretien. Les prix sont comparables à ceux des carrelages de grès cérame.

Finitions pour les revêtements en bois

Le polyuréthane est une finition résistante, durable, dont les composants confèrent au bois une couleur ambrée caractéristique, en particulier aux matériaux clairs. Les finitions à base d'huile coûtent généralement moins cher que celles à base d'eau, mais elles sont plus longues à sécher et l'odeur en est très forte. Heureusement, deux couches de finition suffisent.

Les finitions en uréthane, à base d'eau, sont hydrofuges et ne donnent pas au bois la même teinte ambrée que les finitions précédentes. Elles sèchent plus vite et sans odeur. Pour toutes ces raisons, elles sont de plus en plus populaires. Elles sont aussi plus onéreuses et réclament davantage de couches pour être efficaces.

La plupart des revêtements en bois sont livrés vernis, et il n'est donc pas nécessaire de les poncer ou d'appliquer un produit protecteur après la pose. Les finitions en usine s'appliquent à de nombreuses marques de parquets massifs ou lamellés. Certains produits contiennent des particules de céramique qui les rendent très résistants.

Lavabos et éviers

Types de lavabos et d'éviers

Les lavabos et les éviers ne sont plus considérés comme des éléments peu importants. Des matériaux innovants et de nouvelles formes et couleurs leur donnent de l'élégance. Trois facteurs déterminent le choix d'un évier ou d'un lavabo : le matériau, la taille et la méthode de pose. Dans la cuisine, l'évier standard à deux cuves mesure 100 x 50 cm, pour un meuble sous-évier de 100 cm. Mais il existe de nombreuses autres tailles, dont des modèles à cuve très profonde (30 cm) pour faciliter le lavage des grandes casseroles et des cocottes.

Les lavabos encastrés et sans rebord (*photo ci-dessus*) donnent un plan facile à nettoyer. Il vaut mieux encastrer le lavabo dans un matériau massif, tel que la pierre ou le ciment, de préférence aux plastiques lamellés ou stratifiés dont le côté exposé pourrait souffrir de l'humidité.

Les éviers à rebord sont posés sur le plan de travail et peuvent être utilisés avec tous les matériaux. Le rebord retenant l'eau et les débris, ils sont moins faciles à nettoyer que les éviers sans rebord.

Les éviers à rebord aligné ressemblent à ceux sans rebord, mais ils sont conçus pour s'aligner avec le plan de travail. Ils offrent les mêmes avantages que les éviers encastrés sans rebord et ne retiennent pas les débris ou l'eau. Ils doivent être soudés au plan de travail pour éviter les fuites.

L'évier intégral forme une seule pièce avec le plan de travail. Il peut être fabriqué dans un matériau massif (comme le Corian®) et collé sur le plan de travail, ou en acier inoxydable et soudé dans un plan de travail en inoxydable également, comme dans les cuisines professionnelles.

Les lavabos à colonne (*photo ci-dessus*) classiques dans la salle de bains, prennent moins de place que les lavabos encastrés dans un meuble, ce qui peut être un avantage dans une petite pièce d'eau. Ils offrent peu de surface de rangement mais il est possible d'installer une étagère au-dessus. La plupart des lavabos à colonne sont en porcelaine vitrifiée.

Les éviers à bandeau frontal (*photo ci-dessus*), parfois appelés éviers à l'ancienne ou auges, existent en divers matériaux, dont la pierre, la porcelaine vitrifiée et le grès émaillé. Ils présentent un large bandeau frontal qui reste apparent quand l'évier est encastré dans un meuble spécialement conçu. Leur petit air rétro et charmant rappelle les éviers de ferme d'autrefois. Ils sont parfaits pour les cuisines rustiques.

plan de travail en acier inoxydable

plan de travail en granit

plan de travail en pierre calcaire

billot de boucher en érable

Matériaux d'évier et de lavabo

L'acier inoxydable est le matériau le plus populaire pour les éviers. Il offre plusieurs avantages : il n'absorbe pas les bactéries provenant des aliments, ne rouille pas, résiste à la chaleur et relativement facile à nettoyer. Les éviers en inoxydable de base sont fabriqués en inox 20/10, et les éviers de meilleure qualité sont en 18/10 ou même 16/10. Ils existent en finition mate ou satinée. Les prix varient considérablement.

La porcelaine vitrifiée forme un matériau extrêmement durable. Les éviers sont vitrifiés dans la masse et une éraflure ne risque pas de rouiller. Leur surface lisse ressemble à de la porcelaine et peut être décorée ou peinte avant cuisson. Les éviers de base sont moins coûteux que les autres types de matériaux, mais les modèles élaborés peuvent être assez chers.

La fonte émaillée existe depuis longtemps. Bien entretenue, la couche d'émail est très durable mais elle peut être endommagée par des nettoyants abrasifs. La fonte émaillée garde bien la chaleur et sa masse atténue les bruits d'eau ou du broyeur, quand l'évier en est équipé. Les modèles de base avec deux cuves sont relativement bon marché. Les éviers en acier émaillé sont plus légers et moins chers, mais ils s'ébrèchent plus facilement que la fonte émaillée.

Les éviers en cuivre ou en bronze sont certainement parmi les plus chers, mais ces métaux ne rouillent pas, sont très durables et présentent un charme rustique. Le cuivre, le moins cher des deux, doit être régulièrement nettoyé. Le bronze donne une patine plus sombre.

Les lavabos vasques rappellent la table de toilette à l'ancienne avec sa cuvette et son pot à eau. La plupart sont conçus pour être posés sur un meuble, mais certains modèles sont fixés sur le mur. Le choix des matériaux est grand, dont le verre trempé, la faïence, le cuivre, le bronze et la pierre. Un lavabo vasque peut devenir le pôle d'attraction de la salle de bains. Les parois du lavabo se dressant au-dessus du plan sur lequel il repose, vous devez prendre en compte la hauteur du meuble. Un haut lavabo est pratique pour un adulte de grande taille mais difficile à atteindre pour un enfant. Les vasques peuvent être équipées d'une robinetterie murale ou de très hauts robinets.

Plans de travail de cuisine

Le plastique stratifié est économique et existe en une vaste gamme de couleurs et de motifs. Moins résistant à la chaleur que d'autres matériaux, il n'aime pas les couteaux pointus, mais c'est un matériau durable et facile à nettoyer. Le stratifié peut être acheté en plaque à poser sur un panneau de particules, ou en plan de travail avec bord arrondi et rebord arrière, prêt à monter. Pour éviter la ligne noire formée par la jonction entre le dessus et les côtés du plan, on peut utiliser un stratifié teinté dans la masse, comme le Formica, ou demander à l'installateur de coller un joint sur les côtés exposés.

L'acier inoxydable et d'autres métaux peuvent donner des plans de travail très solides et résistants à la chaleur. L'acier inoxydable *(photo ci-dessus)* est non absorbant et facile à nettoyer (une des raisons de sa présence dans les cuisines professionnelles) et il est possible de lui intégrer un évier du même matériau. Plus il est épais, mieux il résiste aux éraflures, celles-ci finissant par se fondre dans une jolie patine. C'est un matériau modérément coûteux pour un plan de travail.

Les plans de travail en carrelages de céramique identiques aux carrelages de sol sont tout aussi résistants, et l'immense variété de couleurs, motifs et textures offre des possibilités de décor presque illimitées. La céramique résiste à la chaleur et la pose en est facile. Un plan de travail en céramique est cependant dur et sans aucune souplesse, et les joints donnent une surface quelque peu irrégulière sur laquelle les verres peuvent tomber et se casser facilement. Une surface carrelée est extrêmement durable, et un carreau cassé peut être remplacé sans problème. Les prix varient selon le type de carrelage.

Les plans de travail en pierre naturelle sont faits d'une seule dalle ou de carreaux individuels. La pierre existe en une belle variété de couleurs, du granit moucheté *(photo ci-dessus)* au calcaire *(photo ci-dessus)* et au marbre blanc. En outre, la pierre est durable et résistante à la chaleur mais, comme le carrelage, elle n'aime pas la verrerie délicate. La plupart doivent recevoir un traitement hydrofuge pour éviter les taches. La surface de la pierre calcaire et de certains marbres clairs risque de se ternir au fil du temps. Aussi, avant de vous décider, observez un plan de travail installé depuis quelques années et comparez-le avec la cuisine d'exposition. La pierre est relativement coûteuse.

Le bois a été évincé dans de nombreux intérieurs au profit de matériaux modernes demandant moins d'entretien. C'est cependant un matériau chaud et agréable, qui peut recevoir un traitement hydrofuge. Le billot de boucher en érable *(photo ci-dessus)* est assez courant, mais de nombreuses autres essences conviennent pour les plans de travail. Les prix varient selon le type de bois mais cette solution peut être économique.

Les plans de travail en Corian®, d'un seul tenant, sont pratiques, faciles à nettoyer et existent en nombreuses couleurs et motifs. Ils peuvent être associés à un évier intégral du même matériau. Plus souples pour les assiettes ou les verres que la pierre ou le carrelage, ils ne se tachent pas facilement. Ces plans de travail d'un seul tenant sont assez coûteux.

Le ciment est la nouvelle tendance pour les plans de travail. Comme il peut prendre toutes les formes et toutes les épaisseurs et être enjolivé par des incrustations, il offre d'infinies possibilités de décoration. Il peut être coulé sur place ou chez le fabricant et posé comme une dalle de pierre. Comme le carrelage et la pierre, il absorbe les taches s'il n'est pas hydrofugé. Sa pose est assez coûteuse.

caissons à façade

éléments intégrés

meubles en mélaminé

meubles en bois de cerisier

Les composites de pierre sont des mélanges de pierre vraie et de résine associées à des pigments colorés. Ils sont plus uniformes que la pierre naturelle et légèrement moins coûteux. Les composites de quartz sont très solides et, contrairement à la pierre, n'absorbent pas les taches. Les plans de travail composites sont faciles à entretenir.

Meubles de cuisine et de salle de bains

Les différents types de meubles

Il existe des meubles de cuisine et de salle de bains de tous les styles et à tous les prix. Quel que soit votre choix, finition vieillie, stratifié facile à nettoyer ou bois naturel, vous trouverez exactement ce que vous voulez. Les meubles les plus économiques proposent moins de variété dans les finitions, les matériaux et les accessoires. Les modèles à adapter offrent davantage de finitions et des matériaux de meilleure qualité (tiroirs en bois massif, assemblés à queue d'aronde, au lieu d'isorel, par exemple). Les dimensions des éléments sont fixes, ce qui nécessite de composer si la cuisine n'est pas exactement aux mesures. Tout en haut de la gamme se trouvent les meubles sur mesure, faits dans le matériau de votre choix. Ceux-ci étant réalisés sur commande, ils demandent un certain délai et sont particulièrement coûteux.

Les caissons à façade (*photo ci-dessus*) offrent un aspect traditionnel grâce à une ossature en bois appliquée sur la façade du caisson, et créant les emplacements des tiroirs et des portes. Selon l'aspect désiré, les portes et tiroirs seront encastrés ou appliqués, et les finitions visibles ou non. Ces placards peuvent être commandés en différents bois naturels (pin, chêne, érable...) avec diverses finitions et des surfaces peintes ou vernies.

Les éléments intégrés (*photo ci-dessus*) ont un aspect plus contemporain que les précédents. Les façades des portes et des tiroirs couvrent complètement la façade des caissons, seul étant visible un étroit espace entre les portes et les tiroirs. Ces éléments sont plus spacieux à l'intérieur, et pour changer tout l'aspect de la cuisine, il suffit d'acheter de nouvelles façades de porte.

Matériaux des meubles

Le mélaminé est l'un des matériaux les plus économiques pour les meubles de cuisine. Il consiste en un panneau de particules fini par une mince couche de résine synthétique. Le stratifié (*photo ci-dessus*), matériau utilisé pour les plans de travail, sert aussi pour les meubles de cuisine. Tous deux sont durables, disponibles en de nombreux coloris et faciles à nettoyer parce que non absorbants. Un inconvénient cependant : la surface est difficile à réparer en cas d'éraflure. Sur les portes en mélaminé, les lignes sombres sur les bords peuvent être dissimulées par un joint PVC ou en utilisant un mélaminé teint dans la masse.

Les portes et tiroirs thermoformés, qui ressemblent à du bois peint, sont en réalité faits de plastique thermoformé sur du médium (panneau de particules). Le médium étant un matériau très polyvalent, vous pouvez obtenir l'aspect traditionnel d'une porte ou d'un tiroir à panneaux, dans un matériau facile à entretenir et peu coûteux. Une porte thermoformée est plus stable qu'une porte en mélaminé mais le matériau redoute la chaleur.

Les meubles en bois ont une chaleur et un caractère qu'aucun autre matériau industriel ne peut égaler complètement. Les bois durs et les bois de placage tels que le chêne, l'érable, le pin, le cerisier (*photo ci-dessus*) et l'aulne sont disponibles chez de nombreux fabricants et font des meubles durables et élégants. Si votre style est un peu moins traditionnel, vous pouvez choisir parmi d'autres essences, chêne blanc, acajou ou bois exotique, par exemple. N'oubliez pas cependant que, plus le bois est rare, plus il sera coûteux.

Les finitions des meubles en bois naturel vont du vernis transparent à la laque colorée et aux mariages sophistiqués de vernis et de teinture. Le bois peut être teinté en n'importe quelle couleur, à moins que vous n'en préfériez l'aspect naturel en travaillant à partir d'une palette de base de textures et de couleurs (imaginez un érable blond, opposé à du cerisier rouge rubis sombre). Outre les finitions transparentes, les fabricants ont récemment élargi leurs choix de vernis. Ces finitions plus complexes comprennent une couche d'une seconde couleur qui est appliquée puis retirée en partie seulement, ce qui laisse des vestiges de couleur dans les angles et sur les moulures. Si vous aimez les objets anciens patinés par les ans, choisissez un modèle intentionnellement vieilli ou poncé en usine. Ces finitions imitent remarquablement les méfaits du temps et conviennent pour une cuisine campagnarde.

Rajeunir des éléments

La peinture appliquée au pinceau ou au pistolet est une façon simple de donner, à moindre coût, une nouvelle vie à de vieux éléments de cuisine, à condition que la structure des meubles soit en bon état. Les finitions seront moins durables que celles appliquées en usine sur des meubles neufs, et il faut vous attendre à devoir repeindre périodiquement les éraflures (gardez toujours un peu de peinture pour cette éventualité). En remplaçant les poignées de porte et de tiroir, vous compléterez la rénovation.

En plaquant les façades des meubles avec du bois et en ajoutant de nouvelles façades de tiroir vous pourrez aussi rajeunir une cuisine un peu fatiguée. Le procédé est généralement moins coûteux que de remplacer tous les vieux meubles et prend moins de temps. Les fabricants spécialisés proposent des façades de porte et de tiroir ainsi que des caissons. Avec de nouvelles poignées, la cuisine retrouvera une seconde jeunesse.

Baignoires

La fonte émaillée donne des baignoires extrêmement durables. Les baignoires à pattes de lion (*photo page opposée*) ont un petit air rétro très tendance aujourd'hui. Vous pouvez les acheter neuves, mais on trouve d'anciennes

baignoire à pattes de lion

baignoire et robinet à entourage en ciment

douche carrelée à porte en verre

douche à carrelage de mosaïque de verre

baignoires dans les chantiers de démolition. Leur longévité vient du procédé de fabrication : l'émail est cuit sur la carcasse en fonte à haute température, créant une surface résistante et facile à nettoyer. N'utilisez pas de produit abrasif qui pourrait l'endommager. Les baignoires en fonte conservent la chaleur de l'eau.

L'acier émaillé peut remplacer à moindre prix la fonte émaillée. Ces baignoires sont plus légères et n'atténuent pas le bruit de l'eau courante comme les modèles en fonte émaillée. Si les plus économiques sont moins résistantes que la fonte, certaines versions haut de gamme associent l'acier à une structure composite qui les rend plus durables et plus isolantes.

Les baignoires en résine, parmi les moins chères, sont faites en projetant ce matériau sur un moule et en renforçant l'envers avec de la fibre de verre et de la résine. La surface est moins durable que celle des autres matériaux et la finition peut être endommagée par des produits abrasifs. La résine convient cependant pour les baignoires peu utilisées, dans une maison de vacances par exemple.

Les baignoires acryliques sont plus durables et se rayent moins que les précédentes, mais sont plus chères. La surface colorée est plus épaisse. L'ossature de la baignoire est renforcée avec un autre matériau, ce qui la rend plus solide.

Les « doublures » de remplacement en plastique acrylique peuvent vous épargner l'ennui d'avoir à démonter et remplacer une vieille baignoire. Après avoir pris les mesures et commandé les composants, un professionnel vous installe la nouvelle baignoire en une journée environ. Bien que le procédé soit relativement coûteux, il revient moins cher que d'acheter et poser une nouvelle baignoire.

Les vieilles baignoires, tachées et écaillées par des décennies de bons et loyaux services, peuvent recevoir une nouvelle finition sur place. Un technicien nettoie la surface, comble les éraflures et applique une nouvelle couche de finition en vaporisant de l'acrylique, mat ou brillant. Certains fabricants proposent ce service. La surface acrylique redevenue immaculée offrira une qualité supérieure à l'émail original.

Baignoires spéciales

Les cuves japonaises relèvent d'une longue tradition au Japon et commencent à gagner le monde occidental. Rien n'est plus relaxant que de s'immerger dans un bain d'eau chaude après une longue journée. Hautes de 50 à 90 cm, les cuves japonaises sont beaucoup plus profondes que les baignoires standards. Comme il est parfois difficile de grimper dans ses très hautes cuves, aidez-vous d'un tabouret solide. Rappelez-vous aussi que la cuve contient plus d'eau et que son poids augmente en conséquence. Une cuve de 80 cm pouvant contenir de 230 à 290 litres d'eau, assurez-vous que le plancher est assez solide et le ballon d'eau chaude d'une capacité suffisante.

Les baignoires à jets ou balnéo envoient des jets dans l'eau du bain, pour un massage aquatique aux effets relaxants. Elles sont considérablement plus chères que les baignoires standards et certaines sont assez grandes pour deux personnes. Les très grandes baignoires balnéo contiennent 570 litres d'eau ou plus et nécessitent un support spécial ainsi qu'un ballon d'eau chaude de capacité suffisante.

Les baignoires à bulles envoient des « jets » d'air et de bulles plutôt que des jets d'eau. Comme il ne s'agit pas d'un circuit fermé, elles demandent moins d'entretien que les baignoires balnéo. Elles sont aussi moins coûteuses.

Douches

Les douches carrelées sur mesure (*photos ci-dessus*) offrent des possibilités de décoration infinies. Sur fond de ciment, les parois de la douche acceptent des carrelages de toutes tailles et formes, une vaste gamme de céramiques et de pierres naturelles offrant des couleurs, des textures et des motifs pour tous les goûts. Les douches peuvent être conçues de façon à ne pas nécessiter de porte et peuvent être éclairées par des parois en pavés de verre. Si des carreaux de faïence ou des pierres naturelles de toutes sortes peuvent être utilisés, évitez les carrelages lisses et glissants pour le sol.

Les modules baignoire-douche existent en fibre de verre plastifiée ou en acrylique. Les baignoires-douches intégrales avec plafond peuvent être équipées d'un générateur de vapeur ou de multiples jets. En raison de leur taille, ces cabines intégrales risquent de ne pas passer par les portes et les couloirs, aussi les fabricants offrent des modèles en deux ou trois modules qui sont ensuite assemblés.

Les cabines de douche indépendantes occupent moins de place que les modules précédents. Il en existe une gamme considérable de styles et de prix, dont des modèles en acrylique et en fibre de verre qui se glissent dans un angle, et d'autres avec la partie frontale arrondie. Les plus grandes cabines comprennent parfois un siège moulé et des porte-accessoires incorporés.

Toilettes

Les toilettes existent en divers styles et à des prix variés. Aujourd'hui, elles ne doivent pas utiliser plus de 6 litres d'eau par chasse, ce qui est bien loin des 11 à 19 litres des anciennes toilettes. Les toilettes fixées au sol sont les plus courantes mais il existe aussi des modèles muraux qui libèrent l'espace au sol et agrandissent visuellement la pièce. Ils sont aussi plus faciles à nettoyer. Les modèles hauts sont adaptés aux personnes en fauteuil roulant ou qui ont du mal à se mouvoir.

Il existe deux types de toilettes de base. Le plus courant utilise la gravité et le poids de l'eau. Le réservoir se vide quand la chasse est tirée. L'autre modèle est celui des toilettes dites à effet d'eau, comme celles des avions.

Les toilettes en deux parties consistent en une cuvette et un réservoir d'eau séparé, qui sont connectés par le plombier au moment de l'installation. Certains modèles sont conçus

teck

osier peint

aluminium anodisé

coton matelassé

spécialement pour les angles et l'on trouve encore des toilettes à l'ancienne dont le réservoir est placé en hauteur sur le mur.

Les toilettes monobloc, plus coûteuses, offrent moins de joints que les modèles en deux parties. D'aspect plus moderne, elles sont aussi plus faciles à nettoyer.

Mobilier d'extérieur

Le teck (*photo ci-dessus*) est le grand gagnant du mobilier d'extérieur en bois : beau, durable et pratiquement sans entretien. La chaude couleur brun-rouge de ce bois dur exotique devient gris argenté au fil du temps, et un nettoyage occasionnel suffit pour qu'il garde toute son élégance.

L'acajou est apprécié depuis longtemps, en partie à cause de son excellente résistance aux moisissures mais aussi en raison de sa riche couleur brun-rouge. Longtemps favori des constructeurs de bateaux, c'était le matériau des chaises longues du *Titanic*. En vieillissant, le bois devient gris tendre.

Diverses variétés de bois durs exotiques tels que le jarrah, l'ipé, le balau et le nyatoh peuvent remplacer le teck et l'acajou. Moins chers que le teck de première qualité, ces bois sont cependant solides, denses et résistants aux intempéries. Les tons brun-rouge deviennent d'un joli gris argenté lorsque le bois est exposé au soleil et à la pluie, mais une application d'huile de teck leur redonne leur couleur originale.

Cèdre et séquoia peuvent remplacer les bois exotiques. Ces deux bois tendres d'Amérique du Nord sont depuis longtemps utilisés dans le bâtiment comme bois d'extérieur, pour leur durabilité et leur excellente résistance à la pourriture et aux insectes. Le bois de cœur, au grain serré, est celui qui craint le moins les intempéries mais il est parfois difficile à trouver. Aucun de ces bois n'est toutefois aussi dense que les bois exotiques, ce qui les rend un peu plus sensibles à l'usure. Et contrairement aux bois exotiques, ils doivent être traités régulièrement avec un produit protecteur.

Les meubles en osier (*photo ci-dessus*) sont généralement fabriqués avec le tissage des branches flexibles. Les fibres synthétiques permettent aujourd'hui de créer des meubles en osier pour l'usage extérieur. Contrairement aux meubles en osier naturel, ces versions sont tissées sur des ossatures en aluminium ou en plastique et peuvent être laissées sous la pluie et même la neige sans s'abîmer. En outre, ces meubles présentent tout le confort et le charme de l'osier naturel.

Rotin, jacinthe d'eau et abaca sont d'autres fibres de plantes utilisées pour créer de jolis meubles tissés, à l'aspect naturel. Ces fibres peuvent être teintes mais elles ne supportent pas les intempéries. Protégez-les du soleil et de la pluie dans un patio ou dans une véranda.

La fonte et le fer forgé sont des choix toujours appréciés pour le mobilier de patio et de jardin, et ils ne risquent pas de s'envoler au premier coup de vent. Le métal peut prendre toutes les formes, en ouvrant la voie à des styles de meubles ornementés impossibles à réaliser en d'autres matériaux. Exposé à l'humidité, le fer rouille, aussi doit-il être peint (et repeint périodiquement) pour le protéger. Certains fabricants appliquent un revêtement de type plastique pour éviter la corrosion.

L'aluminium est le matériau le plus employé aujourd'hui pour le mobilier de jardin. Son grand avantage est qu'il ne rouille pas, contrairement au fer. Cependant, laissé sans protection, l'aluminium se pique et s'oxyde, et il vaut mieux choisir des meubles avec finition protectrice *(photo ci-dessus)*. Il existe plusieurs qualités de meubles en aluminium. Les meubles en tubes creux, très légers, sont les plus économiques. En fonte d'aluminium, ils sont lourds et solides ; disponibles dans divers styles, les meilleures qualités sont assez onéreuses.

Le plastique est un matériau bon marché et durable qui peut être moulé en diverses formes pour donner des meubles d'extérieur. Traité anti-UV, le plastique supporte les intempéries et revêt de vives couleurs. Si vous souhaitez les avantages du plastique mais que vous aimez un style plus traditionnel, vous trouverez chez les fabricants des fauteuils et des chaises longues dans un matériau de plastique recyclé qui ressemble à du bois peint.

Les coussins et tissus résistants aux intempéries ajoutent de la couleur et des textures au mobilier en métal et en bois qu'ils rendent beaucoup plus confortable. La toile de coton unie qu'il fallait rentrer à la moindre averse a fait place à des tissus synthétiques beaucoup plus résistants, superbes, faciles à entretenir et qui ne fanent pas. On trouve aussi des toiles traitées anti-taches.

Tissus

La toile est un tissu résistant couramment utilisé pour les articles de sport, les stores et les tentes. Tissée en coton, lin ou chanvre, elle offre un aspect décontracté et peut être utilisée à l'intérieur comme à l'extérieur pour les sièges et les coussins. Pour les coussins des meubles d'extérieur, choisissez de la toile traitée au Teflon qui repousse l'eau et dont les couleurs ne passent pas.

Le chenillé est un procédé de tissage qui donne à la soie, au coton ou aux fibres synthétiques un aspect cotonneux, en créant un tissu épais et riche. Ce matériau douillet sert à faire des couvertures, des jetés et du tissu d'ameublement.

Le coton est un tissu léger tissé avec les fibres du cotonnier. Aéré, lavable et totalement polyvalent, c'est le tissu parfait pour toutes les saisons, pour le linge de lit, l'ameublement et les rideaux. Les cotons longues fibres, ou coton égyptien, sont les plus doux pour le linge de lit, et les toiles traitées anti-UV ainsi que les sergés sont assez résistants pour l'extérieur. Le coton est souvent mélangé avec le lin, la laine, la soie ou les fibres synthétiques.

La toile denim est un tissu de coton sergé épais, qui serait originaire de la ville de Nîmes et qui est devenu synonyme de jeans. Le denim est idéal pour confectionner des housses lavables et convient parfaitement pour les pièces

lin naturel

sergé

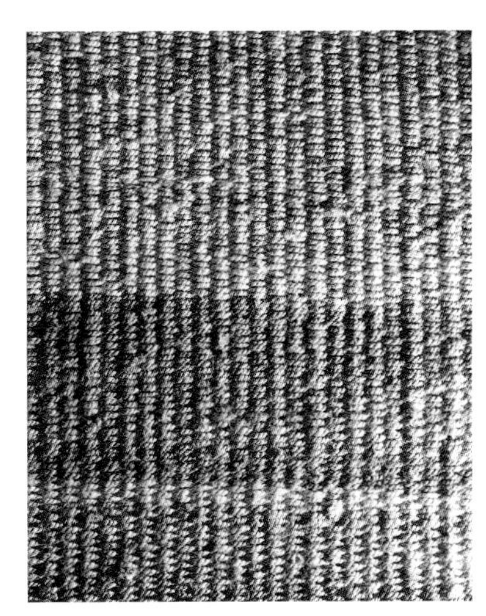

tapis en sisal

kilim

très utilisées, surtout par les enfants et les animaux familiers, ainsi que pour l'extérieur. La douceur du tissu augmente avec le nombre des lavages, en ajoutant à son charme.

La suédine imite l'aspect et le toucher du cuir. Fait de microfibres, ce tissu synthétique durable convient pour l'ameublement, les canapés et fauteuils auxquels il confère sa chaleur et son velouté.

Le cuir est un choix exceptionnellement durable, qui devient encore plus souple et plus beau avec le temps. La texture, la dimension, la régularité des pigments et la douceur de la peau tannée indiquent un cuir de grande qualité. Noir et brun sont deux couleurs classiques du cuir, mais les fabricants proposent aujourd'hui toute une gamme de belles couleurs. Les meubles en cuir se marient aussi bien avec les décors classiques que contemporains.

Le tissu matelassé (*photo page opposée*) est un tissu à double tissage, généralement en coton, avec des motifs en relief qui lui donnent l'aspect du « quilt » américain. Cet effet est obtenu en intercalant une trame de ouatage. Le linge de lit, les coussins et les jetés matelassés, à la riche texture, ont un charme rétro.

Le lin (*photo ci-dessus*) est tissé avec les fibres de cette plante aux jolies fleurs bleues. Deux fois plus résistant que le coton, ce tissu aéré et frais offre une texture naturellement irrégulière qui s'adoucit à l'usage. Le lin est utilisé pour les nappes et les serviettes, les rideaux et le tissu d'ameublement. Il est souvent mélangé avec du coton pour plus de facilité d'entretien.

La soie est tissée avec les fils déroulés du cocon du ver à soie. Appréciée pour son lustre et sa douce texture, la soie est un matériau luxueux pour les rideaux et les housses de coussin.

Les fibres synthétiques comme la rayonne, le polyester, le Nylon et l'acrylique sont tissées avec une large gamme de fibres naturelles pour les rendre plus durables et plus faciles à entretenir.

Le tissu-éponge, classique pour les serviettes de bain, est généralement tissé en coton, et sa surface à bouclettes le rend naturellement absorbant. Comme il se lave bien, sèche vite et supporte l'humidité, il est parfait comme tissu d'ameublement ou pour les housses de coussin, les salles de bains et l'extérieur.

Le sergé (*photo ci-dessus*) est un tissu de coton tissé serré présentant de fines côtes en diagonale. Le denim et la gabardine en sont des exemples. Durable, lavable et confortable, le sergé de coton est un tissu résistant pour les housses ou l'ameublement, à l'intérieur comme à l'extérieur. Les sergés traités anti-UV sont recommandés pour l'extérieur.

Le velours est traditionnellement tissé avec de la laine, de la soie ou du coton. Il présente des poils serrés et dressés qui sont coupés pour donner une texture pelucheuse, à l'aspect de fourrure. Choix classique pour les rideaux et l'ameublement, le velours donne un décor riche et élégant.

La laine est un tissu naturellement solide, chaud et souple pour l'ameublement. Les fibres de laine sont couramment associées à des fibres naturelles ou synthétiques.

Tapis

L'abaca, également nommé chanvre de Manille, est une fibre très solide qui vient de la tige des feuilles d'un bananier natif des Philippines. L'abaca n'est pas apparenté au chanvre vrai, bien que tous deux servent à faire des cordes, du tissu et des tapis.

La fibre de coco est une fibre naturelle tirée de la noix de coco, filée et tissée à la machine pour former des tapis. Ces tapis ont une finition irrégulière et sont généralement considérés comme les plus résistants des tissages en fibres naturelles. Elle est parfaite pour les entrées et est très utilisée pour les paillassons.

Le coton est tissé pour donner des tapis doux et souples sous le pied, tout en étant faciles à entretenir. Il existe toutes sortes de styles tels que les dhurries indiens, les tapis tressés et les lirettes. Naturellement absorbants, les tapis de coton sont parfaits pour les salles de bains.

Le jute vient d'une plante ligneuse cultivée en Asie. Tissé en tapis, il offre un aspect confortable et une texture apparentée à celle de la laine. Le jute est considéré comme le plus souple des tapis naturels, mais en général il est moins solide que le sisal.

Les tapis en papier sont tissés avec les fibres tirées de la pulpe de bois. Étonnamment durables et confortables sous le pied, ils forment de jolis motifs à l'aspect proche du sisal et autres tapis naturels. Ils sont respectueux de l'environnement, le bois étant recyclable et biodégradable.

Le seagrass est une herbe aquatique chinoise qui produit une fibre semblable à la paille et plus lisse que la fibre de coco, le sisal ou le jute. Naturellement résistant à la saleté et aux taches, il est indiqué pour les zones de grand passage. Les subtils tons verts du seagrass ajoutent leur chaleur et leur charme naturel au décor.

Le sisal (*photo ci-dessus*) est une fibre flexible provenant des feuilles du sisal (ou agave), qui pousse en Asie, Afrique et Amérique centrale. Les fibres de sisal forment des tapis solides à la surface régulière, très texturée. Ces tapis sont relativement doux et conviennent pour les séjours et les chambres. Très durables, ils peuvent être placés dans les entrées et les couloirs.

Les tapis synthétiques, au tissage machine de fibres telles que Nylon, rayonne, polyester ou acrylique, sont durables, résistants et d'un prix abordable. Le polypropylène est un synthétique à base de pétrole qui peut être tissé en superbes motifs, à l'aspect de sisal ou de laine. Faciles à nettoyer à l'eau, ces tapis sont pratiques pour l'extérieur et les pièces très fréquentées comme les entrées et les cuisines.

Les tapis de laine sont naturellement chauds, hydrofuges et durables. La plupart sont tissés avec des fibres synthétiques, le mélange typique étant de 80 % de laine et 20 % de Nylon. La laine est utilisée traditionnellement pour les tapis d'Orient et du Tibet, ainsi que pour les kilims de Turquie et d'Afghanistan (*photo ci-dessus*).

Index

A

abaca
mobilier d'extérieur, 362
tapis, 363
abris de jardin, 287
acajou, 362
accessoires
choisir, 22
pour bureaux, 244, 252, 255, 261
pour cuisines, 157, 163
pour espaces repas, 95, 120
pour l'extérieur, 120, 299
acier émaillé, 361
acier inoxydable, 359
acrylique, 363
baignoire, 235, 361
tapis, 363
aluminium, 362
argenterie, 95, 105, 116, 117
armoires, 183, 184, 192
atelier, 163
éclairage, 284
mobilier, 284
organisation, 274, 283
plans au sol, 275
rangements, 288

B

baignoires
accessoires, 236-237
dimension de, 205, 237
étagères au-dessus, 220
types de, 209, 211, 232, 236-237, 361
baignoires à bulles, 361
baignoires balnéo à jets, 361
balau, 362
balcons, jardins sur, 295
bambou
sol, 357
stores, 58
bancs
bottes de paille, 124
en bois, 115, 189, 195, 209, 267, 292
bar, 64, 105
billot de boucher, 142, 359
blanc
accents de couleur avec, 309
bleu et, 36, 123
illusion d'espace avec, 256
palettes de couleurs douces et, 324
rouge et, 120
texture avec, 61, 196
thème de couleur monochrome, 61, 149, 160, 256, 264
vaisselle, 112
bleu et blanc, 36, 123
bois
linteaux de cheminées, 41
meubles de cuisine, 153, 360
mobilier d'extérieur, 362
plans de travail, 359
sols, 68, 187, 357, 358
tête de lit, 181
traité, 214
bougies, 97, 195, 299, 348
brun, 309, 314
buffets, 86, 90, 95
buffets, tables de, 106
bureaux
bureaux (meubles), 51, 245, 251, 252, 259
et canapé, 256, 259, 264
dans chambres, 245, 263, 267
dans couloirs, 259
dans cuisines, 263
dans greniers, 248
dans pièces familiales, 263, 264
décorer, 244, 252, 255, 261
double usage, 263-264, 267
éclairage pour, 264, 350, 351
ergonomie et, 245
organisation, 244-245, 247, 255
plans au sol pour, 245
rangements, 251, 252, 256, 259, 264
style, 251, 255
rencontrer clients, 252
sur paliers, 259
tables de travail, 245, 248
zones, 264

C

cabine de plage, 292
canapés
dans bureaux, 256, 259, 264
dans séjours, 31, 48
types de, 31
carafes en verre, 142
carrelage
douches, 214, 235, 361
plans de travail, 359
sols, 68, 214, 235, 357-358
carrelage en terre cuite, 68
carrelage mosaïque, 214, 235
carrelage de céramique
plans de travail, 359
sols, 68, 358
cèdre, 362
centre de table, 90, 112
chaises à barreaux, 98
chaises empilables, 98
chaises longues, 184, 281
chambres
armoires, 183, 184, 192
cadre intime, 173-174, 177-178, 195
d'amis, 191-197
décloisonnée, 187
des enfants, 342
éléments du décor asiatique, 178
et multimédias, 274
grenier, 184
lits, 170, 178, 180-181, 192
organisation, 170-171
palettes de couleurs, 314, 319, 324
plan au sol, 171
rangements, 170-171, 177, 180, 183, 189
sols, 187, 357-358
traitement des fenêtres, 174, 339, 342
zones dans, 178, 187
cheminées
d'extérieur, 67, 123
encastrées, 41
étagères autour de, 53
flammes, 348
linteaux, 36, 40-42, 90
pôles d'attraction, 40, 67, 174, 177
rénover, 40
s'asseoir autour, 33, 36, 38-39, 67, 105, 174
types de, 40-41
chemins de table, 90
chenillé, 58, 362
ciment
plans de travail, 359-360
sols, 358
claviers, 245
collections
dans cuisines, 157, 160, 163
dans espaces repas, 95
grouper, 74
sur cheminée, 42
confort
les essentiels du, 15-16
texture et, 58
importance du, 15, 57
coton, 58, 362
denim, 363
rideaux, 341
sergé, 363
tapis, 363
tissu-éponge, 363
couleur
changeante, 306
expérimenter, 320
lumière et, 306, 348
plan pour toute la maison, 18, 21, 306-307
valeur de, 306
couloirs
bureau dans, 259
couleur, 324
cristal, 116-117
cuir, 363
fauteuils, 90, 98, 281
poufs, 281
tête de lit, 181
cuisines
bureau dans, 263
de bateau, 135, 149
décloisonnées, 142
décorer, 157, 163
du chef, 141
éclairage, 350
en U, 135, 138
éviers, 134, 358-359
fourneaux, 134, 141
îlots, 135, 138, 146, 154, 159
maximiser l'espace, 145
offices, 138, 152
organisation, 134-35, 137
palettes de couleurs, 319, 324
placards, 146, 149, 152-155, 360
plans au sol, 135
plans de travail, 142, 155, 359-360
rangements, 135, 141-142, 145, 149-150, 152-155, 160
réfrigérateur, 134
repas dans, 115, 146
sol, 357-358
cuves japonaises, 232, 237, 361

D

dalles, 358
damas, 58, 340
denim, 363
dessertes, 68, 92
diner près du lac, 120
douche
avec carrelage mosaïque de verre, 214, 235
dimensions, 209
espace minimal, 205
types de, 236, 361
draps, 180

E

éclairage
accent, 96, 347, 350
ambiance, 347, 350
bougies, 97, 195, 299, 348
effet de l', 347
en mouvement, 348
encastré, 248, 347, 350
équilibrer, 350
fluorescent, 216, 348
halogène, 216, 264, 348
incandescent, 348
jour et nuit, 348
la couleur et l', 305, 348
lampes, 350-351
lustres, 86, 96-97, 350
naturel, 174, 306, 339
ponctuel, 347-348
pour bureaux, 264, 350, 351
pour espaces multimédias, 274
pour chambres, 350, 351
pour cuisines, 350
pour espaces repas, 96-97, 102, 150
pour espaces créatifs, 284
pour salles de bains, 204, 216, 220, 350
pour séjours, 348, 350
solaire, 295
sur rail, 350
suspensions, 97
écrans d'ordinateurs, 245
éléments du décor asiatique, 178
entrées
avec escalier, 69
couleur, 307, 320
importance, 68
rangements, 68
sols, 68, 357
types d', 69
ergonomie, 245
espaces créatifs
éclairage, 284
mobilier, 284
organisation, 274, 283
plan au sol, 275
rangements dans, 287, 288
espaces de loisirs
en extérieur, 291-292, 295, 297, 299-300
espaces multimédias, 274-275, 277-278, 281, 314
organisation, 274-275
plans au sol, 275
pour créativité, 274, 283-284, 287-288
espaces extérieurs
décorer, 119-127, 290-300
mobilier, 61, 34, 37, 292, 362
pour les loisirs, 291-292, 295, 297, 299-300
pour les repas, 119-120, 123-124, 127
transition, 61-64, 67
espaces multimédias
check-list, 275
mobilier, 277
palettes de couleurs, 314
rangements, 274, 277-278, 281
sièges, 274
espaces repas
à l'extérieur, 119-120, 123-124, 127
buffets, 86, 90, 95
cérémonieux, 89, 90
classiques, 87, 95
dans cuisines, 115, 146
décloisonnés, 87, 92, 159
décontractés, 86-89
décorer, 95, 108, 115, 120
éclairage, 96-97, 102, 350
familial, 111-112, 115
palettes de couleurs, 319, 320, 324
rangements, 86, 89, 102, 116-117
sièges, 86, 87, 98-99
sols pour, 357-358
tables, 86, 87, 99
étagères
appuis de fenêtre, 120
dans bureaux, 251, 252, 256, 259
dans chambres, 195
dans cuisines, 142, 152, 154, 155, 160
dans espaces multimédias, 278, 281
dans espaces repas, 90, 92, 102, 116-117
dans pièces familiales, 51
dans salles de bains, 220, 224
dans séjours, 52-53
pour collections, 72
types d', 52-53

éviers, 134, 358-359
auges, 358
expositions
dans cuisines, 157, 160, 163
dans espaces repas, 95
de livres, 42, 74, 95, 157, 160, 163
de photos, 47, 77, 79, 95, 297
disposer, 71
d'œuvres d'art, 163
étagères pour, 72
importance, 71
sur linteaux, 36, 42, 90

F

fauteuils, 36, 86, 90, 98
fauteuils club, 47
fauve, 309, 310
fer
lits, 181
mobilier d'extérieur, 362
portail, 69
fibre de coco, 363
fibres synthétiques, 363
fleurs, 61, 108, 195
fourneaux, 134, 141

G

greniers
bureau dans, 248
chambres dans, 184
gris, 309, 310

H

hamacs, 300
hangar à bateau, 297
herbes, 157
housses, 58, 98, 181

I

îlot de cuisine, 138, 146, 154, 159
invités
chambres pour, 191-192, 195-196
salles de bains pour, 227, 229
ipé, 362

J

jacinthe d'eau, 362
jardinage
abri de jardin, 287
sur balcon, 295
jarrah, 362
jute, 363

L

laine, 58, 363
lampadaires, 350, 351
lampes
à bras articulé, 351
à poser, 97, 350, 351
abat-jour, 350
ampoules, 348
bureau, 351
choisir, 350-351
emplacement, 350
lampadaire, 350, 351
orientables, 351
solaires, 295
tempête, 299
types de, 97, 350-351
lavabos
à colonne, 209, 217
dans salles de bains, 205, 214, 216-217, 358-359
emplacement, 134
en bronze, 359
en cuivre, 359
espace minimal, 205
matériaux, 359
taille, 358
types de, 214, 216-217, 358
vasques, 214, 216-217, 359
liège
sols, 357
tableaux, 163
lin, 363
nappes, 106, 299
panneaux, 177
rideaux, 140, 341
lingerie
placard à linge sale, 224
sols pour, 357
linoléum, 357
linteaux de cheminée
bois, 41
collections sur, 36, 42
neufs, 40
lit traîneau, 181
lits
emplacement, 170, 180
d'enfant, 300
de repos, 192
en cuivre, 181
linge de, 180
rangements sous, 177
styles de, 178, 180-181, 192
livres, 52-54, 256, 267, 284
lucarnes, 184
lumière
d'ambiance, 347, 350
en mouvement, 348
fluorescente, 216, 348
incandescente, 348
naturelle, 17, 306, 339
ponctuelle, 347, 348
lustres, 86, 96-97, 350

M

marque-place, 101, 102
matelassé, 363
matériaux, 357-363
mélaminés
meubles de cuisine, 153, 360
plans de travail, 359
meubles de rangement
bar, 102
dans cuisines, 146, 149, 152-155, 360
dans pièces familiales, 51
dans salles de bains, 214, 220, 224, 360
matériaux pour, 360
médias, 274-275, 281
palettes de couleurs, 310
rajeunir, 360
types de, 360
vaisselle, 117
miroirs
dans chambres, 174
dans espaces repas, 92
dans pièces à vivre, 42
dans salles de bains, 216
mobilier
armoires, 183, 184, 192
bancs, 115, 189, 195, 209, 267, 292
buffets, 86, 90, 95
bureaux, 51, 245, 251, 252, 259
canapés, 31, 48, 256, 259, 264
chaises à barreaux, 98
chaises de salle à manger, 86, 98-99
chaises empilables, 98
chaises longues, 204, 300
consoles, 189
d'extérieur, 61, 64, 67, 292, 295, 362
dessertes, 68, 92
en teck, 64, 292, 362
fauteuils, 38, 47, 86, 90, 98
lits, 170, 178, 180-181
lits de repos, 192
osier, 115, 123, 362
poufs, 281
pour espaces créatifs, 284
pour multimédias, 277
pour salles de bains, 204, 207, 211, 212
tables à pied central, 192
tables d'atelier, 245, 248
tables de bout, 189
tables pliantes, 189
tables pour buffets, 106
tables tableau noir, 252
tabourets, 251
motifs
ajoutés, 330-332
avantages, 329
géométriques, 330, 331
inspirés de la nature, 330, 331
murs
couleurs, 306-327
lambris, 227
stuc, 211

N

nappes
lin, 106, 299
maintenir la nappe, 127
toile de jute, 124
nyatoh, 362
nylon, 363

O

œuvres d'art, 163
offices, 135, 152
organdi, 340-341
osier
mobilier, 61, 115, 123, 362
tête de lit, 181

P

palettes de couleurs
espaces décloisonnés et, 310
meubles de rangement et, 310
monochromes, 61, 149, 160, 264
pour chambres, 314, 319, 324
pour cuisines, 319, 324
pour espaces repas, 319, 320, 324
pour multimédias, 314
pour pièces familiales, 47, 48, 314
pour salles de bains, 319, 324
pour salles de séjour, 314, 319, 324
sol et, 310
palettes de couleurs de terre
choisir, 309, 314, 317
exemple, 58
palettes de couleurs douces, 319, 324, 327
palettes de couleurs neutres
choisir, 309, 310, 312
exemples, 47, 48, 177, 227
palettes de couleurs saturées, 319, 320, 322
paniers, 150, 177
papier
sacs en, 108
tapis, 363
parasols, 292
paravents, 178
parquets, 357
pastels, 324
pavés de terre, 358
peinture
à tableau noir, 102
brillante, 160
choisir les couleurs, 306-327
rénover cheminée, 40
rénover meubles de cuisine, 360
pergolas, 64
persiennes, 343
photographies, 47, 77, 79, 95, 297
pièce à vivre
canapés, 31
cérémonieuse, 57
circulation dans, 30
confortable, 57-58, 61
décloisonnée, 30, 35
décontractée, 36, 57
éclairage, 348, 350
entrée directe, 69
organiser, 30-31
palettes de couleurs pour, 314, 319, 324
plans au sol, 30, 31
prolongée à l'extérieur, 63-64, 67
rangements, 50-51, 52-53
recevoir dans, 31, 33, 35
s'asseoir dans, 30, 33, 35-36, 38-39
sols, 357-358
traitement des fenêtres, 36
zones, 30, 35
pièce pour la couture, 275
pièce familiale
bureau dans, 263, 264
décloisonnée, 45, 48
divans, 48
hangar à bateau, 297
palettes de couleurs pour, 47, 78, 314
rangements dans, 51
usages multiples, 45, 47-48
zones dans, 45, 48
pierre
plans de travail, 359-360
sols, 68, 211, 357-358
piscines
cabanon près de, 292
espace repas près de, 123
placards, 171
plafond
couleur du, 324
spots encastrés, 248, 347, 350
plans de travail
hauteur, 134, 155
matériaux, 142, 359-360
rangements sous, 155
plans de travail en granit, 359
plans de travail en pierre calcaire, 359
plantes, 61, 157, 235, 295
plastique, 362
plateaux, 160, 292
plats et assiettes, 92, 117
polyester, 361
polypropylène, 363
porcelaine
baignoires, 361
carrelages, 68
éviers, 359
portails, 69
porte-bouteilles, 127
porte-lettres, 261
portes-fenêtres, 36, 64, 184
portes vitrées, 153, 178
poufs, 281
puits de lumière, 184, 248

R

range-dossiers, 256
rangements
dans bureaux, 251, 252, 256, 259, 264
dans chambres, 170, 171, 177, 180, 183, 189
dans cuisines, 135, 141-142, 145, 149-150, 152-155, 160
dans entrées, 68
dans espaces créatifs, 287, 288
dans espaces multimédias, 274, 277-278, 281
dans espaces repas, 86, 89, 102, 116-117

dans pièces familiales, 51
dans placards, 170-171
dans salles de bains, 220, 222, 224
dans séjours, 50-53
rayonne, 361
rayures, 330, 331, 340
recevoir
à l'extérieur, 119-120, 123-124, 127, 299
dans le séjour, 31, 33, 35
de nombreux convives, 106
selon la saison, 112
style buffet, 105, 120
touches créatives, 101, 106
réfrigérateur, 134
revêtements de sol
bambou, 357
bois, 68, 187, 357-358
brique, 358
caoutchouc, 357
carrelage, 68, 214, 235, 357-358
ciment, 358
liège, 357
linoléum, 357
palettes de couleurs et, 310
parquets, 357
pavés de terre, 358
pierre, 68, 211, 357
pour chambres, 187, 357-358
pour cuisines, 357-358
pour entrées, 68, 357
pour espaces repas, 357-358
pour salles de bains, 214, 235, 357-358
pour salles de jeux, 357
pour séjours, 357-358
stratifiés, 357
vinyle, 357
rideaux
barres, 341
bordure pour, 341
doublure, 340, 341
lumière naturelle et, 339
mesures, 340
tissu pour, 340-341
voilages, 174, 340, 341
robinets, 216, 136
ronds de serviettes, 101
rotin, 362
rouge
blanc et, 120
vigueur, 319

S

salles d'eau, 211
salles de bains
baignoires, 205, 209, 211, 232, 236-237, 361
d'invités, 227, 229
de luxe, 205, 220, 222
douches, 205, 236, 361
éclairage pour, 204, 216, 220, 350
espace nécessaire pour, 205
familiales, 224
grandes, 207, 209
lavabos, 205, 214, 216-217, 358-359
matériaux pour, 214
meubles, 214, 220, 224, 360
miroirs, 216
mobilier, 204, 207, 209, 212
organisation, 204-205
palettes de couleurs pour, 319, 324
partagées, 219-220, 222, 224
plans au sol, 205
rangements, 220, 222, 224
salles d'eau, 211
sols pour, 214, 235, 357-358
spa, 231-232, 235-237
toilettes, 205, 361-362
traitement des fenêtres, 211, 220
zones dans, 212, 219, 222
salle de jeux, 253, 357
seagrass
mobilier d'extérieur, 362
sièges, 295
tapis, 363
tête de lit, 181
séparations, 178, 264
séquoia, 362
sergé, 363
sièges
autour de la cheminée, 33, 36, 38-39
dans les espaces multimedias, 274
modules, 31, 38-39
sièges
à empiler, 98
chaise longue, 184, 281
club, 47
cuir, 90, 98
dossier à barreaux, 98
fauteuils, 36, 38, 90, 98
lit de repos, 204, 300
osier, 115
pour salles à manger, 86, 98-99
pour salles de bains, 204, 207
tapissés, 86, 98, 251
sieste, 300
sisal, 61, 363
soie, 363
rideaux, 340-341
stores, 350
sols
en ardoise, 211
en brique, 358
en caoutchouc, 357
en vinyle, 357
spa, 231-232, 235-237
stores
à bandes verticales, 343
à enrouleur, 343
bambou, 58
bateau, 342-343
inversés, 343
lumière naturelle et, 339
plissés, 343
prendre les mesures, 342
sur rails, 342-343
vénitiens, 342-343
style
continuité dans un plan décloisonné, 159
exprimer votre, 16, 21-22, 157
identifier votre, 16, 18
suédine, 363
surfaces décloisonnées
continuité du style, 45, 159
entrées, 69
espaces repas, 87, 92, 159
palettes de couleurs pour, 310
zones, 30, 35, 45, 48, 187
suspensions, 97

T

table de toilette, 217
tableau noir
peinture, 102
tables, 252
tableaux à mémos, 161, 261
tableaux aimantés, 163, 259, 261
tables
à pied central, 192
bout de, 189
console, 189
des repas, 86, 87, 99
de travail, 245, 248
métal, 295
pliantes, 189
pour buffets, 106
pour enfants, 112
tableau noir, 252
travail, 245, 248
tabourets, 251
tapis
définir des zones avec, 30, 35, 92
matériaux pour, 363
textures et motifs, 58, 64
télévision, 274-275, 281, 314
tentes, 300
têtes de lit, 181
texture
ajouter, 330
avantages, 58, 92, 329
avec le blanc, 61, 196
traitement des fenêtres et, 342
thèmes
choisir, 124
de couleurs monochromes, 61, 149, 160, 264
naturel, 42, 95
nautique, 123, 297
rural, 124
tiroirs, 154, 287
tissu éponge, 363
tissus
motifs et, 330-331
pour enfants, 48
pour housses, 98, 181
pour rideaux, 340
résistants aux intempéries, 362
texture et, 330
types de, 362-363
toile, 362
toilettes
espace minimal pour, 205
types de, 361-362
traitement des fenêtres
dans chambres, 174, 339, 342
dans salles de bains, 211, 220
dans séjour, 36
lumière naturelle et, 339
rideaux, 174, 339, 340-341
stores, 58, 339, 342-343
volets, 339, 342-343

V

vaisselle
blanche, 112
collection, 116-117, 159
entretien, 116
porcelaine, 116-117
variateurs, 96
vases, 36, 108
velours, 58, 340, 341, 363
verre
carafes, 142
portes, 153, 178
mosaïque, 214, 235
verres à pied, 116-117
rangement, 117
voilages, 174, 140, 141
voile, 340-341
volets
à panneaux, 343
lumière naturelle et, 339
persiennes, 343
prendre les mesures, 342

Z

zones
dans bureaux, 264
dans chambres, 178, 187
dans pièces familiales, 45, 48
dans salles de bains, 212, 219, 222
dans séjours, 30, 35
définir, 48

Crédits photographiques

PRINCIPAUX PHOTOGRAPHES

HOTZE EISMA Pages 21, 44 (bas gauche), 53 (milieu droite), 198-201, 206 (haut gauche et droite, bas droite), 208-217 (haut gauche, bas droite), 222-227, 229 (haut gauche, bas), 230 (bas gauche et droite), 232-235, 236, 237 (haut gauche et droite, milieu gauche, bas). Images suivantes © Hotze Eisma : 136 (bas gauche), 142-143, 148-149, 153 (bas droite), 155, 160-161.

JIM FRANCO Pages 2-6, 10-11, 14, 17, 42 (haut gauche), 43, 46-47, 54-55 (centre), 55 (haut), 74, 75 (haut), 80-81, 96 (haut), 100 (haut droite), 110 (haut gauche), 128, 136 (haut gauche), 138-139, 162-163 (centre), 163-165, 189 (haut gauche et centre), 220-221, 228, 268-269, 302-303, 306, 318, 332, 333, 334-335, 354-355, (haut), 356, 358 (deuxième et troisième à partir de la gauche), 360 (première à partir de la gauche), 361 (première, troisième et quatrième à partir de la gauche).

MARK LUND Quatrième de couverture (bas gauche) ; pages 52 (bas), 53 (haut droite), 54, 180 (haut), 238-241, 246 (haut droite, bas gauche, bas droite), 248-254, 258-259, 260 (bas), 260-261 (centre), 261 (haut), 262-267, 276 (bas droite), 282 (haut gauche et droite, bas gauche), 284-285, 288-289, 316 (haut), 322 (bas), 346, 348 (bas), 352 (bas).

STEFANO MASSEI Pages 32 (haut gauche), 42 (haut droite), 53 (milieu gauche, bas gauche et droite), 55 (bas), 68 (haut), 116, 117 (haut droite, bas gauche), 136 (haut droite, bas droite), 144 (haut gauche et droite, bas gauche), 150-151, 152 (haut droite), 154, 159, 162 (haut), 176-177, 180 (bas), 181 (bas droite), 182 (haut gauche, bas droite), 189 (haut droite), 230 (haut droite), 260 (haut), 261 (bas), 276 (haut gauche et droite, bas gauche), 278-281, 312 (bas), 327 (haut), 358 (quatrième à partir de la gauche), 359 (troisième à partir de la gauche), 360 (deuxième à partir de la gauche).

DAVID MATHESON Première de couverture (haut droite), rabat gauche (bas), quatrième de couverture (haut gauche, bas droite), rabat droite (haut) ; pages 16 (gauche), 19, 41 (bas gauche), 62-67, 78-79, 83-95, 96 (bas), 97 (haut gauche et droite, bas droite), 98 (haut gauche), 99, 100 (haut gauche, bas gauche et droite), 102-107, 108 (bas), 109, 110 (haut droite, bas gauche et droite), 112-115, 117 (haut gauche, milieu gauche, bas droite), 118, 120-127, 130, 140-141, 144 (bas droit), 146-147, 153 (haut gauche), 156, 158, 162 (bas), 172 (haut gauche), 190 (haut gauche), 229 (haut droite), 230 (haut gauche), 271, 282 (bas droite), 290-301, 308, 311, 315, 321, 324, 352 (haut), 359 (deuxième et quatrième à partir de la gauche). Image suivante © David Matheson : page 98 (milieu gauche).

PRUE RUSCOE Rabat gauche (haut) ; pages 8-9, 32 (haut droite), 41 (bas droite), 56 (haut droite, bas gauche), 58 (bas), 167, 172 (haut droite, bas gauche et droite), 174-175, 178-179, 181 (haut droite et gauche, milieu droite et gauche), 182 (haut droite, bas gauche), 184-188, 189 (bas), 190 (haut droite, bas gauche et droite), 192-197, 206 (bas gauche), 246 (haut gauche), 305, 313, 342, 344-345.

ALAN WILLIAMS Quatrième de couverture (haut droite), rabat de droite (bas) ; pages 1, 13, 18, 20, 22 (gauche), 23-27, 32 (bas droite et gauche), 34-38, 39 (haut), 40, 41 (haut droite, milieu droite et gauche), 42 (bas), 44 (haut droite et gauche, bas droite), 48-51, 52 (haut), 53 (haut gauche), 56 (haut gauche, bas droite), 58 (haut, milieu), 58-59, 60-61, 69 (milieu droite, bas droite), 70-73, 74-75 (centre), 75 (bas), 76-77, 97 (bas gauche), 117 (milieu droite), 218 (haut droite, bas gauche), 256-257, 312 (haut), 316, 317 (bas), 322 (haut), 323, 326, 327 (bas), 337, 338, 340, 348 (haut), 349, 350, 352, 358 (première à partir de la gauche), 359 (première à partir de la gauche).

AUTRES PHOTOGRAPHES

MELANIE ACEVEDO Rabat gauche (haut) ; page 16 (droite), 286-287. DAN CLARK Pages 41 (haut gauche), 68 (bas), 69 (haut gauche, haut droite, milieu droite, bas gauche), 152 (haut), 237 (milieu droite), 361 (deuxième à partir de la gauche). Images suivantes © REED DAVIS : première de couverture (haut gauche, bas droite). Image suivante © DANA GALLAGHER : page 98 (milieu droite). Image suivante © ALEC HEMER : page 22 (droite). Image suivante © MAURA MCEVOY : page 181 (bas gauche). Image suivante © DAVID TSAY : page 39 (bas gauche). Images suivantes © ANNA WILLIAMS : Page 98 (bas gauche, bas droite).

AUTRES IMAGES

© ANN SACKS TILE Page 68 (encadré bas, haut droite, bas gauche et droite). © ARMSTRONG HARDWOOD FLOORING BY HARTCO Page 357 (haut gauche). ARMSTRONG LAMINATE FLOORING Page 357 (deuxième à partir de la gauche). BEATE WORKS, INC Page 153 (bas gauche). © ECOTIMBER Page 357 (haut droite). © ROBBINS FINE HARDWOOD FLOORING FROM ARMSTRONG Page 357 (troisième à partir de la gauche). © SCAVOLINI Page 360 (troisième et quatrième à partir de la gauche).

PRINCIPAUX STYLISTES

ANTHONY ALBERTUS Première de couverture (bas gauche) ; pages 16 (droite), 21, 53 (milieu droite), 98 (milieu droite), 198-199, 201, 206 (haut gauche et droite, bas droite), 208-218, 222-227, 229 (haut gauche, bas), 230 (bas gauche et droite), 232-235, 236-237, 286-287, 306, 318, 332 (haut), 356, 358 (deuxième et troisième à partir de la gauche), 360 (première à partir de la gauche), 361 (première, troisième et quatrième à partir de la gauche).

NADINE BUSH Première de couverture (haut droite), rabat gauche (bas), quatrième de couverture (bas droite) ; pages 16 (gauche), 83, 89-95, 96 (bas), 97 (haut gauche et droite, bas droite), 98 (haut gauche, 99, 100 (haut gauche, bas droite), 102-107, 110 (haut droite, bas gauche et droite), 112-115, 117 (haut gauche, milieu gauche, bas droite), 118 (haut droite, bas gauche), 122-123, 126-127, 130, 140-141, 144 (bas droite), 146-147, 153 (haut gauche), 156, 158, 172 (haut gauche), 308, 352 (haut), 359 (deuxième et quatrième à partir de la gauche).

DEBORAH MCLEAN Pages 24-25, 38 (haut), 39 (haut), 41 (milieu gauche), 50-51, 58 (haut, milieu), 58-59 (haut), 70 (bas gauche), 75 (bas), 116, 117 (bas gauche), 144 (haut droite et gauche, bas gauche), 154, 159, 162 (haut), 180 (bas), 182 (haut gauche, bas droite), 189 (haut droite), 230 (haut droite), 261 (bas), 276 (haut gauche), 278-281, 316 (bas), 327 (bas), 340, 358 (quatrième à partir de la gauche).

EDWARD PETERSON Première de couverture (haut) ; pages 8-9, 32 (haut droite), 41 (bas droite), 56 (haut droite, bas gauche), 58 (bas), 98 (milieu gauche, bas droite), 167, 172 (haut droite, bas gauche), 174-175, 178-179, 181 (haut gauche et droite, milieu gauche et droite), 182 (haut droite, bas gauche), 184-188, 289 (bas), 190 (haut droite, bas gauche et droite), 192-197, 206 (bas gauche), 246 (haut gauche), 305, 313, 342, 344-345.

ALISTAIR TURNBULL Pages 42 (haut droite), 53 (milieu gauche, bas droite), 55 (bas), 117 (haut droite), 136 (haut droite, bas droite), 150-151, 152 (bas), 153 (haut droit), 176-177, 181 (bas droite, bas gauche), 312 (bas), 327 (haut), 359 (troisième à partir de la gauche).

MICHAEL WALTERS Quatrième de couverture (haut gauche et droite, bas gauche), rabat droit (bas) ; pages 1-6, 10-14, 17-20, 22 (droite), 23, 27, 32 (bas gauche et droite), 35-37, 38 (bas), 40, 41 (haut droite, milieu droite, bas gauche), 42 (haut gauche, bas), 43, 44 (haut droite et gauche, bas droite), 46-49, 52, 53 (haut gauche et droite), 54, 54-55 (centre), 55 (haut), 56 (haut gauche, bas droite), 60-61, 62 (haut droite, bas droite), 64-67, 69 (milieu droite, bas droite), 70 (haut gauche et droite, bas droite), 72-74, 74-75 (centre), 75 (haut), 76-86, 96 (haut), 97 (bas gauche), 100 (haut droite), 108 (haut gauche et droite), 110 (haut gauche), 117 (milieu droite), 118 (haut gauche, bas droite), 120-121, 124-125, 127 (haut droite),, 128-129, 136 (haut gauche), 138-139, 162 (bas), 162-163 (centre), 163-165, 180 (haut), 189 (haut gauche, centre), 190 (haut gauche), 220-221, 228, 238-241, 246 (haut droite, bas gauche et droite), 248-250, 251 (haut droite, milieu, bas), 252-259, 260 (bas), 260-261 (centre), 261 (haut), 262-271, 276 (bas droite), 282, 284-285, 288-303, 310, 312 (haut), 315, 316, 317 (haut), 320, 322-323, 325, 326, 328, 332 (bas), 333, 334-335, 337, 338, 346, 348-349, 350, 352 (bas), 353, 354-355, 358 (première à partir de la gauche), 359 (première à partir de la gauche).

AUTRES STYLISTES

DAVID BENRUD Page 22 (gauche). JULIA BIRD Pages 160-161. PHILIPPA BRAITHWAITE Page 98 (bas gauche). HELEN CROWTHER Page 172 (bas droite). THEA GECK Pages 32 (haut gauche), 53 (bas gauche). GREG LOWE Page 251 (bas gauche). MARY MULCAHY Première de couverture (haut gauche, bas droite). CARLA ROLEY Page 44 (bas gauche). NICOLE SILLAPERE rabat droit (haut) ; pages 100 (bas gauche), 108 (bas), 109, 229 (haut droite), 230 (haut gauche).

ILLUSTRATEURS

SHANNON ABBEY Pages 28, 84, 132, 168, 202, 242, 272, 341, 351.

NATE PADAVICK Pages 30-31, 39, 40, 86-87, 96, 99, 134-135, 155, 170-171, 204-205, 244-245, 274-275, 340, 342.

Ont contribué à cet ouvrage

PHOTOGRAPHES

HOTZE EISMA, installé à Amsterdam, photographie des intérieurs depuis près de vingt ans. Ses œuvres ont paru dans de nombreux magazines internationaux dont *Condé Nast Traveler,* des éditions américaines et européennes de *Elle Décoration* et *Vogue Australia*. Il a publié des livres de décoration d'intérieur : *Pottery Barn Bathrooms, Contemporary Chic* et *Simple Style,* entre autres.

JIM FRANCO est photographe à New York. Il travaille notamment pour *Travel + Leisure, Condé Nast Traveller UK, Real Simple, Domino Magazine* et pour les hôtels Starwood.

MARK LUND vit à New York. Né à Madison, dans le Wisconsin, il a suivi des études d'ingénieur et de dessin artistique. Photographe de *Pottery Barn Workspaces,* il a également publié dans de nombreux magazines, dont *Country Gardens, In Style O at Home, Real Simple* et *Wired.*

STEFANO MASSEI, italien d'origine, il vit aujourd'hui à San Francisco. Ses œuvres ont paru dans des magazines internationaux dont *Abitare, Elle Décoration Italia, Parenting* ainsi que dans des publicités pour des firmes telles que Arclinea, Fontana Arte, Gap et Williams-Sonoma. Stefano est également le photographe de *Pottery Barn Storage & Display.*

DAVID MATHESON est photographe free-lance et vit en Australie, à Sydney. Il a travaillé pour *Dining Spaces, Photos Style Recipes, Flowers Style Recipes* et *Cocktails Style Recipes,* la série de livres de Pottery Barn. Il contribue régulièrement à des magazines de décoration dont *Vogue Entertaining + Travel* et *Gourmet Traveler.* David est aussi le photographe de *Patio,* l'ouvrage de Jamie Durie.

PRUE RUSCOE a étudié la photographie au College of the Arts de Sydney et travaillé dans la photographie de mode avant de s'établir comme photographe d'intérieur en Australie, aux États-Unis et en Europe. Elle est la photographe de *Pottery Barn Bedrooms,* et ses œuvres ont paru dans de nombreuses publications dont *Elle Décoration, Marie Claire Lifestyle, Vogue Entertaining + Travel* et *Vogue Living.* Prue vit en Australie, à Sydney.

ALAN WILLIAMS photographie l'architecture, l'architecture d'intérieur mais aussi les voyages, la cuisine et les vins, entre autres. *Pottery Barn Living Rooms, The Color Design Sourcebook* et *Wine Taste Wine Styles* font partie de ses dernières publications. Né au pays de Galles, Alan habite aujourd'hui à Londres.

AUTEURS

KATHLEEN HACKETT ANTONSON a écrit plus de quarante livres de cuisine et d'art de vivre, dont le texte de *Pottery Barn Dining Spaces.* Elle a été directrice de publication de Martha Stewart Living Omnimedia.

MARTHA FAY est écrivain free-lance depuis vingt ans. Elle a publié notamment deux livres. Elle écrit fréquemment des articles sur la décoration et a contribué à *Pottery Barn Bedrooms, Storage & Display* et *Workspaces.*

SCOTT GIBSON est à la fois auteur et rédacteur free-lance. Autrefois secrétaire de rédaction à The Taunton Press, il écrit pour plusieurs publications dont *Fine Woodworking, Fine Homebuilding, Inspired House* et *Home.*

CAROLE NICKSIN rédige des articles pour le *New York Times, In Style Home, Shop Etc., Vitals, Home* et *Martha Stewart Living,* entre autres.

MARILYN ZELINSKY-SYARTO a publié des livres de design et d'architecture. Elle est l'auteur de trois livres sur l'évolution du bureau et de douzaines d'articles sur la décoration d'intérieur.

WELDON OWEN DÉSIRE REMERCIER

Birdman, Inc. ; Darrel Coughalan, coordinateur marketing ; Ken DellaPenta, index ; Wim de Vos, architecte ; Sherreme Gurtler, assistant styliste ; Kathy Kaiser, correctrice ; Kass Kapsiak, traiteur ; Deborah Kirk, consultant ; Jean Larette, consultant en décoration d'intérieur ; Sean MacDonald, coordinateur marketing ; Jim Pfaffman, architecte consultant ; John Robbins, assistant photographe ; Peter Scott ; Kimball Stone, coordinateur marketing ; Daniel Weiner, assistant photographe. Merci à Joyce Robertson et Lost Arts, San Francisco ; l'équipe de Pottery Barn et le personnel du magasin Pottery Barn, Corte Madera, Californie, pour avoir fourni les accessoires de décoration.

Nous adressons tous nos remerciements à ceux qui ont contribué au programme de publication de Pottery Barn, dont Leonie Barrera, Joseph DeLeo, Elizabeth Dougherty, Elizabeth Lazich, Tim Lewis, Lisa Light, Sarah Lynch, Jackie Mancuso, Gina Risso, Mario Serafin, Allison Serrell, Forrest Stilin, Colin Wheatland et Joshua Young. Un merci spécial à Shawna Mullen, pour son travail initial sur le développement de ce projet.

POTTERY BARN

Pottery Barn est le principal fournisseur américain de mobilier et d'accessoires pour la maison. Depuis la fondation de la firme en 1949, avec un seul magasin à Manhattan, le Pottery Barn Design Team a apposé sa signature, synonyme de confort et d'élégance, dans de nombreuses maisons à travers toute l'Amérique. Pour plus de renseignements sur Pottery Barn, consultez le site www.potterybarn.com.